新潮文庫

鍵・瘋癲老人日記

谷崎潤一郎著

目次

鍵・瘋癲老人日記

鍵《かぎ》

一月一日。……僕ハ今年カラ、今日マデ日記ニ記スコトヲ躊躇《ちゆうちよ》シテイタヨウナ事柄ヲモ敢《あえ》テ書キ留メルヿ《こと》ニシタ。僕ハ自分ノ性生活ニ関スルヿ、自分ト妻トノ関係ニツイテハ、アマリ詳細ナヿハ書カナイヨウニシテ来タ。ソレハ妻ガコノ日記帳ヲ秘《ひそ》カニ読ンデ腹ヲ立テハシナイカト云ウヿヲ恐レテイタカラデアッタガ、今年カラハソレヲ恐レヌヿニシタ。妻ハコノ日記帳ガ書斎ノ何処《どこ》ノ抽出《ひきだし》ニ這入《はい》ッテイルカヲ知ッテイルニ違イナイ。旧古風ナ京都ノ旧家ニ生レ封建的ナ空気ノ中ニ育ッタ彼女ハ、今日モナオ時代オクレナ旧道徳ヲ重ンズル一面ガアリ、或《あ》ル場合ニハソレヲ誇リトスル傾向モアルノデ、マサカ夫ノ日記帳ヲ盗ミ読ムヨウナヿハシソウモナイケレドモ、シカシ必ズシモソウトハ限ラナイ理由モアル。今後従来ノ例ヲ破ッテ夫婦生活*ニ関スル記載ガ頻繁《ひんぱん》ニ現ワレルヨウニナレバ、果シテ彼女ハ夫ノ秘密ヲ探ロウトスル誘惑ニ打チ勝チ得ルデアロウカ。彼女ハ生レツキ陰性デ、秘密ヲ好ム癖ガアルノダ。彼女ハ知ッテイルヿデモ知ラナイ風ヲ装イ、心ニアルヿヲ容易ニ口ニ出サナイノガ常デアルガ、悪イコトニハソレヲ女ノ嗜《たしな》ミデアルトモ思ッテイル。僕ハ、日記帳ヲ入レテアル抽出ノ鍵《かぎ》ハイツモ某所ニ隠シテアルノダガ、ソシテ時々ソノ隠シ場所ヲ変エテイルノダガ、詮索《せんさく》好キノ彼女ハ事ニ依ルト過去ノアラユル隠シ場所ヲ知ッテシマッテイルカモ知レナイ。尤《もっと》モソンナ面倒ヲシナイデモ、アンナ鍵ハ幾ラデモ合イ鍵ヲ求メルヿガ出来ヨウ。……僕ハ今「今年カラハ読マレルヿヲ恐レヌヿニシタ」ト云ッタガ、考エテ見ルト、実ハ前カラソンナニ恐レテハイナカッタノカモ知レナイ。ムシロ内々《ないない》読マレルヿヲ覚悟シ、期待シテイタノカモ知レナイ。ソレナラバナゼ抽出ニ鍵ヲ懸ケタリ又ソノ鍵ヲ彼方此方《あちらこちら》ヘ隠シタリシタノカ。ソレハ或《あるい》ハ彼女ノ捜索癖ヲ満足サセルタメデアッタカモ知レナイ。ソレニ彼女ハ、モシ僕ガ日記帳ヲ故意ニ彼女ノ眼ニ触レ易《やす》イ所ニ置ケバ、「コレハ私ニ読マセルタメニ書イタ日記ダ」ト思イ、書イテアルヿヲ信用シナイカモ知レナイ。ソレドコロカ、「ホントウノ日記ガモウ一ツ何処《どこ》カニ隠シテアルノダ」ト思ウカモ知レナイ。……郁子《いくこ》ヨ、ワガ愛スルイトシノ妻ヨ、僕ハオ前ガ果シテコノ日記ヲ盗ミ読ミシツツアルカドウカヲ知ラナイ。僕ガオ前ニソンナヿヲ聞イテモ、オ前ハ「人ノ書イタモノヲ盗ミ読ミナド致シマセン」ト答エルニキマッテイルカラ、聞イタトコロデ仕方ガナイ。ダガモシ読ンデイルノデアッタラ、決シテコレハ偽リノ日記デナイヿヲ、コノ記載ハスベテ真実デアルヿヲ信ジテ欲シイ。イヤ、疑イ深イ人ニ向ッテコウ云ウヿヲ云ウト却《かえ》ッテ疑イヲ深クサセル結果ニナルカラ、モウ云ウマイ。ソレヨリコノ日記ヲ読ンデサエクレレバソノ内容ニ虚偽ガアルカ否カハ自然明カニナルデアロウ。

モトヨリ僕ハ彼女ニ都合ノヨイヿバカリハ書カナイ。彼女ガ不快ヲ感ズルデアロウヨウナヿ、彼女ノ耳ニ痛イヨウナヿモ憚《はば》カラズ書イテ行カネバナラナイ。モトモト僕ガコウ云ウヿヲ書ク気ニナッタノハ、彼女ノアマリナ秘密主義、――夫婦ノ間デ閨房《けいぼう》ノヿヲ語リ合ウサエ恥ズベキヿトシテ聞キタガラズ、タマタマ僕ガ猥談《わいだん》メイタ話ヲシカケルト忽《たちま》チ耳ヲ蔽《おお》ウテシマウ彼女ノ所謂《いわゆる》「身嗜《みだしな》ミ」、アノ偽善的ナ「女ラシサ」、アノ態《わざ》トラシイオ上品趣味ガ原因ナノダ。連レ添ウテ二十何年ニモナリ、嫁入リ前ノ娘サエアル身デアリナガラ、寝床ニ這入ッテモ未《いま》ダニタダ黙々ト事ヲ行ウダケデ、ツイゾシンミリトシタ睦言《むつごと》ヲ取リ交ソウトシナイノハ、ソレデモ夫婦ト云エルデアロウカ。僕ハ彼女ト直接閨房ノヿヲ語リ合ウ機会ヲ与エラレナイ不満ニ堪エカネテコレヲ書ク気ニナッタノダ。今後ハ僕ハ、彼女ガコレヲ実際ニ盗ミ読ミシテイルト否トニ拘《かか》ワラズ、シテイルモノト考エテ、間接ニ彼女ニ話シカケル気持デコノ日記ヲツケル。

何ヨリモ、僕ガ彼女ヲ心カラ愛シテイルヿ、――コノヿハ前ニモ度々《たびたび》書イテイルガ、ソレハ偽リノナイヿデ、彼女ニモヨク分ッテイルト思ウ。タダ僕ハ生理的ニ彼女ノヨウニアノ方ノ慾望ガ旺盛《おうせい》デナク、ソノ点デ彼女ト太刀打チ出来ナイ。僕ハ今年五十六歳(彼女ハ四十五ニナッタ筈《はず》ダ)ダカラマダソンナニ衰エル年デハナイノダガ、ドウ云ウ訳カ僕ハアノ〓ニハ疲レ易《やす》クナッテイル。正直ニ云ッテ、現在ノ僕ハ週ニ一回クライ、――ムシロ十日ニ一回クライガ適当ナノダ。トコロガ彼女ハ（コンナ〓ヲ露骨ニ書イタリ話シタリスル〓ヲ彼女ハ最モ忌ムノデアル）腺病質《せんびょうしつ》*デシカモ心臓ガ弱イニモ拘ワラズ、アノ方ハ病的ニ強イ。サシアタリ僕ガ甚《はなは》ダ当惑シ、参ッテイルノハ、コノ一事ナノダ。僕ハ夫トシテ、彼女ニ十分ノ義務ヲ果タシ得ナイノハ申訳ガナイケレドモ、ソウカト云ッテ、彼女ガソノ不足ヲ補ウタメニ、モシ仮リニ、――コンナ〓ヲ云ウト、私ヲソンナミダラナ女ト思ウノデスカト怒ルデアロウガ、コレハ「仮リニ」ダ、――他ノ男ヲ拵《こしら》エタトスルト、僕ハソレニハ堪エラレナイ。僕ハソンナ仮定ヲ想像シタダケデモ嫉妬《しっと》ヲ感ズル。ノミナラズ彼女自身ノ健康ノ〓ヲ考エテモ、アノ病的ナ慾求ニ幾分ノ制御ヲ加エタ方ガヨイノデハアルマイカ。……僕ガ困ッテイルノハ、僕ノ体力ガ年々衰エヲ増シツツアル〓ダ。近頃ノ僕ハ性交ノ後デ実ニ非常ナ疲労ヲ覚エル。ソノ日一日グッタリトシテ物ヲ考エル気力モナイクライニ。……ソレナラ僕ハ彼女トノ性交ヲ嫌《きら》ッテイルノカト云ウト、事実ハソレノ反対ナノダ。僕ハ義務ノ観念カラ強《し》イテ情慾ヲ駆リ立テテイヤイヤ彼女ノ要求ニ応ジテイルノデハ断ジテナイ。僕ハ幸カ不幸カ彼女ヲ熱愛シテイル。ココデ僕ハ、イヨイヨ彼女ノ忌避ニ触レル一点ヲ発《あば》カネバナラナイガ、彼女ニハ彼女自身全ク気ガ付イテイナイトコロノ或ル独得ナ長所ガアル。僕ガモシ過去ニ、彼女以外ノ種々ノ女ト交渉ヲ持ッタ経験ガナカッタナラバ、彼女ダケニ備ワッテイルアノ長所ヲ長所ト知ラズニイルデモアロウガ、若カリシ頃ニ遊ビヲシタ〻ノアル僕ハ、彼女ガ多クノ女性ノ中デモ極《きわ》メテ稀《まれ》ニシカナイ器具ノ所有者デアル〻ヲ知ッテイル。彼女ガモシ昔ノ島原*ノヨウナ妓楼《ぎろう》ニ売ラレテイタトシタラ、必ズヤ世間ノ評判ニナリ、無数ノ嫖客《ひょうかく》*ガ競ッテ彼女ノ周囲ニ集マリ、天下ノ男子ハ悉《ことごと》ク彼女ニ悩殺サレタカモ知レナイ。(僕ハコンナ〻ヲ彼女ニ知ラセナイ方ガヨイカモ知レナイ。彼女ニソウ云ウ自覚ヲ与エル〻ハ、少クトモ僕自身ノタメニ不利カモ知レナイ。シカシ彼女ハコレヲ聞イテ、果シテ自ラ喜ブデアロウカ恥《は》ジルデアロウカ、或《あるい》ハ又侮辱ヲ感ジルデアロウカ。多分表面ハ怒ッテ見セナガラ、内心ハ得意ニ感ジル〻ヲ禁ジ得ナイノデハナカロウカ) 僕ハ彼女ノアノ長所ヲ考エタダケデモ嫉妬ヲ感ズル。モシモ僕以外ノ男性ガ彼女ノアノ長所ヲ知ッタナラバ、ソシテ僕ガソノ天与ノ幸運ニ十分酬《むく》イテイナイ〻ヲ知ッタナラバ、ドンナ〻ガ起ルデアロウカ。僕ハソレヲ考エルト不安デモアリ、彼女ニ罪深イ〻ヲシテイルトモ思イ、自責ノ念ニ堪エラレナクナル。ソコデ僕ハイロイロナ方法デ自分ヲ刺戟《しげき》シヨウトスル。タトエバ僕ハ僕ノ性慾点――僕ハ眼ヲツブッテ眼瞼《まぶた》ノ上ヲ接吻《せっぷん》シテ貰ウ時ニ快感ヲ覚エル、――ヲ彼女ニ刺戟シテ貰《もら》ウ。又反対ニ僕ガ彼女ノ性慾点――彼女ハ腋《わき》ノ下ヲ接吻シテ貰ウ〻ヲ好ムノデアル、――ヲ刺戟シテ、ソレニ依ッテ自分ヲ刺戟シヨウトスル。然ルニ彼女ハソノ要求ニサエアマリ快クハ応ジテクレナイ。彼女ハソウ云ウ「不自然ナ遊戯」ニ耽《ふけ》ル⌈ヲ欲セズ、飽クマデモオーソドックスナ正攻法ヲ要求スル。正攻法ニ到達スル手段トシテノ遊戯デアル⌈ヲ説明シテモ、彼女ハココデモ「女ラシイ身嗜ミ」ヲ固守シテソレニ反スル行為ヲ嫌ウ。彼女ハ又僕ガ足ノ fetishist* デアル⌈ヲ知ッテイナガラ、カツ彼女ハ自分ガ異常ニ形ノ美シイ足（ソレハ四十五歳ノ女ノ足ノヨウニハ思エナイ）ノ所有者デアル⌈ヲ知ッテイナガラ、イヤ知ッテイルガ故ニ、メッタニソノ足ヲ僕ニ見セヨウトシナイ。真夏ノ暑イ盛リデモ彼女ハ大概足袋《たび》ヲ穿《は》イテイル。セメテソノ足ノ甲ニ接吻サセテクレト云ッテモ、マア汚《きたな》イトカ、コンナ所ニ触《さわ》ルモノデハアリマセントカ云ッテ、ナカナカ願イヲ聴イテクレナイ。ソレヤコレヤデ僕ハ一層手ノ施シヨウガナクナル。………正月早々愚痴《ぐち》ヲナラベル結果ニナッテ僕モイササカ恥カシイガ、デモコンナ⌈モ書イテオク方ガヨイト思ウ。明日ノ晩ハ「ヒメハジメ」*デアル。オーソドックスヲ好ム彼女ハ毎年ノ吉例ニ従イ、必ズソノ行事ヲ厳粛ニ行ワナケレバ承知シナイデアロウ。………

一月四日。………今日私は珍しい事件に出遇《であ》った。三カ日の間書斎の掃除をしなかったので、今日の午後、夫が散歩に出かけた留守に掃除をしに這入《はい》ったら、あの水仙の活《い》けてある一輪挿《ざ》しの載《の》っている書棚《しょだな》の前に鍵《かぎ》が落ちていた。それは全く何でもないことなのかも知れない。でも夫が何の理由もなしに、ただ不用意にあの鍵をあんな風に落しておいたとは考えられない。夫は実に用心深い人なのだから。そして長年の間毎日日記をつけていながら、嘗《かつ》て一度もあの鍵を落したことなんかなかったのだから。……私は勿論《もちろん》夫が日記をつけていることも、その日記帳をあの小机の抽出《ひきだし》に入れて鍵をかけていることも、そしてその鍵を時としては書棚のいろいろな書物の間に、時としては床の絨《じゅう》緞《たん》の下に隠していることも、とうの昔から知っている。しかし私は知ってよいことと知ってはならないこととの区別は知っている。私が知っているのはあの日記帳の所在と、鍵の隠し場所だけである。決して私は日記帳の中を開けて見たりなんかしたことはない。だのに心外なことには、生来疑い深い夫はわざわざあれに鍵をかけたりその鍵を隠したりしなければ、安心がならなかったのであるらしい。……その夫が今日その鍵をあんな所に落して行ったのはなぜであろうか。何か心境の変化が起って、私に日記を読ませる必要を生じたのであろうか。そして、正面から私に読めと云っても読もうとしないであろうことを察して、「読みたければ内証《ないしょ》で読め、ここに鍵がある」と云っているのではなかろうか。そうだとすれば、夫は私がとうの昔から鍵の所在を知っていたことを、知らずにいたと云うことになるのだろうか？　いや、そうではなく、「お前が内証で読むことを僕も今日から内証で認める、認めて認めないふりをしていてやる」と云うのだろうか?………

まあそんなことはどうでもよい。かりにそうであったとしても、私は決して読みはしない。私は自分でここまでと極《き》めている限界を越えて、夫の心理の中にまで這入り込んで行きたくない。私は自分の心の中を人に知らせることは好まないように、人の心の奥底を根掘り葉掘りすることを好まない。ましてあの日記帳を私に読ませたがっているとすれば、その内容には虚偽があるかも知れないし、どうせ私に愉快なことばかり書いてある筈《はず》はないのだから。夫は何とでも好きなことを書いたり思ったりするがよいし、私は私でそうするであろう。実は私も、今年から日記をつけ始めている。私のように心を他人に語らない者は、せめて自分自身に向って語って聞かせる必要がある。但《ただ》し私は自分が日記をつけていることを夫に感づかれるようなヘマはやらない。私はこの日記を、夫の留守の時を窺《うかが》って書き、絶対に夫が思いつかない或る場所に隠しておくことにする。私がこれを書く気になった第一の理由は、私には夫の日記帳の所在が分っているのに、夫は私が日記をつけていることさえも知らずにいる、その優越感がこの上もなく楽しいからである。………

一昨夜は年の始めの行事をした。………ああ、こんなことを筆にするとは何と云う恥《はず》かしさであろう。亡くなった父は昔よく「慎《ひとりをつつしむ》レ独」と云うことを教えた。私がこんなことを書くのを知ったら、どんなにか私の堕落を歎《なげ》くであろう。……夫は例に依り歓喜の頂天に達したらしいが、私は又例に依り物足りなかった。そしてその後の感じが溜《たま》らなく不快であった。夫は彼の体力が続かないのを恥じ、私に済まないと云うことを毎度口にする半面、夫に対して私が冷静過ぎることを攻撃する。その冷静と云う意味は、彼の言葉に従えば私は「精力絶倫」で、その方面では病的に強いけれども、私のやり方は余りにも「事務的」で、「ありきたり」で、「第一公式」で、変化がないと云うのである。平素何事につけても消極的で、控え目である私が、あのことにだけは積極的であるにも拘《かか》わらず、二十年来常に同じメソッド*、同じ姿勢でしか応じてくれないと云うのである。——そのくせ夫はいつも私の無言の挑《いど》みを見逃《のが》さず、私の示すほんの僅《わず》かな意志表示にも敏感で、直ちにそれと察しるのである。それは或は、私の頻繁《ひんぱん》過ぎる要求に絶えず戦々兢々《きょうきょう》としている結果、却《かえ》ってそんな風になるのかも知れない。——私は実利一点張りで、情味がないのだそうである。僕がお前を愛している半分も、お前は僕を愛していないと、夫は云う。お前は僕を単なる必要品としか、——それも極《きわ》めて不完全な必要品としか考えていない、お前がほんとうに僕を愛しているなら、もっと熱情があってもよい筈だ、いかなる僕の註文にも応じてくれる筈だと云う。僕が十分にお前を満足させ得ない一半の責めはお前にある、お前がもっと僕の熱情をかき立てるようにしてくれれば、僕だってこんなに無力ではない、お前は一向そう云う努力をしようとせず、自ら進んでその仕事に僕と協力してくれない、お前は食いしんぼうの癖に手を拱《こまね》いて据《す》え膳《ぜん》*の箸《はし》を取ることばかり考えていると云い、私を冷血動物で意地の悪い女だとさえ云う。

夫が私をそう云う眼で見るのも一往無理のないところがある。だけど私は、女と云うものはどんな場合にも受け身であるべきもの、男に対して自分の方から能動的に働きかけてはならないもの、と云う風に、昔気質《かたぎ》の親たちからしつけられて来たのである。私は決して熱情がない訳ではないが、私の場合、その熱情は内部に深く沈潜する性質のもので、外に発散しないのである。強《し》いて発散させようとすればその瞬間に消えてなくなってしまうのである。私のは青白い熱情で、燃え上る熱情ではないと云うことを、夫は理解してくれない。………この頃になって私がつくづく感じることは、私と彼とは間違って夫婦になったのではなかったか、と云うことである。私にはもっと適した相手があったであろうし、彼にもそうであったろうと思う。私と彼とは、性的嗜好《しこう》が反撥《はんぱつ》し合っている点が、余りにも多い。私は父母の命ずるままに漫然とこの家に嫁《とつ》ぎ、夫婦とはこう云うものと思って過して来たけれども、今から考えると、私は自分に最も性《しょう》の合わない人を選んだらしい。これが定められた夫であると思うから仕方なく怺《こら》えているものの、私は時々彼に面と向って見て、何と云う理由もなしに胸がムカムカして来ることがある。そう、そのムカムカする感じは、昨今に始まったことではなく、そもそも結婚の第一夜、彼と褥《しとね》を共にしたあの晩からそうであった。あの遠い昔の新婚旅行の晩、私は寝床に這入って、彼が顔から近眼の眼鏡を外《はず》したのを見ると、途端にゾウッと身慄《みぶる》いがしたことを、今も明瞭に思い出す。始終眼鏡をかけている人が外すと、誰でもちょっと妙な顔になるものだが、夫の顔は急に白ッちゃけた、死人の顔のように見えた。夫はその顔を近々と傍《そば》に寄せて、穴の開くほど私の顔を覗《のぞ》き込んだものだった。私も自然彼の顔をマジマジと見据える結果になったが、その肌理《きめ》の細かい、アルミニュームのようにツルツルした皮膚を見ると、私はもう一度ゾウッとした。昼間は分らなかったけれども、鼻の下や唇の周《まわ》りに髯《ひげ》が微《かす》かに生えかかっているのが(彼は毛深いたちなのである)見えて、それが又薄気味が悪かった。私はそんなに近い所で男性の顔を見るのは始めてだったので、そのせいもあったかも知れないが、以来私は、今日でも夫の顔を明るい所で長い間視《み》つめていると、あのゾウッとする気持になるのである。だから私は彼の顔を見ないようにしようと思い、枕もとの電燈を消そうとするのだが、夫は反対に、あの時に限って部屋を明るくしようとする。そして私の体じゅうの此処彼処《ここかしこ》を、能《あた》う限りハッキリ見ようとする。(私はそんな要求にはめったに応じないことにしているけれども、足だけは余り執拗《しつこ》く云うので、已《や》むを得ず見せる）私は夫以外の男を知らないけれども、総体に男性と云うものは皆あのように執拗いのであろうか。あのアクドい、べたべたと纏わりついてさまざまな必要以外の遊戯をしたがる習性は、すべての男子に通有なのであろうか。………

一月七日。………今日木村ガ年始ニ来タ。僕ハフォークナー*ノサンクチュアリヲ読ミカケテイタノデ、チョット挨拶《あいさつ》シテ書斎ニ上ッタ。木村ハ茶ノ間デ妻ヤ敏子《としこ》ト暫《しばら》ク話シテイタガ、三時過ギニ「麗《うるわ》しのサブリナ*」ヲ見ニ行クト云ッテ、三人デ出カケタ。ソシテ木村ハ六時頃又一緒ニ帰ッテ来テ、僕等家族ト夕食ヲ共ニシ、九時少シ過ギマデ話シテ行ッタ。食事ノ時敏子ヲ除ク三人ハブランデーヲ少量ズツ飲ンダ。郁子ハ近頃酒量ガヤヤ増シタヨウニ思ウ。彼女ニ酒ヲ仕込ンダノハ僕ダガ、モトモト彼女ハ行《い》ケル口ナノダ。彼女ハ勧メラレレバ黙ッテ可ナリノ量ヲ嗜《たしな》ム。酔ウヿ《こと》ハ酔ウガ、ソノ酔イ方ガ陰性デ、外ニ発セズ、内攻シ、イツマデモジット怺《こら》エテイルノデ、人ニハ分ラナイヿガ多イ。今夜ハ木村ガシェリーグラス*ニ二杯半マデ彼女ニススメタ。妻ハイクラカ青イ顔ヲシテイタガ、酔ッタ様子ハ見エナカッタ。却《かえ》ッテ僕ヤ木村ノ方ガ紅イ顔ニナッタ。木村ハソンナニ強クハナイ。妻ヨリ弱イクライデアル。妻ガ僕以外ノ男カラブランデーノ杯ヲ受ケタノハ、今夜ガ始メテデハナイダロウカ。木村ハ最初敏子ニ差シタノダガ、「私ハダメデス、ドウカママニオ酌ナスッテ」ト敏子ガ云ッタカラデアッタ。僕ハカネテカラ、敏子ガ木村ヲ避ケル風ガアルヿヲ感ジテイタガ、ソレハ木村ガ彼女ヨリハ彼女ノ母ニ親愛ノ情ヲ示ス傾向ガアルヿヲ、彼女モ感ヅクニ至ッタカラデハナイデアロウカ。僕ハ僕ノ嫉妬《しっと》カラソンナ風ニ気ガ廻ルノカト思ッテ、ソノ考ヲ努メテ打チ消シテイタノデアルガ、矢張ソウデハナサソウデアル。一体妻ハ来客ニ対シテハ不愛想デ、殊《こと》ニ男ノ客人ニハ会イタガラナイノデアルガ、木村ニダケハ親シムノデアル。敏子モ、妻モ、僕モ、未《いま》ダ嘗《かつ》テ口ニ出シタヿハナイガ、木村ハジェームス・スチュアート*ニ似テイル。ソシテ僕ノ妻ハ、ジェームス・スチュアートガ好キデアルヿヲ僕ハ知ッテイル。(妻ハソレヲ口ニ出シタヿハナイガ、ジェームス・スチュアートノ映画ダト欠カサズ見ニ行クラシイノデアル)尤《もっと》モ妻ガ木村ニ接近スルノハ、僕ガ彼ヲ敏子ニ妻《めあ》ワセテハドウカト云ウ考ガアッテ、家庭ニ出入リサセルヨウニシ、妻ニソレトナク二人ノ様子ヲ見ルヨウニト命ジタカラナノデアル。トコロガ敏子ハコノ縁談ニハドウモ気乗リガシテイナイラシイ。彼女ハナルベク木村ト二人キリニナル機会ヲ作ラヌヨウニシ、イツモ殆《ほと》ンド郁子ト三人デ茶ノ間デ話シ、映画ヲ見ルニモ必ズ母ヲ誘ッテ出カケル。「オ前ガツイテ行クカラ悪イ、二人キリデ出シテ見ナサイ」ト云ウノダガ、妻ハソレニハ不賛成デ、母親トシテ監督スル責任ガアルト云ウ。「ソレハオ前ノ頭ガ時代オクレダカラダ、二人ヲ信用シタラヨイノダ」ト云ウト、「私モソウ思ウノデスケレドモ、敏子ガツイテ来テクレト云ウノデス」ト云ウ。事実敏子ガソウ云ウノダトスレバ、ソレハ自分ヨリモ母ノ方ガ木村ヲ好イテイルトコロカラ、ムシロ自分ガ母ノタメニ仲介ノ労ヲ取ロウトシテイルノデハアルマイカ。僕ハ何トナク、妻ト敏子トノ間ニ暗黙ノ示シ合ワセガアルヨウナ気ガシテナラナイ。少クトモ妻ハ、自分デハ意識シテイナイノカモ知レナイガ、自分デハ若イ二人ヲ監督シテイルツモリカモ知レナイガ、実際ハ木村ヲ愛シテイルヨウニ思エテナラナイ。……

一月八日。昨夜は私も酔ったけれども、夫は一層酔っていた。夫は近頃あまり強要したことのなかった眼瞼《まぶた》の上の接吻《せっぷん》を、してくれるようにと頻《しき》りに迫った。私もブランデーの加減で少し常軌を逸していたので、フラフラと要求に応じた。それはよいが、接吻するついでに、あの見てはならないものを、——彼の眼鏡を外した顔を、ついウッカリして見てしまった。私はいつも眼瞼に接吻を与える時は、自分も眼をつぶるようにしているのだが、昨夜は途中で眼を開けてしまった。あのアルミニュームのような皮膚が、キネマスコープ*で大映しにして見るように巨大に私の眼の前に立ち塞《ふさ》がった。私はゾウッと身慄《みぶる》いをした。そして自分の顔が急に青ざめたのを感じた。でもよい塩梅《あんばい》に、夫は眼鏡をすぐにかけた、例に依って私の手足を事細かに眺《なが》めるために。……私は黙って枕もとのスタンドを消した。夫は手を伸ばしてスイッチをひねり返そうとしたが、私はスタンドを遠くの方へ押しやった。「おい、後生だ、もう一度見せてくれ。後生お願い。……」と、夫は暗い中でスタンドを探ったが、見つからないので諦《あきら》めてしまった。……久し振の長い抱擁。……

私は夫を半分は激しく嫌《きら》い、半分は激しく愛している。私は夫とほんとうは性が合わないのだけれども、だからと云って他の人を愛する気にはなれない。私には古い貞操観念がこびり着いているので、それに背《そむ》くことは生れつき出来ない。私は夫のあの執拗《しつよう》な、あの変態的な愛撫《あいぶ》の仕方にはホトホト当惑するけれども、そう云っても彼が熱狂的に私を愛していてくれることは明かなので、それに対して何とか私も報いるところがなければ済まないと思う。ああ、それにつけても、彼にもう少し昔のような体力があってくれたらば、……一体どうして彼はあんなにあの方面の精力が減退したのであろうか。……彼に云わせると、それは私があまり淫蕩《いんとう》に過ぎるので、自分もそれにつり込まれて節度を失った結果である、女はその点不死身だけれども、男は頭を使うので、ああ云うことが直《じ》きに体にこたえるのだと云う。そう云われると耻《はず》かしいが、しかし私の淫蕩は体質的のものなので、自分でも如何《いかん》ともすることが出来ないことは、夫も察してくれるであろう。夫が真に私を愛しているのならば、やはり何とかして私を喜ばしてくれなければいけない。ただくれぐれも知って置いて貰いたいのは、あの不必要な悪ふざけだけは我慢がならないと云うこと、私に取ってあんな遊びは何の足しにもならないばかりか、却《かえ》って気分を損《そこな》うばかりだと云うこと、私は本来は、何処までも昔風に、暗い奥深い閨《ねや》の中に垂れ籠《こ》めて、分厚い褥《しとね》に身を埋めて、夫の顔も自分の顔も分らないようにして、ひっそりと事を行いたいのだと云うこと、である。夫婦の趣味がこの点でひどく食い違っているのはこの上もない不幸であるが、お互に何か妥協点を見出《みいだ》す工夫はないものだろうか。………

一月十三日。………四時半頃ニ木村ガ来タ。国カラ鱲子《からすみ》*ガ届キマシタカラ持ッテ来マシタト云ッテ、ソノアト一時間程三人デ話シテ帰リカケル様子ダッタノデ、僕ハ下ヘ降リテ行ッテ、飯ヲ食ッテ行ケト引キ留メタ。木村ハ別ニ辞退セズ、デハ御馳走《ごちそう》ニナリマスト云ッテ坐リ込ンダ。食事ノ支度《したく》ガ出来ル間、僕ハ又二階ニ上ッテイタガ、敏子ガ一人デ台所ノ用事ヲ引キ受ケテ、妻ハ茶ノ間ニ残ッテイタ。御馳走ト云ッテモ有リアワセノモノシカナカッタガ、酒ノ肴《さかな》ニハ到来*ノ鱲子ト、昨日妻ガ錦《にしき》ノ市場*デ買ッテ来タ鮒鮨《ふなずし》*ガアッタノデ、スグブランデーニナッタ。妻ハ甘イ物ガ嫌イデ、酒飲ミノ好ク物ガ好キ、ナカンズク鮒鮨ガ好キダ。——僕ハ両刀使イ*ダケレドモ、鮒鮨ハアマリ好キデナイ。家ジュウデ妻以外ニアレヲ食ウ者ハイナイ。長崎人ノ木村モ鱲子ハ好キダガ、鮒鮨ハ御免ダト云ッテイタ。——木村ハ土産物《みやげ》ナンカ提《さ》ゲテ来タヿ《こと》ハナイノダガ、今日ハ始メカラ晩ノ食事ヲ共ニスル底意ガアッタノデアロウ。僕ハ彼ノ心理状態ガ今ノトコロヨク分ラナイ。郁子ト敏子ト、彼自身ハドッチニ惹《ひ》カレテイルノデアロウカ。モシ僕ガ木村デアッタトシテ、ドッチニ余計惹キ付ケラレルカト云エバ、ソレハ、年ハ取ッテイルケレドモ母ノ方デアルヿハ確カダ。ダガ木村ハドウトモ云エナイ。彼ノ最後ノ目的ハ却ッテ敏子ニアルノカモ知レナイ。敏子ガソレホド彼トノ結婚ニ乗リ気デナイラシイノデ、サシアタリ母ノ歓心ヲ買イ、母ヲ通ジテ敏子ヲ動カソウトシテイル？——イヤソンナヿヨリモ、僕自身ハドンナツモリナノダロウ。ドンナツモリデ今夜モ木村ヲ引キ留メタノダロウ。コノ心理ハ我ナガラ奇妙ダ。先日、七日ノ晩ニ僕ハ既ニ木村ニ対シ淡イ嫉妬（淡クモナカッタカモ知レナイ）ヲ感ジツツアッタノニ、——イヤソウデハナイ、ソレハ去年ノ暮アタリカラダッタ、——ソノ半面、僕ハソノ嫉妬ヲ密《ひそ》カニ享楽シツツアッタ、ト云エナイダロウカ。元来僕ハ嫉妬ヲ感ジルトアノ方ノ衝動ガ起ルノデアル。ダカラ嫉妬ハ或ル意味ニ於イテ必要デモアリ快感デモアル。アノ晩僕ハ、木村ニ対スル嫉妬ヲ利用シテ妻ヲ喜バスヿニ成功シタ。僕ハ今後我々夫婦ノ性生活ヲ満足ニ続ケテ行クタメニハ、木村ト云ウ刺戟剤《しげきざい》ノ存在ガ欠クベカラザルモノデアルヿヲ知ルニ至ッタ。シカシ妻ニ注意シタイノハ、云ウマデモナイヿダケレドモ、刺戟剤トシテ利用スル範囲ヲ逸脱シナイヿダ。妻ハ随分キワドイ所マデ行ッテヨイ。キワドケレバキワドイ程ヨイ。僕ハ僕ヲ、気ガ狂ウホド嫉妬サセテ欲シイ。事ニ依ッタラ範囲ヲ蹈《ふ》ミ越エタノデハアルマイカ、ト、多少疑イヲ抱《いだ》カセルクライデアッテモヨイ。ソノクライマデ行クヿヲ望ム。僕ガコノクライニ云ッテモ、トテモ彼女ハ大胆ナヿハ出来ソウモナイケレドモ、ソウ云ウ風ニシテ努メテ僕ヲ刺戟シテクレルヿハ、彼女自身ノ幸福ノタメデモアルト思ッテ貰イタイ。

一月十七日。………木村ハアレキリマダ来ナイガ、僕ト妻トハアレカラ毎晩ブランデーヲ用イツツアル。妻ハススメレバ随分行ケル。僕ハ妻ガ一生懸命酔イヲ隠シテ冷タイ青ザメタ顔ヲシテイルノヲ見ルノガ好キダ。妻ノソウシテイル様子ニ何トモ云エナイ色気ヲ感ジル。僕ハ彼女ヲ酔イツブシテ寝カシテシマオウト云ウ底意モアッタガ、ドウシテ彼女ハソノ手ニハ乗ラナイ。酔ウトマスマス意地ガ悪クナリ、足ニ触ラセマイトスル。ソシテ自分ノ欲スルヿダケヲ要求スル。………

一月二十日。………今日は一日頭痛がしている。二日酔いと云うほどではないが、昨日は少し過したらしい。………だんだん私のブランデーの量が殖えて行くのを木村さんは心配している。近頃は二杯以上はお酌をしない。「もう好い加減になすったら」と、止める方に廻ろうとする。夫は反対に、前より一層飲ませたがる。差されれば拒まない癖を知っているので、いくらでも飲ますつもりらしい。でももうこの辺が極量《きょくりょう》*である。夫や木村さんの見ている前で取り乱したことは一度もないが、酒を殺して飲むために後が苦しい。私は用心した方がよい。………

一月二十八日。………今夜突然妻ガ人事不省*ニナッタ。木村ガ来テ、四人デ食卓ヲ囲ンデイル最中ニ彼女ガ何処《どこ》カヘ立ッテ行ッテ、暫《しばら》ク戻ッテ来ナイノデ、「ドウナスッタノデショウ」ト木村ガ云イ出シタ。妻ハブランデーガ過ギルト時々中座シテ便所ニ隠レテイルヿ《こと》ガアルノデ、「ナニ、今ニ戻ッテ来ルヨ」ト僕ハ云ッテイタガ、アマリ長イノデ木村ハ気ヲ揉《も》ンデ呼ビニ行ッタ。ソシテ間モナク、「オ嬢サン、チョット変ダカライラシッテ下サイ」ト、廊下カラ敏子ヲ呼ンダ。——敏子ハ今夜モ程ヨイトコロデ自分ダケサッサト食事ヲ済マシテ部屋ニ引キ取ッテイタ。——「オカシイデスヨ、奥サンガ何処ニモイラッシャラナイラシイデス」ト云ウノデ、敏子ガ捜スト、妻ハ風呂ニ漬カッタママ浴槽ノ縁ニ両手ヲ掛ケ、ソノ上ニ顔ヲ打ツ俯《ぶ》セニシテ睡《ねむ》ッテイタ。「ママ、コンナ所デ寝ナイデヨ」ト云ッテモ返事ヲシナイ。「先生、大変デス」ト木村ガ飛ンデ来テ知ラセタ。僕ハ流シ場ニ下リテ脈ヲ取ッテ見タ。脈搏《みゃくはく》ガ微弱デ、一分間ニ九十以上百近クモ打ッテイル。僕ハ裸体ニナッテ浴槽ニ這入《はい》リ、妻ヲ抱《かか》エテ浴室ノ板ノ間ニ臥《ね》カシタ。敏子ハ大キナバスタオルデ母ノ体ヲ包ンデヤッテカラ、「トニカク床《とこ》ヲ取リマショウ」ト云ッテ寝室へ行ッタ。木村ハドウシテヨイカ分ラズ、浴室ヲ出タリ這入ッタリウロウロシテイタガ、「君モ手ヲ貸シテクレタマエ」ト云ウト安心シテノコノコ這入ッテ来タ。「早ク拭《ふ》イテヤラナイト風邪ヲ引ク、済マナイガ手伝ッテクレタマエ」ト云ッテ、二人デ乾イタタオルヲ持ッテ濡《ぬ》レタ体ヲ拭キ取ッテヤッタ。(コンナ咄嗟《とっさ》ノ間合ニモ僕ハ木村ヲ「利用」スル「ヲ忘レナカッタ。僕ハ彼ニ上半身ヲ与エ、自分ハ下半身ヲ受ケ持ッタ。僕ハ足ノ指ノ股《また》マデモキレイニ拭イテヤリ、「君、ソノ手ノ指ノ股ヲ拭イテヤッテクレタマエ」ト木村ニモ命ジタ。ソシテソノ間ニモ木村ノ動作ヤ表情ヲ油断ナク観察シタ)敏子ガ寝間着ヲ持ッテ来タガ、木村ガ手伝ッテイルノヲ見ルト、「湯タンポヲ入レルワ」ト云ッテ直グ又出テ行ッタ。僕ト木村ハ二人デ郁子ニ寝間着ヲ着セテ寝室へ運ンダ。「脳貧血カモ知レマセンカラ、湯タンポハオ止《や》メニナッタ方ガヨクハナイデスカ」ト木村ガ云ッタ。医者ヲ呼ボウカドウシヨウカト暫《しばら》ク三人デ相談シタ。僕ハ児玉氏ナラ差支《さしつか》エナイト思ッタケレドモ、ソレデモ妻ノコウ云ウ醜態ヲ見セルノハ好マシクナカッタ。ガ、心臓ガ弱ッテイルヨウナノデ、結局来テ貰ッタ。ヤハリ脳貧血ダソウデ、「御心配ハアリマセン」ト云ッテ、ヴィタカンフル*ノ注射ヲシテ児玉氏ガ帰ッテ行ッタノハ、夜中ノ二時デアッタ。………

一月二十九日。昨夜飲み過ぎて苦しくなり便所に行ったことまでは記憶にある。それから風呂場へ行って倒れたことも微《かす》かに思い出すことが出来る。それ以後のことはよく分らない。今朝明け方に眼が覚《さ》めて見たら誰かが運んでくれたのだと見えてベッドに寝ていた。今日は終日頭が重くて起き上る気力がない。覚めたかと思うと又直ぐ夢を見て一日じゅうウトウトしている。夕方少し心持が回復したので、辛《かろ》うじて日記にこれだけ書きとめる。これから又直ぐ寝るつもり。

一月二十九日。………妻ハ昨夜ノ事件以来マダ一遍モ起キタ様子ガナイ。昨夜僕ト木村トデ彼女ヲ風呂場カラ寝室ヘ運ンダノガ十二時頃、児玉氏ヲ呼ンダノガ〇時半頃、氏ガ帰ッタノガ今暁ノ二時頃。氏ヲ送ッテ出ル卄《とき》外ヲ見タラ美シイ星空デアッタガ寒気ハ凜《りん》烈《れつ》デアッタ。寝室ノストーブハイツモ寝ル前一トツカミノ石炭ヲ投ゲ込ンデオケバソレデ大体ヌクマルノダガ、「今日ハ暖カニシテ上ゲタ方ガヨウゴザンスネ」ト木村ガ云ウノデ、彼ニ命ジテ多量ニ石炭ヲ投ゲ込マセタ。木村ハ「デハドウゾオ大事ニ。僕ハ帰ラシテ貰イマス」ト云ッタガ、コンナ時刻ニ帰ラセル訳ニ行カナイ。「寝具ハアルカラ茶ノ間デ泊ッテ行キタマエ」ト云ッタガ、「ナニ近インダカラ何デモアリマセン」ト云ウ。彼ハ郁子ヲ担《かつ》ギ込ンデカラソノママ寝室デウロウロシテイタノダガ、(腰掛ケルニモ余分ノ椅子ガナイノデ、僕ノ寝台ト妻ノ寝台ノ間ニ立ッテイタ) ソウ云エバ敏子ハ、木村ガ這入ッテ来ルト入レ違イニ出テ行ッテ、ソレキリ姿ヲ見セナカッタ。木村ハドウシテモ帰ルト云イ、「イエ何デモアリマセン何デモアリマセン」ト云ッテトウトウ帰ッテ行ッタ。シカシ正直ノ〆《こと》ヲ云エバ、実ハソウシテ貰ウ方ガ僕ノ望ムトコロダッタノダ。僕ハ先刻カラ或ル計画ガ心ニ浮カビツツアッタノデ、内心ハ木村ガ帰ッテクレル〆ヲ願ッテイタノダッタ。僕ハ彼ガ立チ去ッテシマイ、敏子モモハヤ現ワレル恐レガナイノヲ確カメルト、妻ノベッドニ近ヅイテ、彼女ノ脈ヲ取ッテ見タ。ヴィタカンフルガ利《き》イタト見エテ、脈ハ正常ニ搏《う》チツツアッタ。見タトコロ、彼女ハ深イ深イ睡リニ落チテイルヨウニ見エタ。――彼女ノ性質カラ推《お》シテ、果シテホントウニ睡ッテイタノカ寝タフリヲシテイタノカ、ソノ点ハ疑ワシイ。ダガ寝タフリヲシテイルノナラソレデモ差支エナイト思ッタ。――僕ハ先《ま》ズストーブノ火ヲ一層強ク、カスカニゴウゴウ鳴ルクライニ燃ヤシタ。ソレカラ徐々ニフローアスタンドノシェードノ上ニ被《かぶ》セテアッタ黒イ布ノ覆《おお》イヲ除イテ室内ヲ明ルクシタ。フローアスタンドヲ静カニ妻ノ寝台ノ側近クニ寄セテ、彼女ノ全身ガ明ルイ光ノ輪ノ中ニ這入ルヨウナ位置ニ据エタ。僕ノ心臓ハ俄《にわ》カニ激シク脈搏チツツアルノヲ感ジタ。僕ハカネテカラ夢ミテイタヿガ今夜コソ実行出来ルト思イ、ソノ期待デ興奮シタ。僕ハ足音ヲ忍バセテ一旦寝室ヲ出、二階ノ書斎ノデスクカラ螢光燈*ランプヲ外《はず》シテ、ソレヲ持ッテ戻ッテ来、ナイトテーブルノ上ニ置イタ。コノヿハ僕ガ疾《と》ウカラ考エテイタヿデアッタ。去年ノ秋、書斎ノスタンドヲ螢光燈ニ改メタノモ、実ハイツカハコウ云ウ機会ガ来ルデアロウヿヲ予想シタカラナノデアッタ。螢光燈ニスルトラジオニ雑音ガ交ルト云ッテ妻ヤ敏子ハ当時反対ダッタノニ、僕ハ視力ガ衰エテ読書ニ不便デアルヿヲ理由ニ螢光燈ニ変エタノダッタガ、——事実読書ノタメト云ウヿモアッタニハ違イナイノダガ、——ソンナヿヨリモ僕ハ、イツカハ螢光燈ノ明リノ下ニ妻ノ全裸体ヲ曝《さら》シテ見タイト云ウ慾望ニ燃エテイタノダッタ。コノヿハ螢光燈ト云ウモノノ存在ヲ知ッタ𪜈カラノ妄想《もうそう》ダッタノダ。………

………スベテハ予期ノ如クニ行ッタ。僕ハモウ一度彼女ノ衣類ヲ全部、何カラ何マデ彼女ガ身ニ纏《まと》ッテイルモノヲ悉《ことごと》ク剝《は》ギ取リ、素ッ裸ニシテ仰向カセ、螢光燈トフローアスタンドノ白日ノ下ニ横タエタ。ソシテ地図ヲ調ベルヨウニ詳細ニ彼女ヲ調ベ始メタ。僕ハ先ズソノ一点ノ汚レモナイ素晴ラシイ裸身ヲ眼ノ前ニシタ𪜈ニ暫クハ全ク度ヲ失ッテ呆然《ぼうぜん》トサセラレテイタ。ナゼト云ッテ、僕ハ自分ノ妻ノ裸体ヲ斯様《かよう》ナ全身像ノ形ニ於イテ見タノハ始メテダッタカラダ。多クノ「夫」ハ彼ノ妻ノ肉体ノ形状ニツイテ、恐ラクハ巨細《きよさい》ニワタッテ、足ノ裏ノ皺《しわ》ノ数マデモ知リ悉《つく》シテイルヿデアロウ。トコロガ僕ノ妻ハ今マデ僕ニ決シテ見セテクレナカッタ。情事ノ𪜈ニ自然部分的ニトコロドコロヲ見タヿハアルケレドモ、ソレモ上半身ノ一部ニ限ラレテイタノデアッテ、情事ニ必要ノナイトコロハ絶対ニ見セテクレナカッタ。僕ハタダ手デ触《さわ》ッテ見テソノ形状ヲ想像シ、相当素晴ラシイ肉体ノ持主デアロウト考エテイタノデアッテ、ソレ故《ゆえ》ニコソ白光《びやつこう》ノ下ニ曝《さら》シテ見タイト云ウ念願ヲ抱《いだ》イタ訳デアッタガ、サテソノ結果ハ僕ノ期待ヲ裏切ラナカッタノミナラズ、寧ロ《むし》遥《はる》カニソレ以上デアッタ。僕ハ結婚後始メテ、自分ノ妻ノ全裸体ヲ、ソノ全身像ノ姿ニ於《お》イテ見タノデアル。就中《なかんずく》ソノ下半身ヲホントウニ残ル隈《くま》ナク見ルヿヲ得タノデアル。彼女ハ明治四十四年生レデアルカラ、今日ノ青年女子ノヨウナ西洋人臭イ体格デハナイ。若イ頃ニハ水泳トテニスノ選手デアッタト云ウダケニ、アノ頃ノ日本婦人トシテハ均整ノ取レタ骨格ヲ持ッテイルケレドモ、タトエバソノ胸部ハ薄ク、乳ト臀部《でんぶ》ノ発達ハ不十分デ、脚《あし》モシナヤカニ長イニハ長イケレ𪜈《ども》、下腿部《かたいぶ》ガヤヤO型ニ外側へ彎曲《わんきよく》シテオリ、遺憾ナガラ真ッ直グトハ云イニクイ。殊《こと》ニ足首ノトコロガ十分ニ細ク括《くく》レテイナイノガ欠点ダケレ𪜈、僕ハアマリニ西洋人臭イスラリトシタ脚ヨリモ、イクラカ昔ノ日本婦人式ノ脚、私ノ母ダトカ伯母ダトカ云ウ人ノ歪《ゆが》ンダ脚ヲ思イ出サセル脚ノ方ガ懐《なつか》シクテ好キダ。ノッペラポウニ棒ノヨウニ真ッ直グナノハ曲ガナサ過ギル。胸部ヤ臀部モアマリ発達シ過ギタノヨリハ中宮寺ノ本尊*ノヨウニホンノ微《かす》カナ盛リ上リヲ見セテイル程度ノガ好キダ。妻ノ体ノ形状ハ、恐ラクコンナ風デアロウト大凡《おおよ》ソ想像ハシテイタノダガ、果シテ想像ノ通リデアッタ。シカモ僕ノ想像ヲ絶シテイタノハ、全身ノ皮膚ノ純潔サダッタ。大概ナ人間ニハ体ノ何処《どこ》カシラニ一寸《ちよつと》シタ些細《ささい》ナ斑点《はんてん》、――薄紫ヤ黝黒《あおぐろ》等ノシミグライハアルモノダガ、妻ハ体ジュウヲ丹念ニ捜シテモ何処ニモソンナモノハナカッタ。僕ハ彼女ヲ俯向《うつむ》キニサセ、臀《しり》ノ孔《あな》マデ覗《のぞ》イテ見タガ、臀肉ガ左右ニ盛リ上ッテイル中間ノ凹《くぼ》ミノトコロノ白サト云ッタラナカッタ。……四十五歳ト云ウ年齢ニ達スルマデ、ソノ間ニハ女児ヲ一人分娩《ぶんべん》シナガラ、ヨクモソノ皮膚ニ少シノ疵《きず》モシミモ附ケズニ来タモノヨ。僕ハ結婚後何十年間モ、暗黒ノ中デ手ヲ以《もつ》テ触レルヿヲ許サレテイタダケデ、コノ素晴ラシイ肉体ヲ眼デ視《み》ルヿナク今日ニ至ッタガ、考エテ見レバソレガ却《かえ》ッテ幸福デアッタ。二十数年間ノ同棲《どうせい》ノ後ニ、始メテ妻ノ肉体美ヲ知ッテ驚クヿヲ得ル夫ハ、今カラ新シイ結婚ヲ始メルノト同ジダ。既ニ倦怠期《けんたいき》ヲ通リ過ギテイル時期ニナッテ、私ハ昔ニ倍加スル情熱ヲ以テ妻ヲ溺愛《できあい》スルヿガ出来ル。……

僕ハ俯向キニ寝テイル妻ノ体ヲモウ一度仰向キニ打チ反《かえ》シタ。ソウシテ暫《しばら》ク眼ヲ以《もっ》テソノ姿態ヲ貪《むさぼ》リ食イ、タダ歎息《たんそく》シテイルバカリデアッタ。フト僕ハ、妻ハホントウニ寝テイルノデハナイ、タシカニ寝タフリヲシテイルノニ違イナイト思ワレテ来タ。彼女ハ最初ハホントウニ寝テイタラシイガ、途中カラ眼ガ覚メタノダ。覚メタケレドモ事ノ意外ニ驚キ呆《あき》レ、余リニ羞《はず》カシイ恰好《かっこう》ヲシテイルノデ、寝タフリヲシテ通ソウトシテイルノダ。僕ハソウ思ッタ。ソレハ或《あるい》ハ事実デハナク、僕ノ単ナル妄想《もうそう》デアルカモ知レナイガ、デモソノ妄想ヲ僕ハ無理ニモ信ジタカッタ。コノ白イ美シイ皮膚ニ包マレタ一個ノ女体ガ、マルデ死骸ノヨウニ僕ノ動カスママニ動キナガラ、実ハ生キテ何モカモ意識シテイルノダト思ウヿハ、僕ニタマラナイ愉悦《ゆえつ》ヲ与エタ。ダガ若《も》シ彼女ガホントウニ睡ッテイタノダトスレバ、僕ハコンナ悪戯《いたずら》ニ耽《ふけ》ッタヿヲ日記ニ書カナイ方ガヨイノデハアルマイカ。妻ガコノ日記帳ヲ盗ミ読ミシテイルヿハ殆《ほとん》ド疑イナイトシテ、コンナヿヲ書イタラ今後酔ウヿヲ止《や》メハシナイカ。………イヤ、恐ラク止メハシナイデアロウ、止メタラ彼女ガコレヲ盗ミ読ミシテイルヿヲ証拠立テルヨウナモノデアルカラ。彼女ハコレヲ読ミサエシナケレバ、意識ヲ失ッテイル最中ニ何ヲサレタカ知ラナイ筈《はず》ナノデアルカラ。………

僕ハ午前三時頃カラ約一時間以上モ妻ノ裸形《らぎょう》ヲ見守リツツ尽キルヿノナイ感興ニ浸ッテ

イタ。勿論《もちろん》ソノ間タダ黙ッテ眺《なが》メテイタバカリデハナイ。僕ハ、若シ彼女ガ空寝入リヲシテイルノダトスレバ、何処マデソレヲ押シ通セルカ試シテヤレト云ウ気モアッタ。最後マデ空寝入リヲセザルヲ得ナイ羽目ニ陥《おとし》レテ困ラセテヤレト云ウ気モアッタ。僕ハイツモ彼女ガ厭《いや》ガッテイルトコロノ悪戯ノ数々、――彼女ニ云ワセレバ執拗《しつこ》イ、恥カシイ、イヤラシイ、オーソドックスデナイトコロノ痴戯ノ数々ヲ、コノ機会デアルト思ッテ代ル代ル試ミテヤッタ。僕ハ何トカシテアノ素晴ラシイ美シイ足ヲ、思ウ存分我ガ舌ヲ以テ愛撫《あいぶ》シ尽シタイト云ウ長イ間心ニ秘メテイタ念願ヲ、始メテ果タスヿガ出来タ。ソノ他アラユル様々ナヿヲ、彼女ノ常套語《じょうとうご》ヲ真似《まね》レバ、ココニ書キ記スノモ寔《まこと》ニ恥シイヨウナイロイロナヿヲシテミタ。一度僕ハ、彼女ガ如何《いか》ナル反応ヲ示スカト思ッテアノ性慾点ヲ接吻シテヤッタガ、誤ッテ眼鏡ヲ彼女ノ腹ノ上ニ落シタ。彼女ハソノ時ハ明カニハットシテ眼ヲ覚マシタラシク瞬《しばだた》イタ。僕モ思ワズハットシテ慌《あわ》テテ蛍光燈ヲ消シ、一時室内ヲ暗クシタ。ソシテルミナール*一錠トカドロノックス半錠トヲ、ストーブノ上ニ懸《か》カッテイタ湯沸《ゆわか》シノ湯ニ水ヲ割リ微温湯ヲ作ッテ飲マシタ。僕ガ口移シニスルト、彼女ハ半《なか》バ夢見ツツアルカノ如キ様子デ飲ンダ。(ソノクライノ分量ヲ服シテモ利《き》カナイトキハ利キハシナイ。僕ハ必ズシモ睡ラセルノガ目的デ飲マシタノデハナイ。彼女ガ睡ル真似《まね》ヲスルノニ都合ガヨカロウト思ッテ飲マシテヤッタノデアル)

彼女ガ睡リ込ンダ（若シクハ睡リ込ンダ風ヲシタ）ノヲ見定メテカラ、僕ハ最後ノ目的ヲ果タス行動ヲ開始シタ。今夜ハ僕ハ、妻ニ妨ゲラレルヿナク、既ニ十分ニ予備運動ヲ行イ、情欲ヲ掻《か》キ立テタ後デアッタシ、異常ナ興奮ニフルイ立ッテイタ際デアッタカラ、自分デモ驚クホドノヿヲ行ウヿガ出来タ。今夜ノ僕ハイツモノ意気地ノナイ、イジケタ僕デハナクテ、相当強力ニ、彼女ノ淫乱《いんらん》ヲ征服出来ル僕デアッタ。僕ハ今後モ頻繁《ひんぱん》ニ彼女ヲ悪酔イサセルニ限ルト思ッタ。トコロデ彼女ハ、彼女ノ方モ数回ニワタリ事ヲ行ッタニモ拘《かか》ワラズナオ完全ニハ睡リカラ覚メテイナイヨウニ見エタ。ナオ半醒半睡《はんせいはんすい》ノ状態ニアルカノ如クデアッタ。時々彼女ハ眼ヲ半眼ニ見開イタガ、ソレハアラヌ方角ヲ見テイタ。手モユックリト動カシテイタガ夢遊病者ノヨウナ動カシ方デアッタ。ソシテ今マデニナイヿニハ、僕ノ胸、腕、頬《ほお》、頸《くび》、脚ナドヲ手デ探ルヨウナ動作ヲシタ。彼女ハコレマデ決シテ必要以外ノ部分ヲ見タリ触レタリシタヿガナカッタノダ。彼女ノ口カラ「木村サン」ト云ウ一語ガ譫言《うわごと》ノヨウニ洩《も》レタノハコノ時ダッタ。カスカニ、実ニカスカニ、タッタ一度ダケデアッタガ、確カニ彼女ハソウ云ッタ。コレハホントウノ譫言ダッタノカ、譫言ノ如ク見セカケテ故意ニ僕ニ聞カセタノデアルカ、コノヿハ今モナオ疑問ダ。ソシテイロイロナ意味ニ取レル。彼女ハ寝惚《ねぼ》ケテ、木村ト情交ヲ行ッテイルト夢見タノデアルカ、ソレトモソウ見セカケテ、「アア木村サントコンナ風ニナッタラナア」

ト思ッテイル気持ヲ、僕ニ分ラセヨウトシテイルノデアロウカ、ソレトモ又、「私ヲ酔ワセテ今夜ノヨウナ悪戯《いたずら》ヲスレバ、私ハイツモ木村サント一緒ニ寝ル夢ヲ見マスヨ、ダカラコンナ悪戯ハオ止メナサイ」ト云ウ意味デアロウカ。………

……夜八時過木村カラ電話。「ソノ後奥サンハイカガデスカ、オ見舞イニ伺ウ筈ナノデスガ」ト云ウノデ、「アレカラ又睡眠剤ヲ飲マシタノデマダ寝テイル、別ニ苦シンデハイナイラシイカラ心配ニ及バヌ」ト答エル。………

一月三十日。あれからまだずっとベッドにいる。時刻は今午前九時半。月曜で夫は三十分程前に出かけたらしい。出かける前そっと寝室に這入《はい》って来、私が空寝入りしていると、暫《しばら》く寝息を窺《うかが》ってもう一度足に接吻して出て行った。婆やが「御気分は如何《いかが》ですか」と云って這入って来たので、熱いタオルを持って来させ、室内の洗面台で簡単に顔を洗い、牛乳と半熟卵を一個持って来させた。「敏子は」と云うと「お部屋にいらっしゃいます」と云うことだったが姿を見せない。私はもう気分も良くなり、起きて起きられなくはないのだが、寝たまま日記をつけることにして一昨夜以来の出来事を静かに思い返している。いったい一昨日の夜はどうしてあんなに酔ったのかしら。体の工合もいくらかあったに違いないが、一つにはブランデーがいつものスリースターズ*ではなかった。夫はあの日新しいのを一本買って来たのだが、ブランデー・オブ・ナポレオンと書いてある、クルボアジエ*と云う名のブランデーであった。私には大層口あたりが好かったので、つい度を過した。私は人に酔ったところを見られるのが嫌《いや》なので、飲み過ぎて気分が悪くなると便所へ閉じ籠《こも》る癖があるのだが、あの晩もそうであった。私は何十分間ぐらい便所に籠っていたのだろうか。何十分？　いや一時間も二時間もではなかったろうか。私はちっとも苦しくはなかった。苦しいよりは恍惚《こうこつ》とした気持だった。意識はぼんやりしていたけれども全然覚えがない訳ではなく、ところどころ分っている部分もある。あまり長時間便器に跨《また が》って蹲踞《うずくま》っていたので、腰や脚が疲れて、いつの間にか金隠しの前に両手をついてしまい、とうとう頭までぺったり板の間についてしまっていたことも、うろ覚えに思い出される。そして私は体じゅうが便所臭くなった気がして外へ出たのであったが、その臭気を洗い落すつもりだったのか、まだ足もとがふらついているので人に遇《あ》うのが嫌だったのか、そのまま風呂場へ行って着物を脱いだのであったらしい。らしいと云うのは、何か遠い遠い夢の中の出来事のように記憶に残っているのだが、それから先はどうなったのか思い出せない。(右の上膊部《じょうはくぶ》に絆創膏《ばんそうこう》が貼《は》ってあるのは誰かに注射されたのらしいが児玉先生でも呼んだのだろうか) 気がついた時は既にベッドの中にいて、早い朝の日光が寝室を薄明るくしていた。それが昨日の払暁の午前六時頃のことだったらしいのだが、それ以後ずっと意識がハッキリしつづけていた訳ではない。私は頭が割れるように痛み、全身がズシンと深く沈下して行くのを感じつつ幾度も眼が覚めたり睡《ねむ》ったりすることを繰り返していた、――いや、完全に覚《さ》め切ることも睡り切ることもなく、その中間の状態を昨日一日繰り返していた。頭はガンガン痛かったけれども、その痛さを忘れさせる奇怪な世界を出たり這入ったりしつづけていた。あれはたしかに夢に違いないけれども、あんなに鮮《あざや》かな、事実らしい夢と云うものがあるだろうか。私は最初、突然自分が肉体的な鋭い痛苦と悦楽《えつらく》との頂天に達していることに心づき、夫にしては珍しく力強い充実感を感じさせると不思議に思っていたのだったが、間もなく私の上にいるのは夫ではなくて木村さんであることが分った。それでは私を介抱するために木村さんはここに泊っていたのだろうか。夫は何処へ行ったのだろうか。私はこんな道ならぬことをしてよいのだろうか。……しかし、私にそんなことを考える余裕を許さない程その快感は素晴らしいものだった。夫は今までにただの一度もこれほどの快感を与えてくれたことはなかった。夫婦生活を始めてから二十何年間、夫は何とつまらない、凡《およ》そこれとは似ても似つかない、生ぬるい、煮えきらない、後味の悪いものを私に味わわせていたことだろう。今にして思えばあんなものは真の性交ではなかったのだ。これがほんとのものだったのだ。木村さんが私にこれを教えてくれたのだ。……私はそう思う一方、それがほんとうは一部分夢であることも分っていた。私を抱擁している男は木村さんのように見えるけれども、それは夢の中でそう感じているので、実はこの男は夫なのだと云うこと、――夫に抱かれながら、それを木村さんと感じているのだと云うこと、――それも私には分っていた。多分夫は、一昨日私を風呂場からここへ運び込んで寝かしつけて置いてから、私が意識を失っているのをよい事にして私の体をいろいろと弄《もてあそ》んだに違いない。私は彼があまり猛烈に腋《わき》の下を吸いつづけるので、ハッとして或る一瞬間意識を回復した時があった。――彼がその動作に熱中し過ぎて掛けていた眼鏡を落したのが、私の脇腹の上に落ちてヒヤリとしたので、途《と》端《たん》に私は眼を覚ましたのだった。――私は体じゅうの衣類を全部キレイに剝《は》ぎ取られ、一糸も纏《まと》わぬ姿にされて仰向けに臥《ね》かされ、フロアスタンドと、枕元の蛍光燈のスタンドとが青白い圏を描いている中に曝《さら》されていた。――そうだ、蛍光燈の光があまり明るいので眼が覚めたのかも知れない。――それでも私はただボンヤリしていただけであったが、夫は私の腹の上に落ちた眼鏡を拾って掛け、腋の下を止《や》めて下腹部のところに唇《くちびる》を当てて吸い始めた。私は反射的に身をすくめ、慌《あわ》てて体を隠そうとして毛布を探ったのを覚えているが、夫も私が眼を覚ましかけたのに気がついて私に羽根布団と毛布を着せ、枕元の蛍光燈を消し、フロアスタンドのシェードの上に覆《おお》いを被せた。

——寝室に蛍光燈などが置いてある訳はないのだが、夫は書斎のデスクにあるのを持って来たのだ。夫は蛍光燈の光の下で、私の体のデテイルを仔細《しさい》に点撿《てんけん》することに限りない愉悦を味わったのであろうと思うと、——私は私自身でさえそんなに細かく見たことのない部分々々を夫に見られたのかと思うと、顔が赧《あか》くなるのを覚える。夫は余程長時間私を裸体にしておいたのに違いなく、その証拠には、私に風邪《かぜ》を引かせまいために、——そうして又眼を覚まさせまいために、——ストーブを真赤に燃やして部屋を異常に煖《あたた》めてあった。私は夫に弄ばれたことを、今になって考えると腹立たしくも恥かしく感じるけれども、その時はそんなことよりも頭がガンガン疼《うず》くのに堪えられなかった。夫が、——カドロノックスかルミナールかイソミタールか*、何か睡眠剤だったのだろう、——水と一緒にタブレットを嚙《か》み砕いたものを口うつしに飲ましたが、頭の痛みを忘れたいので私は素直にそれを飲んだ。と、間もなく私は又意識を失いかけ、半醒半睡の状態に入ったのだった。私が、夫ではなくて木村さんを抱いて寝ているような幻覚を見たのはそれからであった。幻覚？　と云うと、何かぼうっと今にも消えてなくなりそうに空《くう》に浮かんでいるもののようだけれども、私が見たのはそんな生やさしいものではない。私は「抱いて寝ている」た実感が今もなお腕や腿《もも》の肌にハッキリ残っているのであほんとうに「抱いて寝ているような幻覚」と云ったが、「ような」ではなく、る。それは夫の肌に触れたのとは全く違う感覚である。私はシカとこの手を以て木村さんの若々しい腕の肉を摑《つか》み、その弾力のある胸板に圧《お》しつけられた。何よりも木村さんの皮膚は非常に色白で、日本人の皮膚ではないような気がした。それに、………ああ、恥かしいことだが、………よもやよもや夫はこの日記の存在を知る筈はないし、まして内容を読む訳はないと思うので書くのだけれども、………ああ、夫がこの程度であってくれたら、………夫はどうしてこう云う工合に行かないのだろう。………実に奇妙なことなのだが、私はそう思いながらそれが夢であることも、………夢と云っても、一部分が現実で、一部分が夢であることを、………と云うのは、ほんとうは夫に犯されているのであって、夫が木村さんのように見えているのであるらしいことも、意識の何処かで感じていた。ただそれにしてはおかしいのは、あの内容の充実感だけが、………夫のものとは思われない圧覚だけが、依然として感じられているのであった。………

………もしあのクルボアジエのお蔭《かげ》であのように酔うことが出来るのであったら、そしてあのような幻覚を感じることが出来るのであったら、私は何度でもあのブランデーを飲まして欲しい。私は私にああ云う酔いを教えてくれた夫に感謝しなければならない。だがそれにしても、私が幻覚で見たものは、果して実際の木村さんなのであろうか。私は現実には木村さんの容貌《ようぼう》衣服を通しての姿態を知っているだけで、まだ一遍もハダカを見たことはないのに、どうしてそれが幻覚になって出て来たのであろうか。あれは私の空想している木村さんであって、現実の木村さんとは違うのであろうか。一度私は、夢や幻覚でなく、実際に木村さんのハダカの姿を見てみたい気がする。………

一月三十日。………正午過木村カラ学校へ電話、「御容態《ごようだい》ハイカガデスカ」ト云ウカラ「今朝僕ガ出カケル時マデハ寝テイタガモウ何デモナサソウダ。今夜マタ飲ミニ来テクレタマエ」ト云ッタラ、「飛ンデモナイ、一昨夜ノ晩ハビックリシマシタ、少シ先生モ慎ンデ下サイ。シカシトニカクオ見舞イニ参リマス」ト云ッテイタガ、午後四時ニ来タ。妻モモウ起キテ茶ノ間ニイタ。木村ハ「モウ直グ失礼シマス」ト云ッタガ、今夜ハ是非飲ミ直ソウヨ、マアイイマアイイ」ト僕ハ強ク引キ止メタ。妻モ傍《そば》デソレヲ聞キナガラニヤニヤシテイタ。決シテ嫌ナ顔ハシテイナカッタ。木村モロデハソウ云イナガラソノ実腰ヲ上ゲル様子ハナカッタ。木村ハ一昨日ノ深夜、彼ガ辞去シタ後ニ我々ノ寝室ニ於《お》イテ如何ナル事件ガ起ッタカヲ知ル筈ハナイノダガ、(僕ハ一昨夜夜ガ明ケル前ニ蛍光燈ヲ二階ノ書斎ニ戻シテオイタ)、ソシテ又、マサカ自分ガ郁子ノ幻影ノ世界ニ現ワレ、彼女ヲ陶酔セシメタ〻《こと》ヲ知ッテイル筈ハナイノダガ、ニモ拘《かか》ワラズ、内心郁子ヲ酔ワセタガッテイルカノ如キ様子ガ見エルノハ何故デアロウカ。木村ハ、郁子ガ何ヲ欲シテイルカヲ知ッテイルカノ如クデアル。知ッテイルトスレバ、ソレハ以心伝心*デアロウカ、或ハ郁子カラ暗示サレタノデアロウカ。タダ敏子ダケハ、三人デ酒ガ始マルト必ズ嫌ナ顔ヲシテ自分ダケサッサト切リ上ゲテ出テ行ッテシマウ。………

………今夜モ妻ハ中座シテ便所ニ隠レ、ソレカラ風呂場（風呂ハ一日置キナノダガ、当分毎日沸カス「ニスルト妻ハ婆ヤニ話シテイタ。婆ヤハ通イナノデ夕方水ダケ張ッテ置イテ帰リ、瓦斯《ガス》ニ火ヲ付ケルノハ我々ノウチノ誰カナノダガ、今夜ハ時分ヲ見計ラッテ郁子ガ付ケタ）へ行ッテ倒レタ。スベテ一昨日ノ通リデアッタ。児玉氏ガ来テカンフルヲ射シタ。敏子ガ逃ゲタノモ、木村ガ適当ニ介抱シテ辞去シタノモ先夜ト同ジ。ソノ後ノ僕ノ行動モ同ジ。ソシテ最モ奇怪ナノハ、妻ノアノ譫言《うわごと》モ同ジ。………「木村サン」ト云ウ一語ガ今夜モ彼女ノ口カラ洩《も》レタ。彼女ハ今夜モ同ジ夢、同ジ幻覚ヲ、同ジ状況ノ下ニ於イテ見タ？………僕ハ彼女ニ愚弄サレテイルト解スベキナノデアロウカ。………

二月九日。………今日敏子が別居させてくれと申し出た。理由は静かに勉強したいからであると云い、幸い別居するに好都合な家があるので急にその気になったのだと云う。それは同志社*で彼女がフランス語を教えて貰っていたフランスの老夫人の家で、今も敏子はその老夫人に個人教授を受けているのである。夫人の夫は日本人であるが、目下中風*で臥床《がしょう》しており、夫人だけが同志社に教鞭《きょうべん》を執ったり個人教授をしたりして夫を養っているのであるが、夫が発病して以来自宅では敏子以外に生徒を取らず、専《もっぱ》ら出教授《できょうじゅ》*を主にしている。家は夫婦二人きりで、間数は広くないけれども、夫が書斎に使っていた離れ座敷の八畳が今は不用に帰しているから、そこに寝泊りして下されば夫人も病人の夫を置いて外出するのに安心である。電話もあるし、瓦斯風呂の設備もある。敏子が借りてくれれば願ってもない仕合せであると夫人の方から話があった。ピアノを持ち込むのなら、離れ座敷の床下に煉瓦でも敷いてネダを丈夫にし、電話も切り換えが出来るようにし、便所や風呂場も、夫の病室を通り抜けて行くようになっていて不便であるから、離れから直接行けるように通路をつける、それも極《きわ》めて簡単に僅《わず》かな費用で取りつけられる、夫人の留守中、病人の夫に電話がかかって来ることはめったにないが、あっても一切不問に附することに極《き》めてあるから、敏子はそんなことに一々煩《わずら》わされないでよいと云う、そう云う条件で、部屋代も安くするそうだから、暫《しばら》くそうさして欲しいと云うのである。このところ殆《ほとん》ど三日置きぐらいに木村さんが来てブランデーが始まり、クルボアジエは既に二本目が空《から》になり、その度毎《たびごと》に私が風呂場で倒れるので、敏子も愛憎《あいそ》が尽きたのであろう。深夜両親の寝室で時々煌々《こうこう》と電燈が点《とも》ったり、蛍光燈ランプが輝いたりするのも、彼女は気がついて不思議に感じているに違いない。但し全くそれだけが理由であるのか、他にも私たちに秘している理由があって別居を欲しているのであるか、そこのところは何とも云えない。「パパが何と仰《お》っしゃるかあなたが直接聞いて御覧。パパがよいと仰っしゃれば私は反対しません」と答える。………

二月十四日。………木村ガ今日妻ガ台所へ立ッテ行ッタ留守ニ妙ナ話ヲシタ。「アメリカニポーラロイド* (Polaroid) ト云ウ写真機ガアルノヲ御存知デスカ」ト云ウノダッタ。ソノ写真機ハ写シタモノガ即座ニ現像サレテ出テ来ル。テレビデ相撲ノ実写ノ後デ、アナウンサーガ取リ口ノ解説ヲスル時ニ、極メ手ノ状況ガ早クモスチル写真*ニ撮《と》ラレテ出テ来ルノハポーラロイドヲ使ッテ写スノデアル、操作ハ極メテ簡単デ、普通ノ写真機ト変リハナク、携帯ニモ便利デアル。ストロボノフラッシュヲ用イレバ露出時間モ長キヲ要シナイカラ、三脚ヲ使ワナイデ写セル。目下ノトコロ好事《こうず》ノ士ガ稀《まれ》ニ用イルノミデ一般ニ普及シテイナイガ、普通ノ手札型*ノロールフィルムニ印画紙*ガ重ネテアルモノデ、容易ニ日本デハ手ニ入ラズ、一々アメリカカラ取リ寄セルノデアル。トコロデ木村ノ友人ニソノ機械トフィルムヲ持ッテイル人ガアルノダガ、「オ入リ用ナラ借リテ来テモ宜《よろ》シュウゴザイマス」ト云ウノダッタ。ソウ云ワレテ僕ハ直チニ一ツノ着想ヲ思イツイタガ、シカシ、僕ニソウ云ウ機械ノアル〡《こと》ヲ教エタラ僕ガ喜ブデアロウト云ウ〡ヲ、ドウシテ木村ハ察シタノデアロウカ、ソレガ不思議ダ。彼ハヨクヨク我々夫婦ノ間ノ秘密ヲ知ッテイルモノト思ワナケレバナラナイ。………

二月十六日。………先刻、午後四時頃、ちょっと気になる出来事があった。私は日記帳を茶の間の押入の用簞笥《ようだんす》の抽出《ひきだし》（私以外には用のない、誰も手を触れることのない抽出）の、臍《へそ》の緒書《お》＊だの父母の古手紙だのの重ねてある一番下に突っ込んで置いて、なるべく夫の外出の隙《すき》を狙《ねら》って書くようにしているのだが、忘れないうちに書いておきたいこともあるし、急に書きたい衝動に駆られることもあるので、夫の外出を待っていられず、彼が書斎に閉じ籠《こも》っている時にも書く。書斎はこの茶の間の真上にあるので、音は聞えて来ないけれども、夫が今何をしつつあるか、書見《しょけん》をしているか、書き物をしているか、彼は彼で日記をつけているか、それともボンヤリ考えごとをしているか等々のことは、大凡《おおよ》そ私に察知出来るような気がするのだが、それは恐らく夫の方も同様であろう。書斎はいつもシーンとして静かなのだけれども、しかし時々、夫が俄然《がぜん》息を詰めて階下の茶の間に注意を凝らし始めたらしく思われる、或る特別にシーンとしてしまう――ような気がする――瞬間がある。私が二階を意識しながら密《ひそ》かに日記帳を取り出して筆を執《と》りつつある時に、ややもするとそう云う瞬間が訪れるのであるが、それは私の気のせいばかりでもあるまい。私は音を立てないようにするために、西洋紙にペン字で書くことを避け、かように柔かい薄い雁皮《がんぴ》紙《し》*を袋綴《と》じ*にした小型の和装の帳面を作り、それへ毛筆の細字でしたためているのだが、さっきは私としてついぞないことに、書く方に興が乗り過ぎて、ほんの一二秒の間二階への注意を怠っていた。と、その時故意か偶然か、夫が音もなく便所へ下りて来て、茶の間の前を素通りして、用を済ますと又直ぐ二階へ上って行った。「音もなく」と云うのは、私が主観的にそう感じたので、夫は多分用便をする以外に他意はなかったのであろう。夫としては足音を忍ばした訳ではなく、全く普通の歩き方で階段を下りて来たのを、たまたま私が注意を外《そ》らしていたために聞くべき音を聞き損《そこな》ったのであろう。とにかく私は夫が階段を下り切った時に始めて足音に心づいた。私は食卓に靠《もた》れて書いていたのだが、慌《あわ》てて日記帳と矢立《やたて》*（私はこう云う場合に備えて硯《すずり》を用いず、矢立を用いている。それは父の遺品で、唐木《とうぼく》で作った、中国製のものらしい骨董《こっとう》的価値のある矢立である）を卓の下に隠したので、現場は見られないで済んだが、帳面を慌てて隠す時に雁皮の紙を揉《も》みくしゃにしたので、ひょっとしたら、あの紙に特有なぴらぴらした音が聞えはしなかったかと思う。いや、聞えたに違いないと思う。そして、あの音を聞けば雁皮を想像するに違いないし、そうすればそれを私が何の目的で使っているかを、推知したのではあるまいかと思う。私は今後用心しなければいけないが、夫に日記帳の存在を嗅《か》ぎつかれたとすれば、どうしたらよいか。今更隠し場所を変えたところで、この狭い室内の何処へ隠しても発見されずに済む筈はない。唯一の方法は、夫の在宅中は私も努めて家を空《あ》けないようにすることである。私は近頃頭の重い日がつづくので、以前のように頻繁《ひんぱん》に外出することはなく、錦《にしき》への買い出しも大概敏子か婆やに任せているのだが、実は木村さんに、朝日会館*で「赤と黒」*を上映しているのを見に行きませんかと、この間から誘われているのである。行きたいことは行きたいが、何かそれまでに対抗策を考えておく必要がある。………

二月十八日。………昨夜デ僕ハ、妻ノ「木村サン」ト云ウ語ヲ耳ニスルヿ《こと》ガ四回ニ及ンダ。モハヤアノ譫言ハ、譫言ヲ装ッテイルノデアルヿヲ疑ウ余地ガナクナッタ。トスルト、何ノ目的デ左様ナヿヲスルノデアロウカ。「私ハホントウハ睡ッテイルノデハナイ、睡ッタ振ヲシテイルノデスヨ」ト云ウヿヲ分ラセテイルノデアルトシテモ、ソレハ、「私ハセメテ相手ヲアナタト思イタクナイノデス、木村サンダト思イタイノデス、ソウシナケレバ感興ガ湧《わ》イテ来ナイノダカラ、結局ハソレガアナタノタメデモアリマス」ト云ウ意味ナノカ、「コレモ矢張アナタヲ嫉妬《しっと》サセテ刺戟《しげき》ヲ与エル手段ナノデス。私ハドンナ場合デモ常ニ夫ニ忠実ナル妻デアル以外ノ何者デモアリマセン」ト云ウ意味ナノカ。………

………敏子ガ今日イヨイヨ別居ヲ決行スル「ニナッテ、マダム岡田ノ家ニ引キ移ッタ。風呂場ト離レ屋トヲ廊下デツナゲルノト、ピアノノ床下ニ煉瓦《れんが》ヲ積ム工事ハアラカタ終ッタガ、電話ノ切リ換エガマダデアルシ、今日ハ赤口《しやつこう》*デ日ガ悪イカラ二十一日ノ大安《たいあん》マデ待チナサイト昨日郁子ハ云ッテイタガ、敏子ハ構ワズ行ッテシマッタ。ピアノダケハ運搬ノ都合デ二三日後《おく》レルガ、他ノ荷物ハ木村ガ手伝イニ来テ大体運ンダ。（昨夜ノ今日デ郁子ハ例ニ依リ今朝ハマダ昏睡《こんすい》シテイタ。夕方ニナッテ漸《ようや》ク起キタノデ引ッ越シノ手伝イハセズニシマッタ）場所ハ田中関田町《せきでんちよう》*デアルカラ、ココカラ歩イテ五六分ノ所ダ。木村ガ間借リシテイルノモ百万遍《ひやくまんべん》*ノ近所デ田中門前町《もんぜんちよう》*デアルカラ、コノ方ハ関田町ニ一層近イ。木村ハ手伝イニ来タツイデニ、「宜《よろ》シュウゴザイマスカ」ト階段ノ途中カラ声ヲカケテ上ッテ来テ書斎ニ這入《はい》リ、「オ約束ノ品ヲ持ッテ来マシタ」トポーラロイドヲ置イテ行ッタ。

二月十九日。………敏子の心理状態が私には摑《つか》めない。彼女は母を愛しているようでもあり憎んでいるようでもある。だが少くとも、彼女が父を憎んでいることは間違ない。

彼女は父母の閨房《けいぼう》関係を誤解し、生来淫蕩《いんとう》な体質の持主であるのは父であって、母ではないと思っているらしい。母は生れつき繊弱なたちで過度の房事には堪えられないのに、父が無理やりに云うことを聴かせ、常軌を逸した、余程不思議な、アクドイ遊戯に耽《ふけ》るので、心にもなく母はそれに引きずられているのだと思っているらしい。(ほんとうを云うと、私が彼女にそう思わせるように仕向けたのである) 昨日彼女は最後の荷物を取りに来て寝室へ挨拶《あいさつ》に見えた時に、「ママはパパに殺されるわよ」とたった一言《ひとこと》警告を発して行った。私同様沈黙主義の彼女にしては珍しいことだ。彼女は私の胸部疾患が、こんな事から悪化して本物になりはしないかを、ひそかに心配しているらしくもあるのだが、そうしてそれ故《ゆえ》に父を憎んでいるらしいのだが、でもその警告の云い方が妙に私には意地の悪い、毒と嘲《あざけ》りを含んだ語のように聞えた。娘の身として母を案じる暖かい気持から云っているようには受け取れなかった。彼女の心の奥底には、自分の方が母より二十年も若いに拘《かか》わらず、容貌《ようぼう》姿態の点に於いて自分が母に劣っていると云うコンプレックスがあるのではないか。彼女は最初から木村さんは嫌いだと云っていたが、母――ジェームス・スチュアート――木村さん――と云う風に気を廻して、ことさら彼を嫌っているらしく装っているので、本心は反対なのではないか。そして内々私に敵意を抱《いだ》きつつあるのではないか。……

……私は出来るだけ家を空けないことにしているけれども、いつどんな事情で外出の必要に迫られることがあるかも知れず、夫も授業中であるべき時刻に突然帰宅することがないとも限らず、いかに日記帳を処置しておくべきかについて種々考えた。隠しても無駄であるとすれば、私の留守に夫が果してあの内容を盗み読みしたかどうかを、せめて確かめる方法だけは講じておきたい。せめて私は、夫が内証で私の日記帳に眼を通したかどうかを、知るだけは知りたい。私は何か日記帳に目印をつけて置く。その目印は私にだけ分って、彼には分らないようなものであれば一層よい。――いや、彼にも分るようなものの方が却ってよいのではあるまいか。彼が、自分が盗み読みしていることを妻に知られたと悟れば、以後盗み読みすることを慎しむ結果になりはしまいか。（どうだか怪しいものだけれども）――が、いずれにしてもそう云う目印を考えることは容易でない。一回は成功するかも知れないが、度々同じ方法を用いれば裏を掻《か》かれる恐れがある。たとえば爪楊枝《つまようじ》を何ページ目かに挟《はさ》んで置いて、開けるとパラリと落ちるようにして置く、一回は巧く行くとして、二回目からは夫はその爪楊枝を落さないように取り扱い、それが何ページ目に挟んであるかを勘定して、もとの通りに戻して置くであろう。（夫はそう云う点は実に陰険なのである）そうかと云って一回々々新しい方法を案出することは不可能に近い。私はいろいろ考えて、試みにスコッチ印*のセロファンテープの六〇〇番を適当の長さ（測って見たら五センチ三ミリあった）に切り、帳面の表紙の或る一箇所を選んで、表と裏とをそのテープで封じてみた。（その位置は天から八センチ二ミリ、地から七センチ五ミリの所であったが、テープの長さや貼《は》る位置はそのつど少しずつ変える必要がある）こうすると、中を読むためにはテープを一度剝《は》がさなければならない。一度剝がして、又新しいテープを同じ長さに切り、同じ位置に正確に貼っておくと云うことは、理論上出来なくはないにしても、実際にはとても面倒で煩瑣《はんさ》で、出来るものではない。それにテープを剝がし取る時に、どんなに注意深くしても周囲の表紙の表面に擦過した痕《あと》を残すことになる。好都合にも私の日記帳の表紙は、ももけ易《やす》い奉書*に胡粉《ごふん》を塗ったような紙なので、テープを剝がすと、それと一緒に周囲の表面がところどころ二三ミリぐらい剝ぎ取られて行く。この方法を用いると、夫は絶対に、痕跡を残すことなく内容を読むことは出来ない。………

二月二十四日。………敏子ノ別居以来、木村ハ遊ビニ来ル表向キノ口実ガナクナッタ訳ダケレドモ、相変ラズ二三日置キニ来ル。僕ノ方カラモ電話ヲカケル。（敏子モ日ニ一度ハ顔ヲ見セルラシイガ長クハイナイ）ポーラロイドハ既ニ二晩使用シタ。写真ハ全裸体ノ正面ト背面、各部分ノ詳細図、イロイロナ形状ニ四肢ヲ歪曲《わいきょく》サセ彎屈《わんくつ》サセ、折ッタリ伸バシタリシテ最モ蠱惑《こわく》的ナル角度カラ撮《と》ッタ。僕ガコレラヲ撮ッタ目的ハ何ニアルカト云ウト、第一ハ撮ルヿ《こと》自体ニ興味ヲ感ジタカラダ。寝テイル（若《も》シクハ寝テイルフリヲシテイル）女体ヲ自由ニ動カシテ種々ナ姿態ヲ作ッテミルヿニ愉悦ヲ覚エタカラダ。第二ノ目的ハ、コレラヲ僕ノ日記帳ニ貼付シテオクヿダ。ソウスレバ妻ハ必ズコレラノ写真ヲ見ルニ違イナイ。ソウスレバ彼女ハ今マデ彼女自身気ガツカナイデイタ部分ノ彼女ノ姿態ノ美ヲ発見シ、ソシテ驚クニ違イナイ。第三ノ目的ハ、ソウスレバ彼女モ、僕ガイカニ彼女ノ裸体ヲ見タガッテイルカノ理由ヲ解シ、僕ニ同感――ムシロ感激スルデモアロウカラダ。（本年五十六歳ノ夫ガ四十五歳ノ妻ノ裸体ニカクモ憧《あこが》レルト云ウヿハ希有《けう》ノヿダ。ソレヲ考エテミルガヨイ）第四ノ目的ハ、ソウスルヿニ依ッテ彼女ヲ極度ニ辱《はず》カシメ、彼女ガ何処《どこ》マデシラヲ切ッテイラレルカヲ試シテヤリタイノダ。コノ写真機ハレンズガ暗ク、レンジ・ファインダー*ガ付イテイナイノデ、目測デ写サナケレバナラズ、僕ノヨウナ未熟ナモノガ撮ッタノデハピンボケニナリ易《やす》イ。ソレニ、ポーラロイド用ノフィルムモ最近ハ非常ニ感光度ノ優《すぐ》レタモノガ出テイルソウダケレドモ、日本デハチョット入手困難ダソウデ、木村ノ持ッテ来タモノハ期限ノ切レタ古フィルムデアルカラ、ヨイ結果ガ得ラレル筈ハナイ。一々フラッシュヲ用イナケレバナラナイヿモ厄介デ不便ダ。コノ機械デハ僕ハワズカニ第一ト第四ノ目的ヲ満足サセ得ルニ過ギナイノデ、マダ今ノトコロ貼付スル〻ヲ見合ワセテイル。………

二月二十七日。日曜だと云うのに、木村さんが朝九時半に「赤と黒」を見に行きませんかと云ってやって来た。今は大学志望の学生たちが入学試験の準備に追われているので、教師たちも相当忙しい。三月になれば却《かえ》っていくらか暇になるが今月は週に何回か学校に残って、補習授業をしてやらなければならない。宿に帰ってからも、時々学校以外の学生で、特に木村さんに指導を仰ぎに来る者もある。木村さんは勘がよくて、ヤマを当てることが名人で、木村さんが此処《ここ》と思ったところはきっと試験に出るのだと云う。彼のそう云う勘のよさは私にも分るような気がする。学問のことはどうか知れないが、勘では私の夫なんかとても木村さんの足元にも及びそうもない。………そんな訳で、今月は日曜だけが一番ゆっくり出来るのだそうだが、日曜は夫が朝から家にいるので、私の外出には都合が悪い。木村さんは来がけに敏子に声をかけて来たので、敏子も後から誘いに来た。「自分は一緒に行きたくはないのだが、二人では工合が悪いだろうから、ママのために犠牲になって附き合って上げる」と云ったような顔をしている。「日曜は朝早く行かないと席がありませんからね」と木村さんは云う。「己《おれ》は一日家にいるよ。構わないから行って来なさい、『赤と黒』は見たいと云っていたじゃないか」と夫が傍《そば》から頻《しき》りにすすめる。夫のすすめる理由は分るが、こう云う場合のことも考えて置いたのであるから、三人で出かけることにした。十時半に入場し、午後一時過ぎ退場。昼の食事に寄るように云ったけれども二人とも宿へ帰った。夫は一日家にいると云ったくせに、私が戻ると入れ違いに三時頃から夕方まで散歩に出かけて帰らなかった。私は夫が留守になると早速日記帳を取り出して見た。セロファンテープは大体元の位置に貼ってあった。表紙も一見擦り切れた痕《あと》がなかった。が、拡大鏡をあてて見ると、微《かす》かに二三箇所疵《きず》のあること（余程注意深く剝がしたと見える）が蔽《おお》い隠すべくもなかった。私は二段構えをして、テープの外に、内部にも何枚目と云うことを数えて小楊枝を挟んでおいたが、それも前と違った場所になっていた。今は夫がこの日記帳を盗み読みしたことは疑いない。すると私は、今後日記を附けることを継続すべきであろうか中止すべきであろうか。私は自分の胸中を他人に語ることを欲しないが故に、自分自身にだけ語って聞かせるのが目的で日記をつけ始めたのであるが、今や他人に読まれていることが明かになった以上、中止すべきであるようにも思うけれども、他人と云うのが夫であり、表面は何処までも互に見ない建て前になっているのであるから、矢張継続して然《しか》るべきであるように思う。つまりこれからは、こう云う方法で、間接に夫に物を云うのである。直接には耻《はず》かしくて云えないことも、この方法でなら云える。しかしくれぐれも、夫が内証で読むことは仕方がないとして、決して読んだと云うことを露骨に云わないで貰いたい。尤《もっと》も彼は読んでも読まない振りをする人だから、そんなことを断る必要はないかも知れない。次に、夫はどうであろうとも、私は決して夫の日記帳を読んでいないことを信じて欲しい。私が至って旧式な、かりにも他人の手記などを盗み読むことの出来るような育ち方をした女でないことは、誰よりも夫がよく知っている。私は夫の日記帳のありかを知っており、時にはそれにそっと手を触れたこともあり、稀《まれ》には中を開けて見たことさえもないではないが、文字は一字も読んだことはない。それは本当のことなのである。………

二月二十七日。………ヤッパリ推察通リダッタ。妻ハ日記ヲツケテイタノダ。僕ハ今日マデワザトコノ𠂉《こと》ヲ日記ニ書カズニイタノダガ、実ハ数日前ニウスウス気ガ付イタノダッタ。先日ノ午後、便所へ下リテ茶ノ間ノ前ヲ通ッタ𣅿《とき》ニ、中硝子《ガラス》ノ中ヲ覗《のぞ》クト妻ガ不安定ナ姿勢デ食卓ニ靠《もた》レテイタ。ソノ前ニ僕ハ、雁皮ノヨウナ紙ガ急ニクシャクシャト揉《も》ミクシャニサレル音ヲ聞イタ。ソレモ一枚ヤ二枚デハナイ。恐ラク一冊ニ綴《と》ジタ厚ミノアルモノガ慌《あわ》テテ荒々シク座布団ノ下カ何カへ押シ隠サレル音デアッタ。僕ノ家庭デ雁皮ヲ使ウヿハメッタニナイ。僕ハ妻ガ、嵩張《かさば》ラナイデ音ノシナイアノ紙ヲ何ノ用途ニ使ッテイルカヲ直チニ想像スルヿガ出来タ。デモ今日マデハソレヲ確カメル機会ガナカッタガ、今日彼女ガ映画ヲ見ニ出カケタ間ニ茶ノ間ヲ捜シテ、容易ニ探リアテルヿヲ得タ。トコロガ何ト驚イタヿニハ、早クモ僕ニ嗅《か》ギツカレルヿヲ予想シテ、セロファンテープデ封ジテアルノダ。馬鹿ナヿヲスル女デアル。彼女ノ疑イ深イノニハ呆《あき》レル。僕ハ女房ノ日記ト云エドモ、無断デ読ムヨウナヿヲスル卑劣漢デハナイ。ガ、ツイ意地悪ナ気持ガ起ッテ、テープヲ上手ニ痕跡《こんせき》ヲトドメルヿナク剝ガスヿガ出来ルカドウカヲ試シテミタ。僕ハ彼女ニ、「テープデハ駄目ダゾ、コンナモノデハ知ラナイウチニ盗ミ読ミサレルゾ、モット外ノ方法ヲ考エロ」ト注意シテヤリタクナッタノダ。結果ハシカシ失敗ダッタ。サスガニ彼女ノ計画ノ綿密ナノニハ恐レ入ッタ。僕ハ随分注意深ク剝ガシ取ッタツモリデアッタガ、表紙ニ痕《あと》ヲツケテシマッタ。結局アレヲ彼女ニ悟ラレルヿナシニ剝ガスヿハ不可能デアルヿガ分ッタ。テープノ寸法モ測ッテアッタニ違イナイト思ウガ、ウッカリ丸メテシマッタノデ調ベルヿガ出来ナイ。目分量デ同ジクライノ寸法ノテープデ又封ヲシテオイタ。彼女ガ心付カズニイル筈《はず》ハナイ。シカシクレグレモ断ッテオクガ、僕ハ封ハ切ッタケレドモ、――中ヲ開イテハ見タケレドモ、文字ハ一字モ読ミハシナイ。アンナ細字デ書イテアルモノヲ近眼ノ僕ガ読ムノハツライ。ソレハ信ジテ貰イタイ。尤モ、僕ガ読マナイト云エバ云ウホド反対ニ「読ンダ」ト思ウノガ彼女ナノダ。読マナイデモ読ンダト思ワレルクライナラ読ンダ方ガヨイヨウナモノダガ、ソレデモ僕ハ断ジテ読マナイ。僕ハ実ハ、彼女ガ日記ニ、木村ニ対スル心持ヲドンナ風ニ告白シテイルカ、ソレヲ知ルノガ恐ロシイノダ。郁子ヨ、願ワクハ日記ニソレヲ書カナイデクレ。僕ハ盗ミ読ミハシナイケレドモ、ソレニシテモ本当ノヿハ書カナイデオイテクレ。譃《うそ》デモ、木村ハ刺戟剤《しげきざい》トシテ利用シテイルニ過ギズ、ソレ以上ノ何者デモナイトシテオイテクレ。……

今朝木村ガ郁子ヲ映画ニ誘イ出シニ来タノハ、カネテ僕ガ頼ンデオイタカラダ。僕ハ、「コノゴロ僕ノ在宅ノ時ニ妻ガ外出シテイルヿガ少ナイ。用事ハスベテ婆ヤニ云イツケテイル。ドウモ変ダト思ウヿガアルカラ彼女ヲ連レ出シテ二三時間過シテ来テクレ」ト云ッタカラダ。敏子モ一緒ニツイテ行ッタノハ、今マデノ慣例ニ依ッタノダロウガ、ソレニシテモ彼女ノ気持ヲ解スルニ苦シム。敏子ハ母親ニ似テ母親以上ニ複雑ナトコロガアル。思ウニ彼女ハ、世間ノ多クノ父親ト違イ、僕ガ彼女ヨリモ彼女ノ母ヲ熱狂的ニ愛シテイルラシイノニ憤懣《ふんまん》ヲ感ジテイルノデハナイカ。若《も》シソウナラバソレハ誤リデ、僕ハ彼女等ヲ同等ニ愛シテイルノデアル。タダ愛シカタガ全然違ウダケナノデアル。イカナル父親モ、自分ノ娘ヲファナチック*ニ愛スル奴ハイナイ。イツカコノヿハ敏子ニ説明シテヤラネバナラナイ。……今夜ハ敏子ノ別居後始メテ、四人デ夕食ノ卓ヲ囲ンダ。敏子ハ先ニ去リ、妻ハブランデーノ後例ノ如クニナッタ。夜オソク木村ガ去ル𬼂僕ハポーラロイドヲ返シタ。「現像ノ面倒ガナイト云ウ長所ハアルケレドモ、フラッシュヲ用イルノガ手数デアルシ、矢張普通ノ機械ノ方ガ撮《と》リヨイネ。家ニアルツワイス・イコン*ヲ使ッテ写シテ見ヨウカト思ウ」ト云ッタラ、「現像ハ外ヘオ出シニナルノデスカ」ト彼ガ聞イタ。僕ハソノ䕺ヲ種々考エテイタノダガ、「君ガ自宅デ現像シテクレル訳ニハ行カナイダロウカ」ト云ッタラ、木村ハ一寸《ちよつと》困ッタ顔ヲシテ、「オ宅デ現像ナスッタライカガデス」ト云ウ。「君ハ僕ガ何ノ写真ヲ撮ルノデアルカ分ッテイルダロウネ」ト云ッタラ、「ヨクハ存ジマセンケレドモ」ト云ウ。「人ニ見ラレテハ困ル写真ダガ、僕ガ自宅デ現像スルノハ工合ガ悪イ。引キ伸バシモシタイト思ウノダガ、家ニハ暗室ヲ作ルニ適当ナ場所モナイ。君ノ今イル宿ニ作ル䕺ハ出来ナイダロウカ。君ニダケハ見ラレテモ仕方ガナイ」ト云ッタラ、「場所ハナイ䕺モアリマセン、宿ノ主人ニ話シテ見マショウ」ト云ウ。……

二月二十八日。……朝八時、妻ガマダ昏睡《こんすい》中ニ木村ガ来タ。登校ノ途中ニ寄ッタノダト云ウ。僕モマダ寝床ニイタガ、彼ノ声ガスルノデ起キテ茶ノ間ニ這入《はい》ルト、「先生、オーケーデス」ト云ウ。何ノ〶カト思ッタラ、暗室ノ〶デアッタ。彼ノ宿デハ近頃風呂ヲ立テナイノデ、風呂場ガ空イテイルカラ、アスコヲ使ッテモ構ワナイ、アスコナラ水道モジャンジャン使エルト云ウ。早速ソノ手配ヲシテ貰ウ〶ニシタ。………

三月三日。………木村ハ試験デ忙シイト云ウノニ、僕以上ニ熱心デアル。………昨夜僕ハ長イコト使ッタ〶ノナカッタイコンヲ取リ出シテ、三十六枚ノフィルムヲ一夜ニ全部写シテシマッタ。木村ハ今日又何気ナイ様子デヤッテ来タ。ソシテ「宜《よろ》シュウゴザイマスカ」ト書斎ニ這入ッテ来テ僕ノ顔色ヲ見ルノデアッタ。正直ヲ云ウト、僕ハコノ現像ヲ木村ニ委嘱スベキデアルカ否カニツイテ、ソノ時マデナオ決シカネルトコロガアッタ。彼ハ郁子ノ裸ノ姿態ヲ既ニ度々見テイルノデアルカラ、他人ニ委嘱スルトスレバ彼ヲ措《お》イテ他ニナイ。ガ、彼ト云エドモ瞬間的ニ部分々々ヲチラリチラリト見テイルニ過ギズ、様々ナ角度カラ蠱惑《こわく》的ナ姿勢ノトコロヲシミジミト眺《なが》メタ〶ハナイノデアル。ソウ云ウ彼ニ委嘱スル〶ハ、彼ヲ余リニ刺戟スル〶ニナリハシナイカ。彼ガソコマデ蹈《ふ》ミトドマッテクレレバヨイガ、ソレ以上ノ〶ガ起ル懸念ガアリハシナイカ。ソウナッタ時ニ、ソレヲ挑発シタ者ハ誰デモナイ僕デアッタトスルト、責メラレテヨイノハ僕ノミデアル。彼ニ責任ハナイ〶ニナル。トコロデ又、妻ガソノ写真ヲ見セラレタ場合ノ〶モ考エテミル必要ガアル。先《ま》ズ何ヨリモ、彼女ハ夫ガ自分ノ知ラヌ間ニソンナ写真ヲ撮リ、シカモソレヲ他人ニ現像サセタヿヲ憤《いきどお》ル——或ハ憤ル真似《まね》ヲスル——ヿハ確カデアル。次ニ、彼女ハ自分ノ耻カシイ姿ヲ木村ニ見ラレテシマッタ以上、——シカモ夫ガソレヲサセタノデアル以上、自分ハ木村ト不義*ヲスルヿヲ夫ニ許サレタモ同然デアルト考エルニ至ルカモ知レナイ。因果ナヿニ、僕ハソコマデ想像スルトイヨイヨ溜《たま》ラナイ嫉妬《しっと》ヲ感ジ、ソノ嫉妬ノ快感ノ故ニ敢《あえ》テソノ危険ヲ冒シテミタクナルノデアッタ。僕ハ意ヲ決シテ木村ニ云ッタ、「デハコレノ現像ヲ頼ム、絶対ニ誰ニモ見セナイデ総《す》ベテヲ君自身デシテクレ給エ。現像シタノヲ一往見セテ貰ッタ上デ、中カラ面白イモノヲ選ンデ手札型ニ引キ伸バシテ貰ウ」ト。木村ハ内心甚《はなはだ》シク興奮シテイタニ違イナイガ、「ハア」ト云ッテ努メテ無表情ヲ装ッテ、諒承《りようしよう》シテ去ッタ。………

三月七日。………今日又書斎の書棚《しよだな》の前に鍵《かぎ》が落ちていた。今年になって二度目である。この前は正月四日の朝であった。夫の留守に掃除に這入ったら、水仙の活《い》けてある一輪挿《ざ》しの前に落ちていた。今朝は臘梅《ろうばい》*の花が萎《しぼ》んでいるのに心づいて、侘助椿《わびすけつばき》*に活けかえようと思って行ったら、あの時と同じ所にあの鍵が落ちていた。これは訳があるなと思って抽出《ひきだし》を開け、夫の日記帳を取り出して見たら、何と、私がしたのと同じようにテープで封がしてあった。これは夫が、「是非開けて見ろ」と云うことをわざと反対に云っているのだ。夫の日記帳は普通に学生が使うノートブックで、表紙はツルツルの厚い西洋紙であるから、私のよりは剝がし易《やす》いように見えた。私はこのテープを、巧く痕跡を留《と》めないように剝がすことが出来るかどうかを試してみたい好奇心だけに駆られて、——全くただその好奇心のみで、——剝がして見た。ところが、いくら上手に剝がしても矢張微《かす》かながら痕跡が残る。あんなツルツルの硬い紙でも、どうしても多少の疵《きず》がつく。テープの貼られた所だけに型が残るのならよいが、剝がす拍子に周囲に疵がひろがるので、誰かが開けたことは蔽《おお》い隠しようもない。私は新しいテープを又貼っておいたけれども、夫は当然それに心づいて、私が中を盗み読みしたと思うことは疑いない。しかし私は幾度も云う通り、内容は一字も読んでいないことを神かけて誓う。夫は私が猥談《わいだん》を聴くのを嫌がるので、ああ云う形で私に話しかけたいのが本意なのかも知れないと思うが、それ故にこそ尚更私は読むのを厭《いと》わしく、汚らわしくさえ思う。私は夫の日記帳を急いでさっと開けて見て、厚みがどのくらいに達したかを測る。それも勿論《もちろん》好奇心からである。私は眼を以《もっ》て、夫のあの非常に線の細い、神経質なペン字が性急に走っているページ面を、蟻《あり》が這《は》うのを見るように見るだけで直ぐページを伏せる。が、今日はページ面に何か猥褻《わいせつ》な写真らしいものが何枚も貼ってあるのに気がついた。私は慌《あわ》てて眼を閉じ、いつもより一層急いでページを伏せた。一体あれは何だったのだろう。あんな写真を何処から持って来、何の目的で貼ったのだろう。……私に見せるのが目的なのではあるまいか。あの写真に写されている人物は誰なのだろう。突然私に、或る甚だ厭わしい想像が浮かんだ。この間じゅう、夜中私は夢の中で、時々室内が俄《にわ》かにパッと明るくなったような感じを抱《いだ》いたことが一二度あった。当時私は、誰かがフラッシュを用いて私を撮影しつつあるような幻影を見ているのだと思っていた。その「誰か」は、夫であるような気もしたし、木村さんであるような気もしたこともあった。しかし今考えると、あれは夢や幻影ではなかったのかも知れない。事実は夫が――まさか木村さんである筈はない、――私を写していたのかも知れない。そう云えばいつぞや、「お前はお前自身の体がどんなに立派で美しいかと云うことを知らずにいる。一度写真に撮って見せてやりたいね」と云っていたことがあったのを思い出す。そうだ、きっとあの写真は私を撮ったものなのだ。……

……私はときどき昏睡中に、自分が裸体にされることをボンヤリ感じている。今まではそれも自分の妄想《もうそう》ではないかと思っていたけれども、もしあの写真が私のものであるとすれば、矢張事実だったのである。しかし私は、自分が眼覚めている時には許す訳に行かないけれども、知らないうちに写されるのなら許しても差支《さしつか》えないと思う。浅ましい趣味ではあるけれども、夫は私の裸体を見ることが好きなのであるから、せめて夫に忠実な妻の勤めとして、知らないうちにハダカにされることぐらいは忍耐しなければいけないと思う。これが封建時代の貞淑《ていしゅく》な女房であったら、妻が夫の命に服するのである以上、どんなに忌まわしいイヤらしいことであっても、進んで云いつけに従ったであろうし、従わなければならなかったであろう。まして私の夫は、そう云う気狂いじみた遊戯に依って刺戟《しげき》を受けるのでなければ、私を満足させるような行為をなし得ないのであるとすれば尚更である。私は義務を果たしているのみではない。一面私は、貞淑で柔順なる妻であることの代償として、私の限りなく旺盛《おうせい》なる淫慾《いんよく》を充《み》たさして貰っているのである。それにしても夫は、何故私を裸体にするだけで足れりとせず、それを写真に撮った上、恐らくは私に示すのが目的で、その写真を引き伸ばして帳面に貼ったりするのであろうか。極度の淫乱と極度のハニカミとが一つ心に同居している私であることを、最もよく承知している夫ではないか。そうして又、夫はあの引き伸ばしを誰に依頼したのであるか。ああ云うものを他人の眼に触れさせてまで、そんなことをする必要が何処《どこ》にあったのであるか。それは私に対する単なるイタズラか、それとも何か意味のあることなのか。いつも私の「お上品趣味」を冷やかしている夫として、私のつまらないハニカミ癖を矯正してやろうと云う意図なのか。……

三月十日。……コンナヿ《こと》ヲココニ書イテヨイカ悪イカ、妻ガコレヲ読ンダ場合ニドンナ結果ニナルカ疑問ダガ、僕ハ白状スルト、コノ間カラ心身ニ或ル種ノ異状ヲ来タシツツアル――ヨウナ気ガシテイル。「気ガシテイル」ト云ウノハ、ソレガソンナニ大シタヿデモナイノイローゼニ過ギナイヨウニモ思エルカラダ。本来僕ハ必ズシモアノ方ノ精力ガ常人ニ劣ッテイタ訳デハナイ。ダガ中年以後、妻ノ度ハズレテ旺盛ナ請求ニ応ズル必要ガアッタタメニ、早期ニ精力ヲ消耗シ尽シ、今日デハアノ方面ノ欲望ガ甚ダ微弱ニナッテシマッタ。イヤ、欲望ハ大イニアルノダガ、ソレヲ裏付ケル体力ガ欠ケテシマッタト云ッタ方ガヨイ。ソコデイロイロ不自然ナ、無理ナ方法デ強《し》イテ感情ニ刺戟ヲ与エ、辛《かろ》ウジテアノ病的ニ絶倫ナ妻ニ対抗シテイル次第ダガ、コンナヿガ果シテイツマデ続クデアロウカト、僕ハトキドキ恐ロシクナル。以前、コノ十年間グライハ、僕ハ常ニ妻ノ攻撃ニ圧倒サレツヅケテイタ意気地ナシノ夫デアッタノニ、最近ノ僕ハソウデモナイ。今年ニナッテ俄《にわ》カニ木村ト云ウ刺戟剤ヲ利用スルヿヲ覚エ、ブランデート云ウ妙薬ヲ見ツケ出シタオ蔭デ、目下ノトコロ、僕ハ自分ニモ不思議ナクライ旺盛ナ欲望ニ駈《か》ラレテイル。ソノ上僕ハ精力ノ補給ヲスルタメニ相馬博士ニ相談シ、大体月ニ一回男性ホルモンノデポ*ヲ用イテイルノダガ、ソレダケデハマダ不足ナ気ガシ、脳下垂体前葉ホルモン*

ノ五百単位ヲ三日カ四日オキニ注射シテイル。(コレハ相馬氏ニハ内証デ、自分デ施シテイルノデアル)シカシ自分ガ珍シクモ斯様《かよう》ニ旺盛ナ状態ヲ維持シ得テイルノハ、恐ラク薬剤ノ利《き》キメヨリモ主トシテ精神的興奮ノ然《しか》ラシメルトコロデアルニ違イナイ。嫉妬《しっと》ガ醸《かも》ス激シイ情熱、妻ノ全裸体ヲ思ウ存分見ルヿニ依ッテ加速度的ニ促進サレル性ノ衝動、ソウ云ウモノガトドマルトコロヲ知ラヌマデニ僕ヲ狂気ニ導イテイルノデアル。サシアタリハ妻ヨリモ僕ノ方ガ遥《はる》カニ淫蕩《いんとう》ナ男ニナッタ。僕ハ夜ナ夜ナ、自分ガ嘗《かつ》テ夢ニダモ想像シタヿノナカッタ法悦境ニ浸リツツアルノヲ思ッテ、自分ノ幸福ヲ感謝シナイデハイラレナイガ、同時ニ又、コンナ幸福ガイツマデツヅク筈ハナイ、イツカハ報復ガ来ルノデアル、自分ハ刻々ニ命ヲ削リツツアルノデアル、ト云ウ予感モシテイル。イヤ、現ニソノ報復ノ前触《まえぶ》レデハアルマイカト思ワレル現象ガ、精神ト肉体トノ両方面ニ、既ニ二三ニトドマラズ発生シツツアルノヲ感ジル。コノ間、先週ノ月曜日ノ朝、木村ガ登校ノ途中ダト云ッテ立チ寄ッタ日ノ朝デアッタ、僕ハ木村ガ来タノデベッドカラ起キ上ッテ茶ノ間へ行コウトシタノデアッタガ、ソノ時奇怪ナヿガ起ッタ。起キタ途端ニソノ辺ニアルスベテノ物象ガ、ストーブノ煙突、障子、襖《ふすま》、欄間、柱等々ノ線ガ、カスカニ二重ニナッテ見エタ。ソロソロ年ノセイデ眼ガ霞《かす》ムヨウニナッタノカト思ッテ、一生懸命眼ヲ擦《こす》ッテミタガ、ソウデハナイラシイ。何カ視覚ニ異状ナ変化ガ起ッタノデアルラシイ。今マデニモ、夏ニナルト脳貧血ヲ起シテ軽イ眩暈《めまい》ヲ感ズルヿハ時々アッタガ、ソウ云ウモノトハ明カニ違ウ。眩暈ナラ大概二三分デ平常ニ復スルノダガ、イツマデタッテモ物ガ二重ニ見エルノデアル。障子ノ桟、便所ヤ風呂場ノタイルノ目地《めじ》*、ソレラガ総ベテ二重ニ見エ、カツ少シズツ歪《ゆが》ンデ見エル。ソノ重ナリ工合ヤ歪ミ工合ハ極ク僅カデ、動作ニ不便ヲ感ズル程ノコトハナク、人ニ気付カレルコトモナイノデ、今日マデソノママニシテイルガ、アノ日カラズット、今モソノ状態ガツヅイテイル。不便ヤ苦痛ハナイト云ウモノノ、何トナク気味ガ悪イヿハ否定出来ナイ。眼科ヘ行ッテ診《み》テ貰オウトハ思ッテイルガ、単ニ眼ダケノ故障デナク、モット致命的ナトコロニ病源ガアルヨウナ気ガシテ、行クノガ恐《こわ》クモアル。ソレニ、コレハ多分半分以上神経ノ所業《しわざ》ダト思ウケレドモ、トキドキ体ガ急ニフラフラトシテ平衡ヲ失イ、右カ左カ、ドチラカヘ倒レソウニナルヿガアル。平衡感覚ヲツカサドル神経ハ何処ヲ通ッテイルノカ知レナイガ、イツモ後頭部ノトコロ、チョウド脊髄《せきずい》ノ真上ノトコロニ空洞ガ生ジタヨウナ感ジガシ、ソコヲ中心ニ体ガ一方ヘ傾クノデアル。コンナヿハノイローゼ的現象ダト思エバ思エルノデアルガ、昨日モウ一ツ不思議ナヿガ起ッタ。午後三時頃、木村ニ電話ヲ懸ケヨウトシタラ、毎日ノヨウニ懸ケテイル彼ノ学校ノ電話番号ガドウシテモ浮カンデ来ナイ。度忘レト云ウヿハアルガ、ソレハソウ云ウ忘レカタデハナク、完全ナ記憶喪失ニ似タ忘レカタデアッタ。局番モ、局名モ、スベテガ思イ出セナイノデアッタ。僕ハ驚キカツ慌テタ。試ミニソノ学校ノ校名ヲ思イ出ソウトシテ見タガ、ソレモ駄目デアッタ。最モ驚イタノハ、木村ハ木村何ト云ウ姓名デアッタカト考エテミタガ、ソレモ思イ出セナカッタ。家ニ使ッテイル婆ヤノ名前モ駄目《だめ》デアッタ。僕ノ妻ノ名前ガ郁子デ、娘ノ名前ガ敏子デアル〻ハサスガニ忘レテイナカッタガ、亡クナッタ妻ノ父ノ名前、母ノ名前ハ浮カンデ来ナカッタ。敏子ガ部屋借リヲシテイル家ノ名前モ、ソレガ日本人ヲ夫ニ持ツ仏蘭西《フランス》婦人ノ家デ、ソノ人ハ同志社大学ノ仏語教師デアル〻ハ分ッテイタガ、名前ハドウシテモ出テ来ナカッタ。甚ダシキハコノ家ノ所在地ノ町名ガ、――左京区ト云ウ〻マデハ分ルガ、吉田牛ノ宮町*ト云ウ名ガ出テ来ナカッタ。僕ハ内心非常ナ不安ニ襲ワレタ。若《も》シコノ状態ガ持続シ、カツソノ程度ガ漸次《ぜんじ》ニ昂進《こうしん》スルトスレバ、ヤガテ僕ハ大学教授ノ職ニ堪エナクナリハシナイカ。ソレドコロカ単独デ外出スル〻モ、人ト応対スル〻モ不可能ニナリ、結局癈人《はいじん》ニナッテシマウノデハナイカ。但《ただ》シ現在ノトコロデハ、記憶喪失ト云ッテモ思イ出セナイノハ主トシテ人名ヤ地名デアッテ、事柄ヲ忘レテイルノデハナイ。ソノ仏蘭西人ノ名前ハ思イ出セナイケレドモ、ソウ云ウ仏蘭西人ガイル〻、ソノ家ニ敏子ガ間借リシテイル〻ハ分ッテイル。ツマリ頭ノ中ノ、人物ヤ物ノ名称ヲ伝達スル神経ガ麻《ま》痺《ひ》シタノミデ、知覚ヤ伝達ヲツカサドル組織全部ガ麻痺シテシマッタ訳デハナイ。幸イニシテソノ麻痺状態ニ置カレテイタ期間ハ物ノ二三十分ニ過ギズ、間モナク遮断サレテイタ神経ノ通路ガ復旧シ、失ワレタ記憶ガ戻ッテ来テ総ベテガ平生ノ通リニナッタ。ソノ間僕ハ、果シテイツマデ続クカ分ラナイ不安ヲ密《ひそ》カニ怺《こら》エツツ、誰ニモ何モ語ラズ、気ヅカレモセズニ過シテシマッタガ、――ソシテソレ以後ハ何事モナク無事ニ過ギテイルノデアルガ、イツ何時《なんどき》、再ビアア云ウ状態ガ襲ッテ来ルカモ知レナイト云ウ不安、――ソノ状態ガ二三十分デナク、一日モ二日モ、一年モ二年モ、事ニ依レバ一生ツヅクヿガアルカモ知レナイト云ウ不安ハ、今モナオ消エ去ッテハイナイ。妻ハコレヲ読ンダトシテ、ドウ云ウ処置ニ出ルデアロウカ。僕ノ将来ヲ慮《おもんぱか》ッテ、今後ハ行動ニ幾分ノ制御ヲ加エルデアロウカ。僕ノ推測スル限リデハ、恐ラクソンナヿハアルマイ。彼女ノ理性ハ制御ヲ命ジタトシテモ、彼女ノ飽クナキ肉体ハ理性ノ言ニ耳ヲ貸サズ、僕ヲ破滅ニ追イ込ムマデモ満足ヲ求メテ已《や》マナイデアロウ。「何ヲ云ウノダ。夫ハコノトコロ大分好調ガツヅクト思ッタラ、トウトウ溜《たま》リカネテ降参スルノダナ。攻撃ノ手ヲ少シ緩《ゆる》メテ貰ウタメニソンナ嚇《おど》カシヲ云ウノダナ」――グライニ彼女ハ思ウカモ知レナイ。イヤ、ソレヨリモ何ヨリモ、今ノトコロ僕自身ガ自分ヲ制御出来ナクナッテイル。僕ハモトモト病気ニ対シテ大胆ナ方デハナク、頗《すこぶ》ル臆病ナノデアルガ、今度ノヿニ関シテハ、五十六歳ノ今日ニ至ッテ始メテ生キ甲斐《がい》ヲ見出《みいだ》シタ心地デ、或ル点デハ彼女以上ニ積極的、猪突《ちよとつ》的ニナッテイル。………

三月十四日。……午前中、夫の留守に敏子が来て「ママに話がある」と云った。何か真剣な顔をしている。何の話かと聞くと、「昨日木村さんの所で写真を見たわよ」と、私の眼の中をじっと視《み》つめた。そう云われてもまだ私には分らなかったので問い返すと、「ママ、私はどんな場合にもママの味方よ、ほんとうのことを云ってよ」と云う。昨日、木村さんにフランス語の本を借りる約束をしていたので、通りかかりに寄った。木村さんは留守だったけれども這入《はい》って行って、書棚からその本を抜き取ったら、中に数葉の手札型の写真が挟《はさ》んであった、――「ママ、あれは一体どう云う意味」と云うのだった。「何のことか分らない」と云うと、「なぜ私に隠すのよ」と云う。私は大凡《おおよ》そ、その写真と云うのは先日夫の日記帳に貼ってあったあれと同じものなのであろう、そしてそれは、矢張想像した通り私の浅ましい姿を撮ったものなのであろう、と云うことまでは察しがついた。が、何と云って敏子に説明したものか急には返答が出来なかった。敏子は実際の事実よりももっとずっと悪質な、余程深刻な事件が伏在しているように思っていることは推量出来た。恐らく敏子は、その写真は私と木村さんとの間に不倫な関係が存在することを示す以外の何者でもないと、解しているであろう。私は夫と木村さんのため、又私自身のために、直ちに釈明の労を取るべきであったが、事実をありのままに述べたとしても、敏子がそれを素直に受け取ってくれるかどうか疑問であった。私は暫《しばら》く考えてから云った。——ありの得べからざることのようだけれども、私は実は、世の中に私のそう云う恥《は》ずべき姿を撮った写真があると云うことを、今あなたから聞かされるまでは確かには知らなかったのだ。もしそう云うものがあるとすれば、それは私が昏《こん》睡《すい》している間にパパが撮影したもので、木村さんはただその現像をパパから依頼されたに過ぎない。木村さんと私との間には断じてそれ以上の関係はない。パパがなぜ私を昏睡させ、なぜそんな写真を撮り、なぜその現像を自分でしないで木村さんにやらせたか、等の理由は想像に任せる。現在の娘の前で、これだけのことを口にするさえ私には忍び難い。もうこれ以上は聞かないで欲しい。ただ、すべてはパパの命令に従ってしたことであり、私は何処までもパパに忠実に仕えることを妻の任務と心得ているので、いやいやながら云われる通りにしたのであることを信じて欲しい。あなたには理解し難いことかも知れないが、旧式な道徳で育って来たママは、こうするより外はないのである。ママの裸体写真がそんなにパパを喜ばすのなら、ママは敢《あえ》て恥《はじ》を忍んでカメラの前に立つであろう、まして別人ならぬパパ自身が操作しているカメラであるなら。——「ママ、ママは本気で云ってるの？」と敏子は呆《あき》れた。「本気よ」と云うと、「私はママを軽蔑《けいべつ》する」と憤然たる語調で云った。私は敏子を怒らせるのが少し面白くなって来たので、幾分感情を誇張した気味もあった。「ママは貞女の亀鑑《きかん》*と云う訳ね」と敏子はくやしそうな顔に冷笑を浮かべた。敏子には、パパが現像を木村さんに託した心理状態がどうにも不思議で溜《たま》らないらしく、理由なくママを辱《はず》かしめ、木村さんを苦しめたと云ってパパを非難して已《や》まないので、「そう云うことに娘が立ち入って貰いたくない」と私は云った。「パパがママを辱かしめたとあなたは云うけれども、果して辱かしめたであろうか。ママはそうは感じていない」と、私は云ってやった。「パパはママを今も熱愛しているのである。パパはママの肉体が年齢のわりに若くて美しいことを、誰か自分以外の男性に見せて確かめたい気持があったのだと思う。その気持は少し病的かも知れないけれども、私には分る」――私は夫を擁護する必要を感じたので、云いにくいことを可《か》なり上手に、巧《うま》く云ったつもりである。私の日記を盗み読みするに違いない夫は、ここを読んで私がどんなに夫を庇《かば》うために苦心したかを察してくれてもよいと思う。「でもそれだけの気持かしら。パパは木村さんがママをどう思っているか知っていながら、随分意地が悪いのね」と敏子は云った。私はそれには答えなかった。敏子は木村さんがあの写真をあの本の間に挟んで置いたのは、「木村さんのすることだから」ただの不注意とは思えない、何か訳があるような気がする、敏子に何かの役目を負わせるつもりかも知れないと云い、木村さんに対する彼女の観察をいろいろ述べるところがあったが、それはここに書かない方が夫のためによいと思う。………

三月十八日。………佐々木ノ帰朝祝賀宴ガアッタノデ十時過ギニ帰宅シタ。妻ハ夕刻カラ外出中トノ〻《こと》デアッタ。多分映画ニ出カケタノデアロウト察シ、書斎デ日記ヲツケテイタガ、十一時過ギテモ戻ラナイ。十一時半ニ敏子カラ電話デ、「パパチョット来テヨ」ト云ウ。「何処《どこ》ダ」ト云ウト「関田町ヨ」ト云ウ。「ママハ」ト云ウト「ココニイル」ト云ウ。「モウ遅イカラ帰ルヨウニ云イナサイ、コチラハ婆ヤガ今帰ッタノデ僕一人ダ」ト云ウト、急ニ電話口デ声ヲヒソメテ、「ママガ関田町ノ風呂場デ倒レタノヨ、児玉先生ヲ呼ンデモヨクッテ」ト云ウ。「ソコニ誰ト誰ガイルノダ」ト云ウト「三人ヨ」ト云ウ。「説明ハ後デスルワ。トニカク注射ヲ急イダ方ガイイト思ウワ。パパガ来ラレナイナラ児玉先生ニ来テ貰イマス」ト云ウ。「児玉サンハ呼バナイデモイイ。僕ガ注射シテヤル。オ前ガ此方《こっち》ヘ留守番ニ来イ」――僕ハ昨今ヴィタカンフルノ注射液ヲ絶ヤシタ〻ガナイノデ、家ヲ空《あ》ケタママ、敏子ノ来ルノヲ待タズニ出カケタ。（コンナ時ニ先日ノ記憶喪失ガ襲ッテ来ハシナイカト云ウ恐怖ガ、チラト脳裡《のうり》ヲカスメタ）僕ハ関田町ノ家ノ所在ハ分ッテイタガ、中ヘ這入《はい》ルノハ始メテダ。敏子ガ門ノ前ニ立ッテイテ、庭カラ直グニ離レ座敷ヘ案内シ、「デハ私ハ留守番ニ行ッテイマス」ト云ッテ出テ行ッタ。「ドウモ御心配ヲカケマシテ」ト木村ガ挨拶《あいさつ》シタ。僕ハ木村ニハ何ノ説明モ求メナカッタ。木村ノ方カラモソノ「ニツイテハ一言モ言イ出サナカッタ。ドッチモバツガ悪イノデ、急イデ注射ノ用意ニカカッタ。ピアノノ前ノ畳ノ上ニ寝床ガ取ッテアッテ妻ガ静カニ寝カサレテイタ。ソノ傍ノチャブ台ガ杯盤狼藉《はいばんろうぜき》＊ト取リ散ラカサレテイタ。枕元ノ壁ニ妻ノ外出用ノ衣服ガ、敏子ガ洋服ヲ吊《つ》ルノニ用イル造花ヤリボンノ飾リノ付イタハンガーニ懸ケテ吊ッテアッテ、妻ハ長襦袢《ながじゅばん》一ツデ寝テイタ。妻ハ年ヨリモ派手好ミナノダガ、ソノ長襦袢ハ殊《こと》ニケバケバシイ感ジガシタ。異常ナ時ト場所ノセイデ特ニソウ感ジタノカモ知レナイ。脈搏《みゃくはく》ハイツモコウ云ウ場合ノ脈搏ト同ジデアッタ。「オ嬢サンと二人デココマデオ連レシマシタ」トダケ木村ガ云ッタ。体ハ一通リ拭《ふ》イテアッタガマダ体ジュウニ湿リ気ガアリ長襦袢ガベットリシテイタ。長襦袢ノ紐《ひも》ガ結ンデナカッタ。一ツ変ッタ「ハ、髪ガ解ケテ乱レテイテ襦袢ノ襟《えり》ガヒドク濡《ぬ》レテイタ。今マデ自宅ノ浴室デ倒レタ𠀋《とき》ハ、髪ハ常ニ束ネテアッテ、コンナニ解ケテイタ「ハナイ。コレハ木村ノ趣味ナノカモ知レナイト思ッタ。木村ハコノ家ノ勝手ヲ心得テイルラシク、浴室カラ洗面器ソノ他ヲ運ンダリ湯ヲ沸カシタリ注射器ノ消毒ヲ手伝ッタ。………「ココニ寝カシテオク訳ニモ行クマイ」ト、約一時間後ニ僕ガ云ッタ。「母屋《おもや》ハ早寝デ、マダムハ何モ知ラナイヨウデス」ト木村ガ云ッタ。脈ハ大分ヨクナッテイルノデ連レテ帰ルヿニシ、木村ニ自動車ヲ呼ンデ来サセタ。「ソコマデ僕ガ負ブッテ行キマス」ト木村ガ云ッテ背中ヲ出シタ。僕ガ妻ヲ抱キ起シテ、長襦袢ノママデ木村ノ背ニ乗セ、ハンガーノ着物ト羽織ヲ外《はず》シテ上カラ着セタ。庭ヲ横切ッテ門前ノ自動車ノ所マデ行キ、二人ガカリデ車ニ入レタ。小型ノ六十円ノ車*ダッタノデ木村ガ前ニ掛ケタ。ブランデーノ匂《におい》ガ襦袢ヤ衣裳《いしょう》ニ浸ミ通ッテイテ車ノ中ガ噎《む》セ返ルヨウダッタ。僕ハ妻ヲ横抱キニシテ腰カケ、冷エ冷エシタ彼女ノ髪ノ中ニ自分ノ顔ヲ埋メ、ソノ足ヲ握リ締メカツ接吻シタ。（木村ニハ見エナイ筈デアッタガ気取《けど》ッタカモ知レナイ）木村ハ寝室マデ手伝ッテ運ンデカラ「先生、今夜ノヿハ私ヲオ信ジニナッテ下サイ、オ嬢サンガ総ベテ御存ジデス」ト云ッタ。「モウ帰ッテモ宜《よろ》シュウゴザイマスカ」ト云ウカラ「アア」トダケ答エタ。木村ガ去ッテカラ、敏子ガ留守番ヲシテイテクレタノヲ思イ出シテ、茶ノ間ヤ敏子ノ部屋ヘ行ッテ見タガモウイナカッタ。先刻僕等ガ郁子ヲ自動車カラ抱キオロシタ時ハ玄関ニウロウロシテイタヨウデアッタガ、僕等ト入レ違イニ黙ッテ関田町ヘ帰ッテシマッタラシイ。僕ハ一旦書斎ニ上リ、取リ敢エズ今夜ノ今マデノ出来事ヲ急イデ日記ニ書キ留メタ。書キナガラ僕ハ、コノ数時間後ニ経験スルヿガ出来ルデアロウ悦楽ノ種々相ヲ予想シタ。………

三月十九日。……払暁マデ僕ハ一睡モシナカッタ。昨夜ノ突然ノ事件ハ何ヲ意味スルカ、ソレヲ考エルヿハ恐怖ニ似タ楽シサデアッタ。僕ハマダ木村カラモ、敏子カラモ、妻カラモ、何ノ説明モ聞イテイナイ。聞ク機会ガナカッタカラデモアルガ、アマリ早ク聞キタクナカッタカラデモアッタ。聞カシテ貰ウ前ニ、自分一人デ考エルノガ楽シミデモアッタ。自分デ勝手ニ、コレハコウ云ウ訳ナノカ、イヤソウデハナクテコウナノカト、サマザマナ場合ヲ想像シテ嫉妬《しっと》ヤ憤怒《ふんぬ》ニ駆ラレテイルト、際限モナク旺盛《おうせい》ナ淫慾ガ発酵シテ来ル。事実ヲハッキリ突キ止メテシマウト却《かえ》ッテソウ云ウ快感ガ消エル。妻ハ明ケ方カラ例ノ譫言《うわごと》ヲ始メタ。「木村サン」ト云ウ語ガ今暁ハ頻繁《ひんぱん》ニ、或ル時ハ強ク或ル時ハ弱ク、トギレトギレニ繰リ返サレタ。ソノ声ノ絶エテハ続キツツアル間ニ僕ハ始メタ。……瞬時ニシテ嫉妬モ憤怒モナクナッテシマッタ。妻ガ昏睡シテイルカ、眼覚メテイルカ、眠ッタフリヲシテイルカモ問題デナクナリ、僕ガ僕デアルカ木村デアルカサエモ分ラナクナッタ。……ソノ時僕ハ第四次元*ノ世界ニ突入シタト云ウ気ガシタ。忽《たちま》チ高イ高イ所、忉利天《とうりてん》*ノ頂辺ニ登ッタノカモ知レナイト思ッタ。過去ハスベテ幻影デココニ真実ノ存在ガアリ、僕ト妻トガタダ二人ココニ立ッテ相擁シテイル。……自分ハ今死ヌカモ知レナイガ刹那《せつな》ガ永遠デアルノヲ感ジタ。……

三月十九日。………昨夜のことを念のために委《くわ》しく書き留めて置こうと思う。昨夜は夫の帰りが夜になることが分っていたので、「私たちも映画に出かけるかも知れない」と、私は前以《もつ》て夫に断っておいた。四時半頃に木村さんが誘いに来たが、敏子は五時頃おくれて来た。「遅いじゃないか」と云うと、「時間が半端《はんぱ》だから食事を済ましてからの方がよくはなくって。ママ、今日は私がサーヴィスするから関田町で御飯を上ってよ。まだ一遍も私の所で落ち着いたことはないじゃないの」と敏子が云った。「かしわ*を百目買《め*こ》うて来たわ」と、彼女は鶏肉《けいにく》や野菜や豆腐を両手に持って木村さんと私を連れ出したが、「これは此処《ここ》のを寄附して貰うわ」と、まだ半分以上残っていたクルボアジエの罎《びん》も提《さ》げて出て来た。「それは止《よ》した方がいいわ、今日はパパが留守だから」と私は云ったが、「でも折角の御馳走《ごちそう》にこれがないのは淋《さび》しいから」と云うのだった。「御馳走なんかいらないわよ、これから映画を見に行くのにもっと簡単なものがいいわ」と云ったけれども、「すき焼の方が却《かえ》って簡単よ」と敏子は云った。ピアノの前に二月堂の卓*を二つつないで、瓦斯《ガス》のカンテキ*（鍋《なべ》やカンテキは母屋《おもや》から借りて来たのである）ですぐに始めたが、具《ぐ》がいつもより分量が多く、種類も沢山揃《そろ》えてあるのに驚いた。葱《ねぎ》、糸蒟蒻《いとこんにゃく》、豆腐はよいとして、生麩《なまぶ》、生湯葉、百合根《ゆりね》、白菜等々、――敏子はそれらをわざと一度に運んで来ないで、ときどき、少しずつ、なくなると後から後からと附け足した。かしわも百目ではなかったような気がした。自然、なかなか御飯にならないでブランデーが進行した。「お嬢さんがブランデーのお酌をなさるなんて珍しいことですな」と云いながら、木村さんも平生よりは過した。「もう映画には遅いわね」と、頃あいを見て敏子が云った。私にしても映画を見るには酔いが廻り過ぎていた。が、そう云っても、そんなに量を過したようには感じていなかった。これはいつでもそうなのだけれども、私は酔いを殺して飲むせいで、或る程度まではシッカリしていて、一定の量を超過すると俄然《がぜん》怪しくなるのである。最初私は、今夜は敏子に酔わされるかも知れないなと、内々警戒していないではなかった。しかし警戒する半面に、多少期待する——或《あるい》は希望する——気持もなかったとは云えない。私は木村さんと敏子との間に、予《あらかじ》め手筈《てはず》が定めてあったのかどうかは知らない。聞いたところでそんなことを云う筈もないから、聞きもしない。ただ木村さんも、「先生の留守にこんなに飲んでいいですかなあ」とは云っていたが、近頃大分手が上っているので、私と差したり差されたりした。木村さんもそうだと思うが、私には、夫の留守に木村さんと献酬することは、夫の意志に背《そむ》くことにはならない、と云う気があった。夫に嫉妬を感じさせることは、夫を幸福にする所以《ゆえん》であることも分っていた。だからと云って、私は夫を刺戟《しげき》するのが唯一の目的であったとは決して云わない、が、心にそう云う安心があったので、ついグラスの数を重ねたとは云える。それから、今日はこのことをここにはっきり云って置くが、私は木村さんを、恋すると云うところまでは行っていないが、好いていることは事実である。恋することも、しようと思えば直ぐ出来そうなところまで来ている。夫に嫉妬を起させるためには、ここまで来ることが必要であったからではあるが、もともと木村さんが好きでなかったら、ここまで来なかったでもあろう。そして今までは、ここで厳重な一線を劃《かく》して、これ以上の道には踏《ふ》み込まぬように努めて来たけれども、これからはひょっとすると、踏み外《はず》すこともありそうな気がしている。私は夫があまり私の貞操を信じ過ぎないようにしてくれることを望む。私は夫の註文に応ずるためにギリギリの瀬戸際《せとぎわ》まで試煉に堪えて来たけれども、これからは自信が持てなくなっている。………一方私は、いつも夢とも現《うつつ》ともつかない状態で睡《ねむ》っている時に見ることのある、あの裸体の木村さんを、………木村さんかと思うと夫であったり、夫かと思うと木村さんであったりするあの裸体を、………一度夫に邪魔されない時に、この眼で見届けてみたいと云う好奇心もないことはなかった。私はいつの間にか急激に酔いが廻って来たのを覚えて便所へ隠れたが、「ママ、今日はお風呂が沸いているのよ、マダムは上りはったからママ這入《はい》らはったらどう」と、便所の外から敏子が云った。私は、風呂へ這入れば倒れるであろうこと、その場合に抱き起しに来てくれる者は、恐らくは敏子でなくて木村さんであろうことを、既に朦朧《もうろう》となっていた意識の隅で感じていた。「ママ、そうなさいよ」と、敏子がもう一度か二度云いに来たのも、ぼんやり分っていた。そして間もなく、ひとりで風呂場を捜しあててガラス戸を開け、着物を脱いだことまでは思い出せるが、それからあとは完全に意識を失ってしまった。………

三月二十四日。………昨夜又妻ガ関田町ノ家デ倒レタ。昨夕食後、二人ガ妻ヲ映画ニ誘ウト称シテ連レ出シニ来、十一時過ギテモ戻ラナイノデ、或ハソンナ〓《こと》デハナイカト僕ハ早クモ合点《がてん》シテイタ。アマリ遅イノデ電話ヲカケテ見ヨウカトモ思ッタガ、ソレモ馬鹿々々シイノデ向ウカラカカルノヲ待ッテイルト、(待ッテイル間ノ待チ遠シサ、イラダタシサ、ソシテ又イツモノ期待ニ胸ヲワクワクサセテイタ気持ト云ッタラナカッタ)十二時過ギニ敏子ガ一人デコチラニ現ワレ、タキシーヲ待タシテ這入ッテ来テ、「ママガ又ナノヨ」ト云ッタ。映画ノ後デ(ト云ウケレドモ、果タシテ然ルヤ否ヤハ怪シイ)母子《おやこ》ガ木村ヲ宿マデ送ッテ行ッタトコロ、木村ガ僕ガ送リマショウト云ッテ、関田町マデ三人デ来テ、ツイ上リ込ンダ。敏子ガ紅茶ヲ入レテ出シタガ、コノ間ノクルボアジエガマダ四分ノ一残ッテイルノガ床ノ間ニ置イテアッタノデ、茶匙《ちゃさじ》ニ一杯ズツ滴《た》ラシテススメタ。ソレガ切ッ掛ケデ間モナク二人ガシェリーグラスノ遣《や》リ取リヲ始メ、結局罎《びん》ヲ空ニシタ。昨夜モタマタマ風呂ガ沸イテイタノデ、先夜ノ通リノ順序ニ事ガ発展シタ。――――ト、コレハ敏子ノ釈明トモツカナイ説明デアッタ。「オ前、二人ヲ置イテ出テ来タノカ」ト、僕ハ尋ネタ。「エエ、電話ヲ切リカエテ置カナカッタノデ、母屋へ懸ケニ行クノガ工合ガ悪カッタモノダカラ」ト敏子ハ云ッタ。「ソレニ、ドウセ自動車ガ要ルト思ッタノデ、ヤットノヿデ摑《つか》マエテ来マシタ」彼女ハ独特ノ意地ノ悪イ眼デ僕ノ眼ヲ覗《のぞ》イタ。「コノ間ハ運ヨク直グニ摑マッタノニ今日ハナカナカ摑マラナイノヨ。電車通リニ暫《しばら》ク立ッテイタケレド、何シロ時刻ガ時刻ダカラ一台モ通ラナイ。アスコノ鴨川《かもがわ》タキシー*マデ歩イテ行ッテ、寝テイルノヲ叩《たた》キ起シテ乗ッテ来タノデス」ト云ッテ、コチラガ聞キモシナイノニ、「家ヲ出タノハモウ二十分以上モ前ナンダケレド」ト独語《ひとりごと》ノヨウニ附ケ加エタ。僕ハ敏子ガドウ云ウ底意デソウ云ウヿヲ云ッテイルノカ察シタケレドモ、ワザト空トボケテ「御苦労サマ。デハ留守番ヲ頼ム」ト云ッテ、注射ノ用意ヲトトノエテ、ソノ車デ出カケタ。僕ニハ依然トシテ、彼等三人ガ何処マデ合意ノ上デ企《たくら》ンダ仕事デアルノカハ分ラナカッタ。タダ恐ラクハ敏子ガ主謀者デアルヿ、彼女ガ故意ニ二人ヲ置キ去リニシテ、二十分以上モ途中デ時間ヲ費シテ（二十分ヤ三十分デハナイノカモ知レナイ。一時間モウロウロシテ来タノニ違イアルマイ）来タノデアルヿハ想像出来タ。僕ハ関田町へ駆ケ着ケルマデノ間、ソノ二十分乃至《ないし》一時間中ニ彼処《あそこ》ノ一室デ如《い》何《か》ナルヿガ起リ得タカヲ、努メテ考エナイヨウニシタ。妻ハ先夜ト同ジ長襦袢《ながじゆばん》ヲ着テ寝テイタ。壁ノハンガーニハアノ衣裳《いしよう》ガ又ダラリト垂レテイタ。木村ガ湯ヤ洗面器ヲ運ンデ来タ。妻ハ人事不省デ先夜以上ニ泥酔シテイルヨウニ見エタガ、ソノ見セカケニモ拘《かか》ワラズ、昨夜ハ特ニ明瞭ニ、ソレガ彼女ノ芝居デアルヿ、実際ニハ意識ヲ持ッテイルノデアルヿガ、僕ニハ分リ過ギルホド分ッタ。脈モ割合ニシッカリシテイタ。コンナ時、僕ハ本気デ注射ヲスルノガ馬鹿ゲテイルノデ、カンフルヲ射ス真似《まね》ヲシテ、ヴィタミンヲ射シテヤルヿニシテイルノダガ、木村ガ気ガ付イテ、「先生、コレデイインデスカ」ト小声デ聞イタ。「ウン、イインダヨ、今夜ハソレホドデモナサソウダヨ」ト、僕ハ構ワズヴィタミンヲ射シタ。

……妻ハ盛ンニ「木村サン木村サン」ト呼ビツヅケタ。ソノ呼ビ方ハ今マデノ呼ビ方ト声ノ調子ガ違ッテイタ。今マデノヨウナ譫言《うわごと》ジミタ云イ方デハナクテ、底力ノアル、訴エルヨウナ、叫ブヨウナ声デ呼ンダ。エクスタシーニ入ル前後ニ於《お》イテ一層ソノ声ガ甚《はなはだ》シカッタ。突然僕ハ舌ノ尖端《せんたん》ニ齕噬《こつぜい》*ヲ感ジタ。……次イデ耳朶《みみたぶ》ニモソレヲ感ジタ。……コンナヿハ今マデニナイヿデアッタ。……一夜ニシテ妻ヲカヨウニ大胆ナ、積極的ナ女性ニ変エタノハ木村デアルト思ウト、僕ハ一面激シク嫉妬シ、一面彼ニ感謝シタ。イヤ敏子ニモ感謝スベキデアルカモ知レナカッタ。皮肉ニモ敏子ハ、僕ヲ苦シメヨウトシテ却《かえ》ッテ僕ヲ喜バス結果ニナッテイルヿヲ、………僕ノコウ云ウ不思議ナ心理ヲ、マサカソコマデハ気ガツカズニイルノデアロウガ。………行為ノ後デ今暁物凄《ものすご》イ眩暈《めまい》ヲ感ジタ。彼女ノ顔、頸《くび》、肩、腕、スベテノ輪廓《りんかく》ガ二重ニナッテ見エ、彼女ノ胴体ノ上ニモウ一人ノ彼女ガ折リ重ナッテイルヨウニ見エタ。間モナク僕ハ眠ッタラシカッタガ、夢ノ中デモナオ妻ガ二重ニ見エタ。最初ハ全体トシテ二重ニ見エ、ヤガテ部分々々ガバラバラニ空中ニ散ラバッテ見エタ。眼ガ四ツ、ソノ眼ト並ンデ鼻ガ二ツ、少シ飛ビ離レタ一二尺*高イ空間ニ唇《くちびる》ガ二ツ、ト云ウ風ニ、シカモ極《きわ》メテ鮮《あざや》カナ色彩ヲ帯ビテ。………空間ガ空色、頭髪ガ黒、唇ガ真紅、鼻ガ純白、………ソシテソノ黒サモ、紅《あか》サモ、白サモ、実物ノ彼女ヨリハ遥《はる》カニケバケバシク、映画館ノ絵看板ノペンキノヨウニ毒々シカッタ。夢ガコンナニ生々シイ色ヲ帯ビテ見エルノハ神経衰弱*ガ余程ヒドイ証拠ダナト、夢ノ中デハッキリトソウ思イナガラ、僕ハジットソノ夢ヲ視《み》ツメテイタ。右ノ足ガ二ツ、左ノ足ガ二ツ、水中ニアルヨウニ浮遊シテイルノガ、ソノ肌《はだ》ノ白カッタヿト云ッタラナカッタ。シカシ形ハ紛《まぎ》レモナク彼女ノ足デアッタ。足ト並ンデ、足ノ蹠《うら》ガ又別ニ浮カンデイタ。眼ノ前一杯ニ、白イ大キイ塊《かたまり》ガ雲ノ峰ノヨウニ現ワレタト思ッタラ、イツカ写真ニ撮《と》ッタヿノアル、アノ通リノ形状ヲシテ真正面ニ此方《こっち》ヲ向イテイル臀《しり》ガアッタ。………ソレカラ何時間後デアッタカ、又違ッタ夢ヲ見テイタ。最初ハ木村ガ裸体ノママデ立ッテイルヨウニ思エタガ、胴カラ生エテイル首ガ、木村ニナッタリ僕ニナッタリ、木村ノ首ト僕ノ首トガ一ツ胴カラ生エタリシテ、ソノ全体ガ又二重ニ見エタ。………

三月二十六日。………これで夫のいない所で木村さんに逢《あ》うことが三回に及んだ。昨夜はあの床の間に、まだ栓《せん》を開けてない新しいクルボアジエの罎《びん》が置いてあった。「あなたが買《こ》うて来たの」と云うと、「私知らない」と、敏子が否定した。「昨日外から帰って来たらこの罎が置いてあったのよ。木村さんがお届けになったのかと思っていたわ」と敏子は云ったが、「僕は知りません」と木村さんも云った。「先生ですよ、きっと。僕はそうだと思いますね。意味深重《しんちょう》ないたずらですな」「パパだとしたら随分皮肉ね」――二人はそんな風に云い合っていた。夫がこっそり投げ込んで行ったと考えるのが、一番ありそうなことのように思えるけれども、ほんとうのところは私には分らない。敏子か木村さんか、どちらかが買って来たと考えることも、決してなさそうなことではない。水曜日と金曜日はマダムが大阪へ教えに行く日で、帰りが十一時になるのである。この間の晩も、敏子はブランデーが始まると、程よい所で消えてなくなって、マダムの部屋に這入り込んでいたのだが、（このことを書くのは始めてである。夫に誤解されることを恐れて差控えていたのであるが、もうその必要もなさそうに思う）昨夜も可なり早くから見えなくなっていて、マダムが帰宅してからもまだ暫く母屋で話し込んでいた。私は意識を失ってから後のことはよく分らない。しかしどんなに酔っていたとしても、最後の最後の一線だけは昨夜も強固に守り通したと思っている。自分には未《いま》だにそれを蹈《ふ》み越える勇気はないし、木村さんだって同様であると信じる。木村さんはそう云った、――ポーラロイドと云う写真器を、先生に貸して上げたのは僕です。それは先生が、奥さんを酔わして裸になさりたがる癖があることを知ったからです。然るに先生はポーラロイドでは満足出来ないで、イコンを使って写すようになりました。それは奥さんの肉体を細部にわたって見極めたいと云う目的からでもあったでしょうが、それよりも、真の狙《ねら》いは僕を苦しめることにあったのだと思います。僕に現像の役を負わせて、僕を出来るだけ興奮させ、誘惑に堪えられるだけ堪えさせて、そこに快感を見出《みいだ》しているのだと思います。のみならず僕のこの気持が奥さんに反映し、奥さんも僕と同様に苦しむことを知って、そこにも愉悦を感じつつあるのです。僕は奥さんや僕をこんなにまで苦しめる先生を、憎いとは思いますけれども、それでも先生を裏切る気にはなれません。僕は奥さんの苦しむのを見て、自分も奥さんと共に苦しみ、もっともっとこの苦しみを深めて行きたいのです。――私は木村さんに云った、――敏子はあなたから借りたフランス語の本の中に、あの写真が挟まっていたのを見つけて、これは偶然にここに挟んであったものとは思えない、何か意味があるのだろうと云っていました、あれはどう云うつもりでしたか。——木村さんが云った、——あれをお嬢さんに見せたら、お嬢さんが何かしら積極的に動いてくれるであろうことを予期したのです。僕はこれと云って、何もお嬢さんに示唆したことはありません。僕はお嬢さんのイヤゴー的な性格を*知っているので、ああすれば十八日の晩のようなことになるのを期待していただけです。二十三日の晩のことも、今夜のことも、いつもお嬢さんがイニシアチブを取り、僕は黙ってそれに喰っ着いて行ったまでです。——私が云った、——私はあなたと二人きりでこんな話をすることは今が始めてです。あなたと私との関係についても、いや誰とでも、夫とでも、こんな話を一度もしたことはありません。聞くのが恐ろしくもあるのでしょうし、今もなお私の貞操を信じていたいからなのでしょう。私も自分の貞操を信じたいのですけれども、信じても差支《さしつか》えないのでしょうね、それに答えることが出来るのは木村さんだけです。——お信じ下さい、と、木村さんが云った、——僕は奥さんの肉体のあらゆる部分に触れています、ただ一箇所だけ大切な部分を除いては。先生は紙一重のところまで僕を奥さんに接着させようとするのですから、僕はその意を体して、それを犯さない範囲で奥さんに近づいたのです。

――ああ、それで安心しましたと、私は云った、――それまでにして私の貞節を完《まっと》うさせて下さるのを有難く思います。木村さんは、私が夫を憎んでいると云われましたが、憎む一面に愛していることも事実です。憎めば憎むほど愛情も募って来ます。あの人は、あなたと云うものを間に入れ、ああ云う風にあなたを苦しませなければ情慾が燃え上らない、それも結局は私を歓喜させるためだと思えば、私はいよいよあの人に背くことが出来なくなります。でも木村さんはこう云う風に考えることは出来ないでしょうか、私の夫と木村さんとは一身同体で、あの人の中にあなたもある、二人は二にして一であると。………

三月二十八日。………大学ノ眼科デ眼底ノ検査ヲシテ貰ウ。気ハ進マナカッタノデアルガ、相馬博士ガ切ニススメルノデイヤイヤ行ッテ見タ。眩暈《めまい》ハ脳動脈硬化ノ結果デアルト云ワレル。ソノタメニ脳ガ充血シ、眩暈ヤ複視現象*ガ起ッタリ意識ノ昏濁《こんだく》ガ生ジタリスル。ヒドクナレバ失心スル⼁《こと》モアル。夜中小便ニ起キタ時、急激ナ動作ヲ起シタ時、体ノ向キヲ突然変エタ時等ニ特ニ眩暈ヲ感ジマセンカト云ワレテ、ソノ通リデアルト答エル。平衡感覚ガ失ワレテ、体ガ倒レソウニナッタリ、地下ヘ滅《めい》入リ込ムヨウニ感ジタリスルノモ、内耳ノ血管ノ血行ガ悪クナッテイルカラダト云ワレル。内科デ相馬博士ニモ診《み》テ貰ウ。今マデ血圧ヲ測ッタヿハナカッタノダガ、今日始メテ測ラセラレ、心電図ヲ取リ、腎臓《じんぞう》ノ検査モサセラレル。コンナニ血圧ガ高イトハ思ワナカッタ、相当注意ヲ要シマスネト、相馬氏ハ云ッタ。ドノクライアルノカト云ッテモナカナカ教エテクレナカッタ。トニカク上ハ二百以上、下モ百五十六十アル、上ト下トノ差ガ少イノガ最モ宜《よろ》シクナイ傾向デアル、君ハヤタラニホルモン剤ヲ飲ンダリ射シタリシテイルガ、補腎ノ薬*ヨリハ血圧降下剤ヲ飲ムヿデスナ、ソシテ、失礼デスガコイトス*ヲ慎シムヿデスナ、アルコールモ止《や》メナケレバイケマセンナ、刺戟物ヤ塩辛イ物モイケマセンナ、ソウ云ッテ相馬氏ハ、ルチンC*ヤ、セルパシール*ヤ、カリクレイン*ヤ、イロイロトソノ方ノ薬ノ連用ヲススメ、今後モ絶エズ気ヲ付ケテ血圧ヲ測ルヨウニト云ッタ。

僕ハワザトコノヿヲ隠サズ日記ニ書キ、妻ガ如何《いか》ナル反応ヲ示スカヲ見ルヿニスル。サシアタリ僕ハ医師ノ忠告ニハ耳ヲ藉《か》サナイ。妻ノ方カラ何カノ示唆ガアルマデハ、事件ハ従来ノ方向ヲ取ッテ進ムデアロウ。僕ノ予想スルトコロデハ、妻ハコノ記事ヲ読ンデモ読マナイフリヲシテ、マスマス淫蕩《いんとう》ニナルデアロウ。ソレガ彼女ノ肉体ノ如何《いかん》トモシ難イ宿命ナノデアル。同時ニ僕モ、ココマデ来テハ後戻リハ出来ナイ。先夜以来、アノ場合ノ妻ノ態度ガ俄《にわか》ニ積極的ニナリ、種々ナル技術ヲ進ンデ弄《もてあそ》ブヨウニナッタヿモ、一層僕ヲソノ方ヘ押シヤル動力ニナリツツアル。——彼女ハ依然トシテ事ニ当ッテ一言モ物ヲ云ワナイ。黙々トシテ、動作ヲ以《もつ》テサマザマナ愛情ノ表現ヲスル。常ニ半睡半醒ノ状態ヲ装ッテイルノデ、燈火ヲ暗クスル必要ハナイ。酔エルガ如ク眠レルガ如クニシテ嬌羞《きょうしゅう》ヲ含ンデイルサマガ何トモ云エナイ。——僕ハ最初ハ、相当ノ間隔ヲ置イテ木村ヲ妻ニ接触サセタ。トコロガ次第ニ刺戟ニ馴《な》レルニ従ッテソレデハ満足ガ得ラレナクナリ、木村ト妻トノ間隔ヲダンダンニ縮メテ行ッタ。縮メレバ縮メルホド嫉妬ガ増シ、増セバ増スホド快感ガ得ラレ、最後ノ目的ガ達セラレル。妻モソレヲ希望シ、僕自身モソレヲ希望シテテトドマル所ヲ知ラナイ。正月以来三箇月ニナルガ、病的ナ妻ト競争シテヨクモココマデ対抗シテ来タモノカナト、我ナガラ感心サセラレル。僕ガドンナニ妻ヲ愛シテイルカト云ウ〻ガ、今コソ彼女ニモ分ッタト思ウ。サテコレカラハドウナルカ。ドウシタラコレ以上情慾ヲ駆リ立テル〻ガ出来ルカ。コノママデハ又直グ刺戟ニ馴レテシマウ。既ニ僕ハ、普通ナラバ姦通《かんつう》シテイルト認メラレテモ仕方ノナイ状態ニ二人ヲ置イタ。僕ハ今モナオ妻ヲ信ジテ疑ワナイ。彼女ノ貞操ヲ傷《きず》ケル〻ナシニ、彼等ヲコレ以上接触サセルニハドウ云ウ方法ガ残ッテイルカ。ソレハ僕モ考エルガ、ソレヨリ先ニ彼等ガ考エ出サズニハ措《お》カナイデアロウ。彼等ト云ウ中ニハ敏子モ含メテ。………僕ハ妻ノ〻ヲ陰険ナ女ダト云ッタガ、ソウ云ウ僕モ彼女ニ劣ラヌ陰険ナ男デアル。陰険ナ男ト女ノ間ニ出来タノデアルカラ、敏子モ陰険ナ娘デアル〻ニ不思議ハナイ。ダガソレ以上ニ陰険ナノガ木村デアル。揃《そろ》イモ揃ッテ陰険ナノガ四人マデモ集ッタトハ呆《あき》レル外ハナイ。ソシテ世ニモ珍シイ廻《めぐ》リ合セト云ウベキハ、陰険ナ四人ガ互ニ欺《あざむ》キ合イナガラモ力ヲ協《あわ》セテ一ツノ目的ニ向ッテ進ンデイル〻デアル。ツマリ、ソレゾレ違ッタ思ワクガアルラシイガ、妻ガ出来ルダケ堕落スルヨウニ意図シ、ソレニ向ッテ一生懸命ニナッテイル点デハ四人トモ一致シテイル。……

三月三十日。……午後敏子が誘いに来、嵐山電車の大宮終点*で木村さんと落ち合い、三人で嵐山に行く。これは敏子の発議に依るのだそうであるが、まことによいことを思いついてくれた。学校が休暇中なので木村さんは体が空《あ》いているのである。川の縁を散歩し、ボートを出して嵐峡館*の辺まで行き、渡月橋*のほとりで休憩し、天竜寺*の庭を見る。久しぶりに健康な外気を呼吸する。これから時々こう云う遊びもしたいと思う。夫は若い時から読書にばかり耽《ふけ》っていて、こう云う所へ連れて来てくれたことはめったにない。夕方帰路につき、三人が百万遍《ひゃくまんべん》*で電車を下りるとバラバラにめいめいの家に帰る。今日はあまりに爽快《そうかい》な時を過したので、夜もブランデーの卓を囲む気分にはなれなかった。……

三月三十一日。……昨夜夫婦は酒の気なしに寝に就《つ》いた。夜中、私は蛍光燈の煌々《こうこう》とかがやく下で夜具の裾《すそ》の方から左の足の爪先を、わざとちょっぴり外に出して見せた。夫はすぐに気がついて私のベッドへ這入《はい》って来た。アルコールの力を借りないで、眩《まばゆ》い燭光を強く浴びつつ事を行って成功したのは珍しいことであった。この奇蹟《きせき》的な出来事に夫は明かに異常な興奮の色を示した。……

……関田町のマダムも私の夫も目下休暇中なので大体朝から家にいる。尤《もっと》も夫は毎日必ず一二時間は外出し、その辺をうろついて帰って来る。それは散歩が目的なのではあるが、もう一つの目的は、私に彼の日記帳を盗み読ませる余裕を与えるためだと思う。夫が「ちょっと出て来る」と云って出かける度に、「この隙《すき》に僕の日記を読んで置け」と云われているように私は感じる。そうされればされるほど、尚更私は読みはしないが、しかしそれなら私の方も、夫にこの日記帳を盗み読ませる機会を作ってやらなければなるまい。……

三月三十一日。……妻ハ昨夜僕ヲ驚喜セシメタ。彼女ハ酔ッタフリモシナカッタ。光ヲ消ス〻《こと》モ要求シナカッタ。ソシテ進ンデサマザマナ方法デ僕ヲ挑発シ、性慾点ヲ露出シテ行動ヲ促シタ。彼女ガコンナニ種々ナ技巧ヲ心得テイルトハ意外デアッタ。……

コノ突然ノ変化ガ何ヲ意味スルカハ追イ追イ分ッテ来ルデアロウ。………眩暈《めまい》ガアマリ激シイノデ、ヤハリ気ニナッテ、児玉氏ノ所ニ行ッテ血圧ノ検査ヲシテ貰ウ。氏ノ顔に驚愕《きょうがく》ノ色ガ浮カブ。血圧計ガ破レテシマウホド血圧ガ高イト云ウ。至急スベテノ仕事ヲ廃シ、絶対安静ノ必要ガアルト云ワレル。………

四月一日。………敏子が洋裁の河合女史を連れて来た。この人は洋裁を教える傍《かたわら》アルバイトに婦人服の注文に応じている。税金が懸らないので市価より二三割安く出来る。敏子はいつもこの人に拵《こしら》えて貰っている。私は女学生時代*に制服を着たことがある以外、洋服を身につけたことがない。私は趣味が古風であるし、体つきが和服に向いているので、今更洋服でもないのだけれども、敏子がしきりに勧めるので、試しに一つだけ拵えて見る気になった。どうせ知れることだけれども、きまりが悪いので今日の午後、夫の外出中に来て貰う。生地や型は敏子と女史に考えて貰う。脚《あし》が少々曲っているので、なるべくスカートを長くして、膝《ひざ》の下二インチ*ぐらいにしてくれるように頼む。曲っていると云うほどでもない、西洋人にもこの程度のはざらにありますと女史は云う。生地の見本をいろいろ見せて貰う。ツイード*の鼠《ねずみ》と小豆色《あずきいろ》のグレンチェック*のアンサンブル、——モード・エ・トラヴォー*に出ている型を示して、これになさいと二人が云うのでそうする。一万円*以下で出来そうだけれども、靴も買わなければならないし、アクセサリーも多少は揃《そろ》えなければならない。………

四月二日。午後より外出。夕刻帰宅。

四月三日。朝十時外出。河原町T・H靴店で靴を買う。夕刻帰宅。

四月四日。午後より外出。夕刻帰宅。

四月五日。午後より外出。夕刻帰宅。

四月五日。………妻ノ様子ガ日々変ッテ来テイル。コノトコロ殆《ほとん》ド毎日午後ニナルト(朝カラノ事《こと》モアル)一人デ出カケテ行キ、四五時間ヲ費シテ夕飯前ニ戻ルノデアル。夕飯ハ僕ト二人デシタタメル。ブランデーハ飲ミタガラナイ。大概シラフデアル。今ハ木村ガ暇ナノデ、ソレト関聯《かんれん》ガアル事ハ察セラレル。何処へ行クノカ分ラナイ。今日午後二時過ギ敏子ガヒョッコリ顔ヲ出シテ、「ママハ」ト尋ネタ。「今時分ハイツモ留守ダ。

オ前ノ所デハナイノカネ」ト云ウト、「ママモ木村サンモサッパリ見エナイ。何処へ行クノカシラ」ト首ヲヒネッタ。ソノ実彼女モグルデアルヿハ察スルニ難クナイ。………

四月六日。………午後より外出。夕刻帰宅。………このところ私は連日外出している。私が出かける時、夫は大概在宅している。いつも書斎に引き籠《こも》って机に向っているらしいけれども、――机の上には何かの書物がページを開けて置いてあり、それに眼を曝《さら》しているような姿勢を取っているけれども、――実際には何も読んでいるのではあるまい。多分夫の頭の中は、私が出かけてから帰って来るまでの数時間の間、私の行動を知ろうと思う好奇心で一杯で、他事を考える余裕なんかないであろうと想像される。尤《もっと》もその間に、夫は必ず茶の間へ下りて用箪笥《ようだんす》の抽出《ひきだし》から私の日記帳を取り出して盗み読みすることは間違ない。だが生憎《あいにく》と、夫は私の日記帳がそのことに関して何も語るところがないのを発見するであろう。私はわざとここ数日間の行動を曖昧《あいまい》にし、「午後より外出、夕刻帰宅」とのみ記している。私は出かける時、二階の書斎に上って行って障子を細目に開け、「ちょっと出かけて来ます」と挨拶《あいさつ》してコソコソと逃げるように階段を下りる。どうかすれば階段の途中から声をかけてそのまま出て行く。夫も決して私の方を振り返らない。「うん」と微《かす》かに頷《うなず》くこともあり、その返辞も聞えないこともある。

しかし私は、夫に私の日記帳を盗み読む時間を与えるのが目的で外出するのでは、勿論《もちろん》ない。私は或る会合の場所で木村さんと逢《あ》っているのである。どうしてそう云う方法を取るようになったかと云うと、私は白昼健康な太陽光線の照っているところで、些《いささ》かもブランデーの酒気を帯びない時に、木村さんの裸体に触れて見たかったからである。私は関田町の家で、夫や敏子のいない所であの人に会ってはいるけれども、いつも最も肝要な瞬間、――肌と肌とを擦《こす》り着けて相抱き合う時になると、たわいなく泥酔してしまうのである。嘗《かつ》て一月三十日の日記に書いたこと、「私が幻覚で見たものは、果して実際の木村さんなのであろうか」と云う疑問、又三月十九日の条に書いたこと、「木村さんかと思うと夫であったり、夫かと思うと木村さんであったりするあの裸体を、一度夫に邪魔されない時に、この眼で見届けてみたい」と云う好奇心が、いまだに満たされないままに胸にわだかまっていたのである。私は是非とも夫と云うミディアム*を中に入れないところの、これこそ正《まさ》しく生身《しょうしん》の木村さんに違いないと云う人を、半意識状態でない時に、青白い蛍光燈の下ではなく、真っ昼間のあかりの下でしみじみと眺《なが》めて見たかったのである。………

………嬉《うれ》しくもまた甚だ奇異なことなのであるが、現実に確かめ得た木村さんその人は、今年の正月以来幾度となく幻覚で出遇《であ》ったことのある、あの姿が正しくそれであることが分った。いつぞや私は夢の中で「木村さんの若々しい腕の肉を摑《つか》み、その弾力のある胸板に圧しつけられた」と書き、「何よりも木村さんの皮膚は非常に色白で、日本人の皮膚ではないような気がした」と書いたが、今度始めて現実に見た木村さんは、矢張その通りの人であった。私は今度こそ疑いもなくこの手を持ってあの若々しい腕をムズと摑み、あの弾力のある胸板にこの胸を強く押し着け、あの日本人離れのした色白の皮膚に私の皮膚を吸い着けさせた。だがそれにしても、私の嘗ての幻覚がかくまで現実と一致していたとは何と云う不思議であろう。私が夢で空想していた木村さんの影像が、ぴったり実物に当て嵌《は》まったと云うことは、何だか単なる偶然の出来事のようには感じられない。何か前の世からの約束事で、生れぬ先から私の脳裡《のうり》にあの人が住んでいたのではないか、或《あるい》は木村さんと云う人に何か怪しい神通力《じんずうりき》があって、自分の姿を思うがままに私の夢に通わせることが出来たのではないか、と云うような気がする。………木村さんの影像が今や紛れもない現実として感じられるに従って、夫と木村さんとは全然別なものとして切り放されるようになった。「夫と木村さんとは一身同体で、あの人の中にあなたもある、二人は二にして一である」と云った言葉を、私はハッキリとここで取り消す。私の夫と云う人は優形《やさがた》で痩《や》せぎすな外見だけがやや木村さんに似ているけれども、裸その他の点では何も似ていない。木村さんは見たところ痩せぎすのようだけれども、体にして見るとその胸板には思いの外の厚みがあって体じゅうに溌剌《はつらつ》とした健康感が溢《あふ》れているのに、夫はいかにも骨組が脆弱《ぜいじゃく》で、血色が悪く、皮膚に少しも弾力がない。白い下から紅みがさしている木村さんの皮膚にはつやつやとした潤《うるお》いと膩味《あぶらみ》があるのに、青黲《あおぐろ》い夫の皮膚は金属性に乾き切っている。アルミニュームのようにツルツルなのが今以て気味が悪い。私には夫を嫌悪《けんお》する気持と愛する気持とが相半ばしていたのであったが、この頃は日々嫌悪一方に傾いて行きつつある。………ああ、私は凢《およ》そ自分とは性の合わない、何と云う嫌な人を夫に持ったのであろう、もしこの人の代りに木村さんが夫であったらと、日に何度となく溜息《ためいき》が出る。………

………ここまで来てもまだ私は最後の一線を越えずにいる、――――と云ったら、夫はそれを信じるであろうか。が、信じようと信じまいとそれが事実なのである。尤も「最後の一線」と云うのは、非常に狭義に解釈しての、ほんとうの最後の線であって、それを犯さない限りに於《お》いてなさざるところなしと云ってもよいかも知れない。それと云うのが、封建的な両親に育てられて来た私の頭には、因襲的な形式主義がいつまでもコビリ着いていて、精神的にはどうあろうとも、肉体的に、夫が常に口癖にするオーソドックスの方法で性交をさえ行わなければ、貞操を汚したことにはならないと云う考が、何処《どこ》かに潜んでいるからである。そこで私は、貞操の形式だけは守りながらそれ以外の方法でならどんなことでもしていると云う訳である。具体的にどう云うことかと問われては困るけれども。………

四月八日。………午後ノ散歩ニ出テ四条通ノ南側ヲ河原町方面カラ西へ向ッテ歩イテ行ッタラ、藤井大丸*ノ前ヲ数丁進ムト妻ニ出遭《であ》ッタ。妻ハ或ル商店デ買イ物ヲシテ、歩道へ出テ来タトコロデアッタガ、僕ノ五六間*前ヲ僕ノ方ニ背ヲ向ケテ、矢張西向キニ*歩イテ行ク。時計ヲ見タラ四時半デアル。時刻カラ考エテ、妻ハ帰宅ノ途中デアッタラシイノデアルガ、西向キニ歩イテイルノハ、恐ラク僕ヨリ先ニ僕ヲ見付ケテ自分ノ方カラ避ケタノニ違イナイ。僕ノ平素ノ散歩道ハ大体東山*方面デ、四条方面へ来ルヿ《こと》ハメッタニナイノデ、コンナ所デ僕ヲ見付ケタ彼女ハ不意ヲ食ッタヿト思ワレル。僕ハ足ヲ速メテ距離ヲ縮メ、一間手前マデ追イ着イタ。僕モ声ヲ掛ケナケレバ彼女モ後ヲ振リ返ラナイ。ソシテソレダケノ間隔ヲ保チナガラ二人ハ進ンダ。何ヲ買イ物シテイタノカト、彼女ノ出テ来タ商店ノ前ヲ通リカカリニ覗《のぞ》イテ見ル。婦人服ノアクセサリー*ヲ売ル店デ、レースヤナイロン製ノ手袋、各種ノイヤリング、ペンダント等々ガウインドウニ飾ッテアル。洋服ヲ着タヿノナイ妻ガコンナ店ニ用ハナイ筈ダガト、思ッタ途端ニハット驚イテ眼ヲ見張ッタ。気ガ付イテ見ルト、僕ノスグ前ヲ行ク彼女ノ左右ノ耳朶《みみたぶ》カラ、真珠ノイヤリングガ垂レテイル。和服ニコウ云ウモノヲ着ケル趣味ヲイツカラ彼女ハ覚エタノデアルカ。今始メテコレヲ買ッテ早速着ケテ出テ来タノデアルカ、ソレトモ僕ノ見テイナイトコロデ時々コンナヿヲシテイルノデアルカ。ソウ云エバ彼女ハ先月アタリカラアノ茶羽織*ト云ウ丈《たけ》ノ短イ羽織ヲ着テイルノヲシバシバ見カケタ。今日モアレヲ着テ歩イテイル。本来古風ナ身ナリガ好キデ、当世風ノ流行ヲ追ウヿハ嫌イダッタノデアルガ、コウシテ見ルト、コウ云ウ身ナリモ似合ワナクハナイ。殊《こと》ニ意外ナノハ耳環ガ似合ッテイルヿデアル。僕ハフト、芥川龍之介ノ書イタモノ*ノ中ニ、中国ノ婦人ハ耳ノ肉ノ裏側ガ異様ニ色ガ白クテ美シイト云ッテイルノヲ読ンダヿガアルノヲ思イ出シタ。妻ノ耳ノ肉モ裏側カラ見ルト冴《さ》エ冴《ざ》エト白クテ美シイ。アタリノ空気マデガ清洌《せいれつ》ニ透キ徹《とお》ッテイルヨウニ見エル。ソシテ、真珠ノ玉ト耳朶トガ互ニ効果ヲ助ケ合ッテイルノデアルガ、アノ耳ニアノ真珠ヲ下ゲルヿヲ考エツイタノハ彼女自身ノ知慧《ちえ》デハアルマイ。ソウ思ウト僕ハ例ニ依リ嫉妬ト感謝トノ相半バスル気持ヲ味ワワサレタ。妻ニコウ云ウエキゾチックノ美ガアルヿヲ、彼女ノ夫タル者ガ発見スルヿガ出来ナイデ、他人ニ見ツケ出サレタノハ口《く》惜《や》シイケレドモ、夫ト云ウモノハ見馴《みな》レタ妻ノ見馴レタ姿ヲノミ見タガルモノデ、却《かえっ》テ他人ヨリモ迂闊《うかつ》ナノカモ知レナイ。………妻ハ烏丸《からすま》通ヲ越エテナオ真ッ直グニ歩イテ行ク。左ノ手ニハンドバッグト一緒ニ、今ノ商店ノ包ミ紙ラシイモノニ包ンダ、細長イ平ベッタイ包ヲ持ッテイルガ、中身ハ何デアルカ分ラナイ。西洞院《にしのとういん》*ヲ超エタトコロデ、僕ハ彼女ニモウ尾行シテイナイヿヲ知ラセルタメニ電車通ヲ北側ヘ渡ッテ、ワザト彼女ニ見エルヨウニ彼女ヲ追イ越シテ進ンダ。ソシテ四条堀川カラ東行スル電車ニ乗ッタ。……僕ガ帰宅シタ約一時間後ニ妻モ帰宅シタ。妻ノ耳ニハモウアノ真珠ガ下ッテイナカッタ。多分アノハンドバッグノ中ニ入レテアルノデアロウ。サッキノ買イ物包ハ提ゲテイタガ、僕ノ見テイル前デハソレヲ解カナカッタ。……

四月十日。……夫は彼の日記の中に彼自身の憂慮すべき状態について何事かを洩《も》らしているであろうか。自分では自分の頭のことや体のことをどの程度に考えているのであろうか。彼の日記を読まない私にはそれは想像出来ないけれども、実は私はもう一二カ月前から、彼の様子が変調を来たしていることに気がついていた。彼はもともと血色のすぐれない顔つきをしているのだが、最近は特に色つやが悪くて土気色をしている。階段を上り下りする時にしばしばよろけることがある。元来記憶力のよい人であったのが、近頃は顕著に度忘れをする。人と電話で話しているのを聞いていると、当然知っていべ*き筈の名前が浮かんで来ないで、マゴマゴしていることがある。室内を歩きながら、突然立ち止まって眼をつぶったり柱につかまったりする。少し慇懃《いんぎん》な手紙を書くには巻紙へ毛筆でしたためるのだが、字体がひどく拙劣になりつつある。(書道と云うものは老年になるほど熟達するのが普通である)誤字や脱漏が目立って多くなっている。私が見るのは封筒の上書きだけであるが、日附や番地を間違えるのは始終である。その間違え方も甚だ不思議で、三月とすべきを十月としたり、自宅の所番地に飛んでもない出鱈目《でたらめ》を書いたりする。叔父に宛《あ》てた封書の上書きに、「之介」の字を「の助」と書いていたのには、少からず驚かされた。「四月」とすべきを「六月」と書いて、「六」の字を消して御丁寧にも「八」の字に直しているのもあった。日附や番地の場合だと、あまり見苦しいものは私がそっと訂正してから出すのであるが、「の助」の時は計らいかねて、「之介」が「の助」になっていますよと、何気ないように注意を与えた。夫は明かに狼狽《ろうばい》しながら、「そうだったかね」とわざと平気を装って云い、すぐには書き直そうともしないで、それを机の上に置いた。が、封筒は私が気を付けて眼を通すようにしているからよいが、本文にはどんな間違があるか知れたものではない。夫の頭が変であることは、既に友人や知己の間には相当知れ渡っているのかもしれない。外に相談相手もないので、先日児玉先生にそれとなく夫を診察して貰うように頼んだところ、「そのことで僕も奥さんにお話したいと思っていました」と云う。児玉先生の話だと、夫は自分でも不安になったと見えて、相馬博士に診《み》て貰っているらしいのであるが、博士があまり嚇《おど》かすので、博士を敬遠して児玉先生の所へ相談に来たのだそうである。児玉さんは専門でないからはっきりしたことは云えないけれども、「血圧の高いのにはびっくりしましたよ」と云う。「どのくらいあるのです」と云うと、「奥さんに申し上げてよいか悪いか分りませんが」と躊躇《ちゅうちょ》してから、「御主人の血圧を血圧計で測ろうとしたら、度盛りの最上部を突破してまだいくらでも上って行くのです。機械が破れそうになったので、慌《あわ》てて止めてしまいましたが、あの工合だとどのくらいあるか知れませんな」と云う。「主人は知っているのでしょうか」と云うと、「相馬博士から再三の警告があったにも拘《かか》わらず、それを守っておられないようですから、寒心*すべき状態であると云うことを隠さず申し上げて置きました」と云う。(児玉先生からそう云う注意があった以上は、夫に読まれても差支えないと思うので、始めてこのことを書くのである)夫を左様な状態に陥れたのには、私に大半の責任がないとは云えない。私の飽くなき要求がなかったならば、夫もああまで淫蕩生活に浸り込むことはなかったであろう。(児玉先生とこの話をした時、私は恥《はず》かしさで真《ま》っ赧《か》になったが、よい塩梅《あんばい》に児玉さんは私たちの夫婦関係の真相を知らない。私は徹頭徹尾受け身で、働きかけるのはいつも夫の方であり、ひとえに夫自身の不摂生が今日の結果を招いたのであると、児玉さんは思い込んでいるのである)夫にして見れば、すべては妻を喜ばすのが目的でこう云う風になったのであると云うでもあろう。それを私も否定するつもりはないが、私は私で、何処《どこ》までも夫に忠実な妻として仕えて来、夫を喜ばすためには随分忍び難いことをも忍んで来たのである。敏子に云わせれば「ママは貞女の亀鑑《きかん》」なのだそうで、取りように依ってはそうも云えなくはないと思う。………が、まあ、どっちがよいの悪いのと今更責任のなすり合いをしたところで仕様がない。要するに夫も私も、互が互を嗾《けしか》け合い、唆《そその》かし合い、鎬《しのぎ》を削り合い、どうにもならない勢に駆られて夢中でここまで来てしまったのである。………

ここで私はこんなことを書いてよいか悪いか、夫がこれを読んだ場合にどんな結果になるか分らないが、体の工合が寒心すべき状態にあるのは夫ばかりでなく、実は私もほぼ同様であることを書きとめて置こうと思う。私がそれを感じたのは今年の正月末頃からであった。尤《もっと》も前に、敏子が十ぐらいの時に二三度喀血《かっけつ》した経験があり、肺結核の症状が二期に及んでいると云われ、医師に注意を促がされたことがあったが、案ずるほどのこともなく自然に治癒《ちゆ》してしまったので、今度もそんなに気にしてはいない。――そうだ、あの時も私は医師の忠告を無視して不養生の限りを尽したのであった。私は死を恐れない訳ではなかったが、私の淫蕩の血はそんなことを顧慮する隙《ひま》を与えなかったのであった。私は死の恐怖に眼を閉じて一途《いちず》に性の衝動の赴《おもむ》くままに身を委《まか》せた。夫も私の大胆さと無鉄砲さに呆《あき》れ、今にどうなるであろうかと案じながらも結局私に引き擦《ず》られて行った。運が悪ければもうあの時に私は死んでいたのかも知れないのだが、どう云う訳かあんな乱暴をしながら直ってしまった。——今度も私は、正月の末に予感があり、時々胸がむず痒《がゆ》いような生温いような感じを覚えたことがあるので、変だと思っていたのであったが、二月の或る日、この前の時と全く同じ泡《あわ》を交えた鮮紅色の血液が痰《たん》と共に出た。分量は多くないのだけれども、そう云うことが二三回つづいた。今は一時的に治まっているようだけれども、いつまたあれが始まるかも知れない。体がだるくて手のひらや顔が妙に火照《ほて》るところを見ると、熱があるに違いないと思うけれども、私は測って見ようとはしない。(一度測ったら七度六分あったので、それきり測らないのである)医者にも診て貰わないことにしている。盗汗《ねあせ》を掻《か》くことも始終である。この前の経験に徴して今度も大したことはあるまいと思っているものの、タカを括《くく》って安心していると云う訳でもない。ただ幸いにも私は胃が丈夫なのが取柄《とりえ》であると、この前の時に医者に云われた。こう云う病気は痩《や》せて来るのが普通であるが、奥さんは食欲が衰えないのが不思議ですねと、よくそう云われた。でもこの前の時と違うのは、おりおり胸が気味悪く疼《うず》くことと、午後になると毎日のように疲労感が襲って来ることである。(その疲労感に抵抗しようとして私は一層木村さんに接触する。午後の倦怠《けんたい》を忘れるためには是非とも木村さんが必要である)前にはこんなに胸が疼いたことはなかった。又こんなに疲れることもなかった。事に依ったら今度は次第に悪化して救い難いことになるのかも知れない。どうもこの胸の痛むのはただごとでないと云う気もする。それに、不養生の程度もこの前どころの段ではない。この病気には過度の飲酒が最も有害であると聞いているのに、正月以来飲み続けて来たブランデーの量を考えると、これで病勢が昂進《こうしん》しなければ奇蹟《きせき》であると云う外はない。今から思うと、この間中あんなに酒に酔いしれて前後不覚に陥《おちい》ったのは、いずれは長くない命であると云う焼け半分の心持が、潜在的に手伝っていたのかも知れない。………

四月十三日。………妻ノ外出時間ガ昨日アタリカラ変更サレルノデハナイカト、カネテ僕ハ予期シテイタガ、果シテソノ通リデアッタ。ト云ウノハ、木村ノ学校ガ始マッテ、ソロソロ昼間ノ逢引《あいびき》ガ不可能ニナルカラデアル。コノ間ジュウハ午後早クカラ出カケル〳〵《こと》ニナッテイタノニ、コノ一両日落チツイテイルナト思ッタラ、昨日ノ夕刻、五時頃ニ先ズ敏子ガ現ワレタ。スルト申シ合ワセタヨウニ妻ガ立ッテ身支度《みじたく》ヲ始メタ様子デアルノガ、二階ニイテモスグニ分ッタ。妻ハ上ッテ来テ障子ノ外カラ「出カケテ来マス、直キニ戻リマス」ト云ッタ。例ニ依ッテ僕ハタダ「ウン」ト云ッタ。「敏子ガ来テイマスカラ夕飯ハ敏子ト上ッテ下スッテモイイワ」ト、階段ノ途中ニ立チ止リナガラ妻ガ云ッタ。「オ前ハドウスル」ト僕ハ意地悪ク尋ネタ。「私ハ帰ッテカラ食ベマス、待ッテイテ下サレバ一緒ニ戴キマスケレドモ」ト云ッタガ、「僕ハ先ニ食ベル。オ前モ食ベテ来タライイ。ユックリシテ来テ構ワナイヨ」ト僕ハ答エタ。フト僕ハ、彼女ガドンナ身ナリヲシテイルカ見タクナッテ、不意ニ廊下ヘ出テ階段ヲ覗《のぞ》イタ。彼女ハ既ニ階段ヲ降リ切ッテイタガ、アノ真珠ノイヤリングヲ昨日ハモウ家ノ中デ着ケテイタ。(僕ガ廊下ヘ出テ来ルトハ予期シテイナカッタノデアル)ソシテ、左ノ手ニ白イレースノ手袋ヲ嵌《は》メ、右ノ手ニソレヲ嵌メヨウトシテイルトコロデアッタ。先日彼女ガ提《さ》ゲテイタ買物包ノ中身ハコレダッタノダナト思ッタ。意外ナトコロヲ僕ニ見ラレテ彼女ハバツガ悪ソウデアッタ。「ママ、ヨク似合ウワヨ」ト敏子ガ云ッタ。……六時半過ギニ食事ノ用意ガ出来タ「ヲ婆ヤガ知ラセテ来タノデ、茶ノ間ヘ下リテ行クト敏子ガ待ッテイタ。「マダイタノカ、飯ナラ一人デ食ッテモイイゼ」ト云ウト、「タマニハパパノオ相手グライスルモノヨト、ママガ云ウノヨ」ト云ウ。何カ云イタイ「ガアルンダナト察シタ。全ク、敏子ト二人デ夕餉《ゆうげ》ノ膳ニ就《つ》クナドト云ウ「ハ珍シイ。ソウ云エバ夕食時ニ妻ガ留守ノ「モ珍シイ。妻ハコノトコロ外出ガチデアルガ、イツモ晩ノ食事ノ時ニハ家ニイル。家ヲ空《あ》ケルノハ大概夕食ノ前カ後デアル。ソノセイカ僕ハ何カ空白ガ出来タヨウナ淋シサヲ覚エタ。コンナ気持ニナッタ「ハメッタニナイ。敏子ガイテクレル「ガ却ッテ余計空白感ヲモタラスノデ、実ハ有難迷惑デアッタガ、敏子ノヿダカラソレモ計算済ミダッタカモ知レナイ。「パパ、ママハ何処《どこ》ヘ行カハルノカ分ッテハルノ」ト、膳ニ向ウト敏子ガ始メタ。「ソンナヿハ分ラナイサ、ソコマデハ知リタクナイカラネ」ト云ウト、「大阪ヨ」ト、ズバリト云ッテ反響ヲ見テイル。「大阪？」ト、ツイ乗リ出シテ云イカケタ言葉ヲ僕ハ怺《こら》エテ、「ヘエ、ソウカネ」ト、ツトメテ無表情ニ答エタ。三条カラ旧京阪*ノ特急デ四十分デ京橋ニ着ク、ソコカラ歩イテ五六分ノ所ニソノ家ハアル。――「モット委《くわ》シク教エマショウカ」ト云ウノデアッタガ、黙ッテイルト続ケテアトヲ云イソウナノデ、「ソンナヿハ聞カナイデモイイ。オ前ガソレヲ知ッテイルノハドウ云ウ訳ダ」ト、僕ハ話ノ方向ヲ外《そ》ラシタ。「適当ナ場所ガアルヿヲ私ガ教エテ上ゲタノヨ。京都デハ人目ニツキ易《やす》イカラ、京都カラ遠クナイ所デ、何処《どこ》カナイデショウカト木村サンガ云ウカラ、オ友達ノ或ルアプレ*ノ人デソウ云ウヿニ委シイ人ニ聞イテ上ゲタノヨ」ソウ云ッテ敏子ハ、「パパ、少シイカガ」ト、クルボアジエヲ注イデ出シタ。近頃ブランデーハ用イナイヿニシテイタノダガ、昨日ハ敏子ガ膳ノ上ニ持チ出シテイタ。僕ハ照レカクシニ一口飲ンダ。「立チ入ッタヿヲ聞クヨウダケレド、パパハドウ思ウテハルノ」ト敏子ガ云ッタ。「ドウ思ウッテ、ドウ云ウヿサ」「ママガ今デモパパニ背《そむ》イテイナイト云ッタラ、ソレヲ信用シヤハルツモリ」「ママハオ前トソンナ話ヲシタヿガアルノカ」「ママハシヤハリマセン、木村サンカラ聞イタノデス。奥サンハ先生ニ対シテイマダニ貞節ヲ保ッテオイデデスト、アノ人ガ云ウノヨ。ソンナ阿呆《あほ》ラシイヿヲ私ハ真《ま》ニ受ケハシナイケレドモ」――敏子ガ又シェリーグラスヘ一杯ニ注ギ足シタノデ、僕ハ躊躇《ちゆうちよ》ナク受ケテ乾シタ。マダイクラデモ飲ム気ニナッタ。「オ前ガ真ニ受ケヨウト受ケマイトオ前ノ勝手ダ」「パパハドウナノ」「僕ハ云ワレルマデモナク郁子ヲ信ジル。タトイ木村ガ郁子ヲ汚シタト云ッタトシテモ、ソンナヿハ信ジナイ。郁子ハ僕ヲ欺《あざむ》クヿガ出来ルヨウナ女デハナイ」「フフ」ト敏子ガロノ中デ微《かす》カニ笑ッタ声ガシタ。「デモ、カリニ汚サレテハイナイトシテモ、汚サレルヨリハ一層不潔ナ方法デ或ル満足ヲ――」「止《や》メナイカ敏子」ト、僕ハ叱《しか》リツケタ、「生意気ナヿヲ云ウノハ止セ。親ニ対シテ云ッテヨイヿト悪イヿトアル。ソンナヿヲ云ウ貴様コソアプレダ。貴様コソ汚レタ奴ダ。用ハナイカラサッサト帰レ」「帰ルワ」ト云ウト、茶碗《ちやわん》ニ飯ヲ盛リカケテイタノガ、ソノ飯ヲパット飯櫃《めしびつ》ヘ投ゲ込ンデ出テ行ッテシマッタ。…………

……敏子ニ虚ヲ突カレタアトノ心ノ動揺ガ、長イ間静マラナカッタ。敏子ガ「大阪ヨ」ト素ッ破抜イタ時、僕ハ鳩尾《みぞおち》ノ辺ガピクント凹《へこ》ンダヨウナ気ガシタガ、イツマデモソノ感ジガ続イテイタ。ト云ッテ、僕ハ全然ソウ云ウヿヲ想像シテモイナカッタ訳デハナイ。想像シナガラ努メテソノヿヲ考エナイヨウニシテイタノニ、イキナリハッキリト聞カサレタノデギクリトシタ、ト云ウノガ偽ラザル気持カモ知レナイ。ソレニシテモ、場所ガ大阪デアルノハ初耳デアッタ。ソレハドウ云ウ家ナノカ、普通ノ品ノヨイ旅館カ、或ハ待合*カ、モット柄ノ悪イ温泉マーク*ノヨウナ家カ。………考エマイトシテモソノ家ノ様子、室内ノ空気、二人ノ寝テイル恰好《かっこう》マデガ浮カンデ来テ仕方ガナカッタ。………「アプレノオ友達ノ人ニ聞イタ」？――僕ハ何トナク四角ナ壁デ仕切ラレタ安アパート風ノ一室ヲ聯想《れんそう》シ、畳デナクベッドニ寝テイル姿ヲ描イタ。オカシナヿダガ、畳ノ部屋ニ布団ヲ敷イテ寝テイラレルヨリ寝台ニ寝テイテクレル方ガ望マシイ気ガシタ。「何カ非常ニ不自然ナ方法」――「汚サレルヨリハ一層不潔ナ方法」――イロイロナ姿勢、イロイロナ手足ノ位置ガ考エラレタ。………敏子ガ突然アンナ素ッ破抜キヲシタノハナゼカ、アレハ彼女自身ノ意志デ云ッタノデハナク、郁子ガ云ワセタノデハナイカ、ト云ウ疑問ガ湧《わ》イタ。郁子ハソノヿヲ自分ノ日記ニ書イテイルカドウカ知ラナイガ、書イテイタトシテモ僕ガソレヲ読マナイデ（或ハ読マナイフリヲシテ）イルヿヲ恐レテ、否応《いやおう》ナシニ僕ニソノヿヲ認メサセルタメニ敏子ヲ使ッタ？　一番肝腎《かんじん》ナヿハ、――ソシテ一番気ニナルヿハ、――今度コソ郁子ハスベテノモノヲ木村ニ捧《ささ》ゲ尽シテシマッタノデハナイカ、ソシテ敏子ノ口ヲ介シテソノ諒解《りょうかい》ヲ僕ニ求メテイルノデハナイカ。「ソンナ阿呆ラシイヿハ真ニ受ケナイ」ト敏子ガ云ウノハ、郁子ガ云ワセテイルノデハナイカ。

……今考エルト僕ハ、「彼女ガ多クノ女性ノ中デモ極《きわ》メテ稀《まれ》ニシカナイ器具ノ所有者デアル」ヲ日記ニ書イタノハ誤リデアッタ。矢張アレハ書カナイ方ガヨカッタ。彼女ハソノ器具ヲ、夫以外ノ男性ニ試ミテ見タイト云ウ好奇心ニ、果シテイツマデ抗シ得タデアロウカ。……従来僕ガ妻ノ貞節ヲ信ジテ疑ワナカッタ一ツノ理由ハ、彼女ガドンナ場合ニモ僕トノ情交ヲ拒マナイヿニアッタ。彼女ガ何処カデ彼ト逢ッテ来タヿガ明カデアル時ニモ、ソノ夜夫カラ挑《いど》マレテ怯《ひる》ム色ヲ見セタヿハ一度モナイ、バカリカ挑ンデ来ルノデアル。コレハ彼女ガ彼トハ実事ヲ行ッテイナイ証拠デアルヨウニ思ッテイタケレドモ、他ノ女性ナラトニカク、僕ノ妻ハ午後ニソウ云ウヿガアッテ夜ニ及ンデ又アッタトシテモ、――ソウ云ウ日ガ数日続イタトシテモ平気ナ体質ナノデアル。愛スル相手ト逢ッタアトデ嫌イナ相手ト行ウ事ハ、堪エラレナイ苛責《かしゃく》デアルベキ筈ダガ、彼女ハ例外ナノデアル。彼女ガ僕ヲ拒ンデモ、彼女ノ肉体ハ拒ムヿヲ知ラナイ。拒モウトシテモ誘惑ニ打チ克《か》チ得ズ、却《かえ》ッテソレヲ喜ビ迎エル。ソコガ淫婦《いんぷ》ノ淫婦タル所以《ゆえん》デアルヿヲ、僕ハ見落シテイタノデアッタ。……

昨夜妻ガ帰宅シタノハ九時デアッタ。十一時僕ガ寝室ニ入ッタトキ《とき》ハ彼女ハ既ニベッドニイタ。……僕ハ予期以上ニ積極的デアル彼女ヲ見出シテ驚ク外ハナカッタ。僕ハ完全ニ受ケ身ニ立タサレタ。房中ニ於《お》ケル彼女ノ態度、取リ扱イブリ、アシライ方、等々ニ間然スベキトコロハナカッタ。*媚《こ》ビノ呈シ方、陶酔ヘノ導キ方、漸々《ぜんぜん》ニエクスタシーヘ引キ上ゲテ行ク技巧ノ段階、スベテハ彼女ガソノ行為ニ渾身《こんしん》ヲ打チ込ンデイル証拠デアッタ。………

四月十五日。………自分ノ頭脳ガ日ニ日ニ駄目ニナリツツアルヿ《こと》ガ自分ニモ分ル。正月以来、他ノ一切ヲ放擲《ほうてき》シテ妻ヲ喜バスヿニノミ熱中シテイタラ、イツノマニカ淫慾以外ノスベテノヿニ興味ヲ感ジナイヨウニナッタ。物ヲ思考スル能力ガ全ク衰エテ一ツヿヲ五分ト考エツヅケル根気ガナイ。頭ニ浮カブノハ妻ト寝ルヿニ関シテノ妄想《もうそう》ノ数々バカリデアル。昔カラドンナ場合デモ読書ヲ廃シタヿハナカッタノニ、終日何モ読マズニイル。ソノ癖長イ間ノ習慣デ机ニ向ッテダケハイル。眼ハ書物ノ上ニ注ガレテイルガ、何モ読ンデイルノデハナイ。第一眼ガチラチラシテ物ガ非常ニ読ミニクイ。文字ガ二重ニ見エルノデ同ジ行ヲ何度モ読ム。今ヤ自分ハ夜ダケ生キテイル動物、妻ト抱擁スル以外ニハ能ノナイ動物ト化シ終ッタ。昼間書斎ニ籠《こも》ッテイル時ハ溜《たま》ラナイ倦怠《けんたい》ヲ覚エル一面、云イヨウノナイ不安ニ襲ワレル。外ヲ散歩シテイルトイクラカ不安ガ紛レルケレドモ、ソノ散歩ガダンダン不自由ニナリツツアル。ト云ウノハ、眩暈《めまい》ガヒドクテ歩行ニ困難ヲ伴ウヿガシバシバナノデアル。路上デ仰向ケニ倒レソウニナルヿモ始終デアル。散歩ニ出テモ余リ多クヲ歩カヌヨウニシ、ナルベク人通リノ少イ所、百万遍、黒谷*、永観堂*辺ニ杖《つえ》ヲ曳《ひ》イテ、主ニベンチデ休憩シテ時間ヲツブスヿニシテイル。(脚《あし》ノ力モ弱ッテイテ歩キ過ギルト直キニ疲レル)……

……今日散歩カラ戻ッテ来ルト妻ガ洋裁ノ河合女史ト茶ノ間デ話シテイル。僕ガ茶ヲ飲ミニ這入《はい》ロウトスルト、「今オ這入リニナラナイデ。二階へ行ッテイテ下サイ」ト云ウ。覗《のぞ》イテ見ルト妻ガ洋服ヲ着セテ貰ッテイルノデアル。シキリニ二階へ行ケトイウノデ書斎ニ上ル。「チョット出カケテ来マス」ト、階下デ妻ノ声ガシテ、彼女ト河合女史トガ出テ行ク様子デアル。二階ノ窓カラ路《みち》ヲ歩イテ行ク二人ヲ見オロス。妻ノ洋装ヲ見ルノハ始メテデアル。コノ間カラ和服デアクセサリーヲ着ケテイタノハ、コノタメノ用意ダッタノデアル。ガ、正直ノトコロ、妻ノ洋装ハ似合ッテイルトハ云イニクイ。不恰《ぶかっ》好《こう》デ背ノ低イ河合女史ニ比ベルト、優雅ナ体ツキノ妻ノ方ガ似合イソウナモノダケレドモ、身ニツイテイナイ感ジデアル。女史ハ馴《な》レテイルノデ着コナシガ巧《うま》イ。妻ハ、アノイヤリングヤレースノ手袋ガ、和服デ着ケテイタ時ノヨウニハ似合ッテイナイ。和服ダトアレガエキゾチックニ感ジラレタノニ、洋服ダト取ッテ付ケタヨウデ、シックリシナイ。服ト、体ト、アクセサリートガバラバラノ感ジデアル。近頃ハ和服ヲ洋服ノヨウニ着コナスヿ*ガ流行《はや》ルヨウダガ、妻ハ反対ニ、洋服ヲ和服ノヨウニ着テイル。洋服ノ下カラ、和服向キニ出来テイル体ツキガ透イテ見エル。肩ガアマリニモ撫《な》デ肩デ、殊《こと》ニガニ股《また》ノ脚ガイケナイ。細クテスッキリシテイルノダケレドモ、膝《ひざ》ノ下カラ踝《くるぶし》ニ至ル線ガ外側へ曲ッテイテ、靴ヲ穿《は》イタ足首ト脛《すね》トノ接合点ガ妙ニ脹《は》レボッタク膨《ふく》ランデイル。ソレニ体ノコナシガ、手ノ持ッテ行キヨウ、足ノ運ビヨウ、頸《くび》ノ振リヨウ、肩ヤ胴ノ動カシヨウ等々ガ、スベテ和服流ニシナシナシテイテ締マリガナイ。シカシ僕ニハ又、ソノナヨナヨトシテ締マリノナイ体ツキ、不細工ニ歪《ゆが》ンデイル脚ノ曲線ガ変ニナマメカシク感ジラレタヿモ事実デアル。コウ云ウ不思議ナナマメカシサハ、彼女ガ和服ヲ着テイタノデハ現ワレナイ。僕ハ向ウヲ歩イテ行ク妻ノ後姿ヲ見送リナガラ、——分ケテモスカートノ下カラ踝ノ辺ノ歪曲《わいきょく》美ニ見惚レナガラ、今夜ノヿヲ考エテイタ。……

四月十六日。……午前中錦《にしき》へ買い出しに行く。私が自分で食料品を買い漁《あさ》りに行く習慣も、もう長いこと怠りつづけていたのであったが、——近頃は万事婆や任せにしていたのだが、それでは何だか夫に対して済まないような、主婦の勤めをおろそかにしているような気がしていたので、久し振りに出かける。(でも私には買い出しなんぞよりもっと大切な勤めがあり、夫を喜ばせるための忙しい仕事が控えているので、なかなか錦へ行く暇などはなかったのだ) 行きつけの八百屋の店で筍《たけのこ》と蚕豆《そらまめ》*ときぬさやを少々買う。筍を見たので思い出したが、今年はとうとう花の咲いたのも知らないうちに過してしまった。去年はたしか敏子と二人で、疏水《そすい》＊のふちを銀閣寺から法然院＊の方へ花見をして歩いたことがあった。もうあの辺の花も残らず散ったことであろう。それにつけても今年は何と云う慌《あわただ》しい落ち着きのない春を送ったことか、あッと云う間にこの二た月三月が夢のように過ぎてしまった。………十一時に帰って来て書斎の花を活《い》けかえる。今日はマダムが庭にあるのを届けてくれたミモザ＊の花にする。夫はつい今しがた起き出したらしく、私が花を活けている時に漸《ようや》く二階へ上って来た。朝は早起きの夫なのであるが、近頃はよくこんな風に寝坊をする。「今お起きになったの」と云うと、「今日は土曜だったのか」と云ってから、「明日は朝から出かけるんだろうね」と、まだ睡気《ねむけ》の残っているような薄寝惚《ねぼ》け声で云った。（その実寝惚けているのではない。大いに気に懸《か》けているのである）私は肯定とも否定とも付かない返辞を、口の内でもぐもぐと云っただけであった。………

二時頃、玄関に「御免下さい」と云う声がして見知らぬ男が這入《はい》って来た。石塚治療院から参りましたと云う。指圧の治療師だそうである。誰もそんな者を頼んだ覚えはない筈《はず》だがと思っていると、婆やが出て来て「旦那様が呼んでくれと仰《お》っしゃいましたので、私が頼みました」と云う。おかしなこともあるものである。夫は昔から見知らぬ人間に足腰を揉《も》ませたりすることが嫌いなたちで、今まで按摩《あんま》やマッサージの類《たぐい》に体を触らせたことはないのである。婆やに聞くと、この間から旦那様が肩が凝って溜《たま》らない、首が廻らないくらいだと仰っしゃっていらっしゃいましたので、非常に上手な指圧の先生がいるのですが、譃《うそ》だと思って試して御覧になりませんか、それはそれは不思議なくらい、一度か二度で忘れたように直りますと云って、熱心にお勧めして置いた、そうしたら余程おつらいのだと見えて、ではその人を頼んでほしいと仰っしゃいましたので、と云う。五十恰好《かっこう》の、あまり人相のよくない、痩《や》せた、黒眼鏡を掛けた男である。盲人かと思ったがそうでもないらしい。私がうっかり「按摩さん」と呼んだら、婆やが慌《あわ》てて「按摩さんと云うと怒るのです、先生と呼んで上げて下さい」と云う。寝室で、夫を寝台に寝かしておいて、自分もベッドに上り込んで治療する。白い清潔な上っ張を着ているけれども、何だか薄汚い感じ。こんな男に神聖なベッドに乗って貰いたくない。夫が按摩嫌いなのも尤《もっと》もだと思う。「えらく凝ってますな、直きに楽にして上げます」などと云う。変に見識ぶっているのが滑稽《こっけい》である。二時から始めて四時頃まで、約二時間も揉む。「もう一回か二回で楽になります、明日も来て上げます」と云って帰って行く。夫に「どんな工合?」と聞くと、「いくらか楽になったようだが、体じゅうをミリミリと強くおさえるので、痛くて、好い気持ではない」と云う。「明日も来て上げると云ってましたね」と云うと、「まあもう一二回やらせて見よう」と云う。余程凝るのだと見える。………

「明日は朝から出かけるんだろうね」と云われて見ると、「今日もこれから出かけるんです」とは云いにくかったけれども、そうも行かない訳があるので、四時半頃に洋服に着換え、イヤリングを着けた耳朶《みみたぶ》をわざと寝室へさし出して、「出かけて来ます」と云う顔つきをして見せる。「あなた散歩は」と、照れ隠しに聞いて見る。「うん、僕も出かける」と云いながら、夫は指圧のあとでぐったりとして、まだ寝室に横になっていた。………

四月十七日。夫に取って重大な事件の起った日、私に取っても重大な日であったことに変りはない。事に依ると今日の日記は生涯忘れることの出来ない思い出になるのではないかと思う。従って今日一日の出来事は細大隠すところなく刻明に書いておきたいのだけれども、しかしそう云っても早まったことはしない方がよい。矢張今のところ、今日の朝から夕刻まで私が何処《どこ》でどう云う風に時間を消費したかについては、あまり委《くわ》しくは書かない方が賢明である。とにかく私は、今日の日曜日をいかにして過すかは前から極《き》めて置いたのであるから、その通りにして過した。私は大阪のいつもの家に行って木村氏に逢い、いつものようにして楽しい日曜日の半日を暮らした。或《あるい》はその楽しさは、過去の日曜日のうちでは今日が最たるものであったかも知れない。私と木村氏とはありとあらゆる秘戯の限りを尽して遊んだ。私は木村氏がこうして欲しいと云うことは何でもした。何でも彼の注文通りに身を捻《ね》じ曲げた。夫が相手ではとても考えつかないような破天荒な姿勢、奇抜な位置に体を持って行って、アクロバット*のような真似《まね》もした。(いったい私は、いつの間にこんなに自由自在に四肢を扱う技術に練達したのであろうか、自分でも呆《あき》れる外はないが、これも皆木村氏が仕込んでくれたのである)ところで、いつもは彼とあの家で落ち合うと、合ってから別れるギリギリの時間まで、一秒の暇も惜しんで全力的にその事に熱中し、何一つ無駄話などはしないのであるが、今日はふっと、「郁子さん、何を考えているんですか」と、木村が眼敏《めざと》く気がついて私に尋ねた瞬間があった。(木村は疾《と》うから私のことを「郁子さん」と呼んでいるのである)「いいえ別に」と、私は云ったが、その時、ついぞないことに、夫の顔がチラリと私の眼の前を掠《かす》めた。どうしてこんな時に夫の顔が浮かんで来たのか不思議であったが、私が一生懸命にその幻影を打ち消すように努めていると、「分っていますよ、先生のことを考えているんですね」と、木村が図星を指して云った。「どう云う訳か、僕も先生のことが気になっていたところなんです」――そう云って木村は、あれきり閾《しきい》が高くなって御無《ごぶ》沙汰《さた》をしているので、近々お伺いしなければならないと思っていた、実は国元へ手紙を出して、鱲子《からすみ》をお届けするように云いつけてやったのだが、まだ届いていないでしょうか、などと云った。その話はそれで途絶えて、二人は再び享楽の世界に浸り込んだのであったが、今から思うとあれは何かしら虫が知らせたのかも知れない。……五時に私が帰って来た時、夫は外出中であった。婆やに聞くと、今日も指圧の先生が来て二時から四時半ぐらいまで、昨日より三十分以上も長く治療していた。肩がこんなにひどく凝るのは血圧の高い証拠であるが、医者の薬なんぞ利《き》きはしない、どんなに偉い大学の先生にかかってもそう簡単に直る筈はない、それより私にお任せなさい、請け合って直して上げる、私は指圧ばかりでなく、鍼《はり》も灸《やいと》も施術する、先《ま》ず指圧をして利かなかったら鍼をする、眩暈《めまい》は一日で効験が現われる、などとあの男は云ったと云う。血圧が高いと云っても、神経に病んで頻繁《ひんぱん》に測るのは宜《よろ》しくない、気にすれば血圧はいくらでも上る、二百や二百四五十あっても不養生をして平気で生きている人が何人もいる、無闇《むやみ》に気にしない方がよい、酒や煙草《たばこ》も少しぐらいは差支《さしつか》えない、あなたの高血圧は決して悪性のものではないから、大丈夫良くなりますと云ったとやらで、夫はすっかりあの男が気に入ってしまい、これから当分毎日来てくれ、もう医者は止める、と云っていたと云う。六時半に夫は散歩から帰って来、七時に二人で食事をした。若筍《わかたけのこ》の吸い物、蚕豆《そらまめ》の塩うで、きぬさやと高野豆腐の焚《た》き合せ、――昨日錦で買って来た材料を婆やが料理したののである。外に六十目程のヒレ肉のビフテキ。(野菜を主にして脂肪分の濃厚なものは控えるように云われているのだが、夫は私との対抗上毎日欠かさず牛肉の何匁《もんめ》かを摂取している。スキヤキ、ヘット焼、* ロースト等々いろいろであるが、半生《はんなま》の血のたれるステーキを最も好んで食べる。嗜好《しこう》よりは必要のために食べるので、欠かすと不安を覚えるらしい)――ステーキは焼き加減がむずかしいので、私がいる時は大概私が焼くのである。鱲子がようよう届いたと見えて、それも膳の上に載っていた。「これがあるからちょっと飲もうか」と云うことになって、クルボアジエを運んで来たが、沢山は飲まなかった。先日私の留守中に敏子と喧嘩《けんか》をした時に、夫があらかた壜《びん》を空にしてしまって、底の方にほんのちょっぴり残っていたのを二人で一杯ずつ乾したのであった。夫はそれから又二階に上った。十時半に風呂が沸いたことを二階へ知らせた。夫が入浴したあとで私も浴びた。(私は今日は二度目である。さっき大阪で浴びたので、浴びる必要はなかったのであるが、夫に対する体裁上浴びた。今までにもそんなことは何回かあった)私が寝室に這入《はい》った時、夫は既にベッドにいた。そして私の姿を見ると直ぐにフロアスタンドを点じた。(夫は昨今、あの時以外は余り寝室を明るくすることを好まなくなっていた。それは動脈硬化の結果が眼にも来ていて、周囲の物象がキラキラと二重にも三重にも瞳《ひとみ》に映り、視覚を強く刺戟《しげき》して眼を開けていられないらしいのである。で、用のない時は薄暗くしておいて、あの時だけ蛍光燈を一杯にともす。蛍光燈の数は前より殖えているので、その時の明るさは可なりである）夫は急に明るくなった光の下に私を見出して、驚きの眼をしばだたいた。なぜかと云うのに、私は風呂から出ると、ふと思い付いて、イヤリングを着けてベッドに上り、わざと夫の方へ背中を向けて、耳朶の裏側を見せるようにして寝たからである。そう云うほんのちょっとした行為で、今までして見せなかったことをして見せると、夫は直ぐに、簡単に興奮するのである。（夫は私を世にも稀《まれ》なる淫婦《いんぷ》であるように云うけれども、私に云わせれば、夫ぐらい絶えず欲望に渇《う》え切っている男はいない。朝から晩まで、どんな時でも夫はいつもあのことばかり考えていて、私の極《きわ》めて僅《わず》かばかりの暗示にも忽《たちま》ち反応を呈せずにはいない。隙《すき》を見せれば即座に切り返して来るのである）間もなく私は夫が私のベッドの方へ上って来、うしろから私を抱きすくめて耳の裏側へ激しい接吻《せっぷん》をつづけざまに注ぐのを、眼をつぶったまま許していた。………私はそんな工合にして、今ではどんな意味ででも愛しているとは云い得ないこの「夫」と云う人に、自分の耳朶をいじくらせることを、決して不愉快には感じなかった。木村に比べると、何と云う不器用な接吻の仕方であろうと思いながら、この「夫」の変にくすぐったい舌の感触を、そう一概に気味悪くは感ぜずに、

――まあ云って見れば、その気味の悪いところにも自《おのずか》ら一種の甘みがあると云う風に思いながら、味わうことが出来たのであった。私は「夫」を心から嫌っているには違いないが、でもこの男が私のためにこんなにも夢中になっているのを知ると、彼を気が狂うほど喜悦させてやることにも興味が持てた。つまり私は、愛情と淫慾とを全く別箇に処理することが出来るたちなので、一方では夫を疎《うと》んじながら、――何と云うイヤな男だろうと、彼に嘔吐《おうと》を催しながら、そう云う彼を歓喜の世界へ連れて行ってやることで、自分自身もまたいつの間にかその世界へ這入り込んでしまう。最初私は、自分自身は恐ろしく冷静であって、ただいかにすれば彼をこれ以上悩乱せしめることが出来ようかと、一途にその面白さに惹《ひ》かれ、彼が今にも発狂しそうに喘《あえ》ぐさまを意地悪く観察しつつ、自分の技術の巧みさに自分で酔っているのであるが、そうしているうちに、次第に自分も彼と同じように喘ぎ出し、同じように悩乱してしまう。今日も私は、昼間木村と演じた痴戯の一つ一つを、そのままもう一度夫を相手に演じて見せ、彼と木村とがどう云う点でどう云う風に違うかを味わい分けることに興味を感じていたのであったが、――そして昼間の相手と比べて、この男の技の拙劣なのに憐愍《れんびん》をさえ催していたのであったが、どう云う訳か、そうしているうちに結局私は昼間の場合と同じように興奮してしまった。そして木村を抱き締めたと同じ力でこの男を強く抱き締め、この男の頸《くび》に一生懸命獅嚙《しが》み着いた。(ここらが淫婦の淫婦たる所以《ゆえん》であると、この男は云うのであろう)私は凡《およ》そ何回ぐらい、彼を抱き締め抱き締めしたかは覚えていない、が、私が何分間かの持続の後に一つの行為を成し遂げた途端に、夫の体が俄《にわ》かにぐらぐらと弛緩《しかん》し出して、私の体の上へ崩れ落ちて来た。私は直ぐに異常なことが起ったのを悟った。「あなた」と私は呼んで見たが、彼はロレツの廻らない無意味な声を出すのみで、生ぬるい液体がたらたらと私の頰を濡《ぬ》らした。彼が口を開けて涎《よだれ》を滴《た》らしているのであった。………

四月十八日。………こう云うことが起った際の心得として、かねて児玉さんから聞かされていた事柄を、私は即座に思い出した。私は彼の下に圧し潰《つぶ》されていた私の体を、静かに外へ引きずり出した。(彼の体は弛緩してから急に体重が増したように、重くどっしりと伸《の》しかかっていた。私は彼の頭の部分を出来るだけ動揺させないようにしながら、彼の顔の下にある私の顔を、骨を折ってゆっくりと引き退《の》けた。いや、その前に、彼の眼鏡が邪魔になるので、それを第一に取り外した。その時の、眼を半眼に見開いた、顔面筋肉がすっかり弛《ゆる》んだ「眼鏡のない顔」の気味悪さと云ったらなかった)私は自分だけ寝台を下りて、俯《うつむ》向きに倒れている彼を、注意深く、極めて徐々に仰向きの位置に直した。心持頭部を高く支えて置くために、枕やクッションを上半身の下に入れてやった。眼鏡の外には体じゅうに一糸をも纏《まと》っていなかったが、（私もその時までイヤリングの外には何も身に着けていなかった）安静が絶対条件であることを慮《おもんぱか》って、矢張裸のままにして、その上から寝間着をそっと被《かぶ》せて置いた。――全身の左半分に麻痺《まひ》が来ていることが分った。――時間を知って置こうと思って、棚《たな》の上の置時計に眼を遣《や》った。午前一時三分であった。気が付いて螢光燈を消し、ナイトテーブルの小さいスタンドだけを点《とも》して、シェードの上に布を被せた。関田町と児玉先生とに直ぐ来てくれるように電話し、敏子には途中氷屋を起して氷を二貫目*買って来ることを命じた。（私は可なり落ち着いているつもりであったが、受話器を持つ手がふるえていた）約四十分後に敏子が来た。私が台所で氷嚢《ひょうのう》や氷枕を捜していると、彼女は氷を提《さ》げて這入って来て、それを走り*の板の上に置き、私がどんな表情をしているかを、光る眼で素早く看《み》て取ってから、そ知らぬ風をして氷を割り出した。私は彼女にパパの様子を手短かに話した。彼女は顔色一つ変えず、今更驚くには当らないと云わぬばかりに「ふん、ふん」と頷《うなず》いて、氷を割る作業をつづけた。それから二人で寝室へ行き、麻痺の側と反対の側を特に冷やすように氷嚢と氷枕を当てた。二人とも必要以外の言葉は一言も交えなかった。互に顔を見ようともしなかった。――見るのを避けるようにしていた。――

二時に児玉さんが来た。私は敏子だけを枕元にいさせて、病室の外で児玉さんを迎え、夫が如何《いか》なる状態に於《お》いて発病したかを、――敏子には云わずに置いた事柄を、ざっと話した。又も私は顔を赧《あか》くした。児玉さんの診察はなかなか入念で慎重であった。「懐中電燈を貸して下さい」と云って、瞳孔《どうこう》を照らして対光反射*の検査をし、「何か箸《はし》の棒のようなものはありませんか」と云った。敏子が台所から割箸を持って来た。「ちょっとの間部屋を明るくして下さい」と、蛍光燈を点じさせた。児玉さんは、病人の右の足の蹠《うら》と左の足の蹠の表面を、その棒の先で踵《かかと》から爪先へソロソロと数回擦り上げた。（バビンスキー反射*と云うのだと、あとで児玉さんが教えてくれた。棒で擦《こす》り上げて見て、孰方《どちら》かの側の足の趾《ゆび》が反射的に反《そ》りかえる場合には、その反対の側に脳溢血《のういっけつ》があったものと認められる。御主人は何処か右側の脳の一部が切れたものと思わなければなりませんなと、云うことであった）次に児玉さんは、病人が着ていた掛布団を剝《は》ぎ、病人の上に被せてあった寝間着を、下腹の辺まで捲《まく》り上げた。（夫が素裸で臥《ね》ていたことに、その時始めて児玉さんと敏子が心付いた。蛍光燈の明るさの下で夫の下半身が露出されたので、二人はハッとしたらしいが、私の方が一層極《き》まりが悪かった。私は自分がつい一時間前まで、この人のこの体を自分の体の上に乗せていたと云うことが、何だか信じられない気がした。私はしばしば自分の素裸の体をこの人に見られ、何十回となく写真にまで撮《と》られているのであるが、自分は彼の素裸の体を、こう云う角度で全身像の形に於いてしげしげと観察したことはない。しようと思えば出来たのであるが、今まで努めてそうすることを避けていた。彼が裸でいる時は出来るだけぴったり寄り添って抱き着くようにし、全身像が見えないようにした。彼は私の各部分々々について、恐らくは毛孔の数まで調べ尽くしていたらしいが、私は彼の体の恰好《かっこう》については、木村のそれを知り尽しているようには知っていなかったし、知りたくなかった。知れば一層嫌いになることが予想されていたからであった。私はこんな貧弱な体の人と寝ていたのかと、不思議に感じられた。私のことをガニ股《また》だと云うが、彼のガニ股は私どころの段ではないことが、こう云う姿勢で臥かして見ると、改めて合点《がてん》された）それから児玉さんは、病人の左右の脚《あし》を一尺五六寸＊程の間隔に開いて、睾丸《こうがん》がよく見えるようにした。そして件《くだん》の箸の棒を以《もっ》て、睾丸の根元の両側の皮膚の上を、又さっきのように擦った。（睾丸を吊《つ》っている筋肉の反射を見るのだと云うことを、あとで説明して貰った）二度も三度も、代る代る両側を擦った。右の睾丸はゆっくりと鮑《あわび》が蠢《うご》めくように上り下りの運動をするが、左の睾丸はあまり運動する様子がなかった。（私も敏子も眼の持って行き場に困った。敏子はとうとう出て行ってしまった）次に体温、血圧の検査をした。体温は普通。血圧は百九十余。これは出血の結果幾分低下したものと思われるとのことであった。

児玉さんは一時間半以上もベッドの側の椅子に掛けて、経過を見守っていてくれた。その間に腕の静脈から血を一〇〇グラム抜き取った。濃厚葡萄糖《ぶどうとう》五〇プロ*にネオフィリン*、ヴィタミンB1*、ヴィタミンK*等を注射した。「午後に又伺いますが、相馬先生に一度お出《い》でを願った方がよござんすな」と云うことであったが、云われないでも私はそうするつもりでいた。「親戚に知らせる必要があるでしょうか」と云うと、「もう少し様子を見てからでよいでしょう」と云う。児玉さんが去ったのはかれこれ午前四時。送り出す時、至急看護婦を寄越してくれるように頼んだ。

午前七時、婆やが来たので、敏子が午後に又来ると云って、一旦関田町に帰った。

敏子の出て行くのを待って木村の宿へ電話する。詳細に容態を知らせる。今のところ見舞に来ることは差控えた方がよい旨を告げる。気が済まないからちょっとでも行かして欲しいと云う。が、病人は半身不随で言語は自由を欠いているけれども、意識は全然昏《こん》濁《だく》していると云うのでもないらしい、だから木村の顔を見て興奮する恐れがないとは云えない由《よし》を語る。では病室へは通らない、玄関まででも行かしてくれと云う。

九時頃から夫が鼾《いびき》を掻《か》き始める。夫は常に鼾を掻く癖があるのだが、今日のは特別に物《もの》凄《すご》い鼾で、いつものと違うように思う。それまでは朦朧《もうろう》たる意識が働いていたように見えたが、いつの間にか昏睡状態に入ったらしいのである。又木村に電話して、この工合なら病室へ通っても差支えないと云ってやる。

十一時頃児玉氏より電話。相馬博士と連絡が取れた、午後二時そちらへ往診に見えられる由であるから、私も立ち合いますと云う。

午後零時半過ぎに木村が来る。月曜日の授業の合間に抜けて来たのである。病室に通り、三十分程枕元に侍坐《じざ》する。私も傍《そば》に付き添う。木村は椅子に掛け、私は夫の寝台（私の寝台には病人が寝ているので）に腰掛けて、二三のことを話し合う。病人の鼾がこの時目立って雷の如くになる。（ほんとうの鼾かしら？　と、ふとそんな気がする。私の顔に危惧《きぐ》の色が浮かんだのを見て、木村も同じことを考えたらしかったが、勿論《もちろん》二人とも口に出しては云わなかった）午後一時木村辞去。看護婦が来る。小池と云う可愛《かわい》らしい二十四五歳の婦人。敏子も来る。私は漸《ようや》く手が空いたので、この間に食事する。昨夜以来何も食べていなかったのである。

二時相馬博士来診。児玉さんも見える。今朝と容態の変ったところは、昏睡状態に陥ったことと、八度二分程発熱したことである。博士の所見も大体児玉さんと違わないらしい。博士もバビンスキー反射を検《しら》べたが、睾丸の両側を擦る検査（提睾筋反射と云う由）はしなかった。瀉血《しやけつ》も余りしない方がよいと云うのが、博士の意見らしかった。＊その他こまごまと専門語で児玉さんに注意が与えられる。

博士と児玉さんが去ったあとで、今日も指圧師が治療に見えた。敏子が出て、「あなたの治療のお蔭《かげ》で父はこう云う結果になりました」と皮肉交りに云い、玄関から追い返す。さっき児玉さんが、「二時間以上もそんな過激な指圧をしたのは良くなかったですな、或はそれが直接原因になったかも知れませんな」と云ったのを、敏子も聞いていたからである。(児玉さんは真の原因が他にあることを知っていて、いささか私を慰めるつもりで、責任を指圧に持って行ったのかも知れない)「私があの人を紹介したのが悪いのでございます、えらいことを致しました」と婆やが頻《しき》りに詫《わ》びを云う。

三時過ぎに、「ママ、少し横にならはったらどう」と敏子が云うので、暫《しば》く睡眠を取らして貰うことにする。但し、寝室には病人が寝ているし、敏子や看護婦が詰めているし、茶の間もこの際は出入りが多い。敏子の部屋が空いているけれども、彼女は自分が使わない時でも他人に使われることを嫌い、襖《ふすま》や本箱やデスクの抽出《ひきだし》等に悉《ことごと》く鍵《かぎ》を掛けているので、私もめったに這入ったことがないのである。で、二階の書斎を貸して貰うことにして、板敷の床に夜具布団を敷いて寝る。これから当分、看護婦と私がときどき交代でここに寝ることになりそうである。しかし床には這入って見たが、到底寝られそうもないので諦《あきら》める。それよりも昨日以来の出来事を書き留めて置きたかったので、この間に寝ながら日記をしたためる。(先刻二階へ上る時、そのつもりで矢立と日記帳とを敏子に感づかれないように持って上って来たのである）一時間半を費して十七日の朝から今までの出来事を記し終る。そして日記帳を書棚《しよだな》の蔭に隠し、今眼が覚めたようにして階下に下りる。五時少し前である。

病室に行って見ると、病人が昏睡から覚めた様子である。折々うっすらと眼を開けて周囲を見ている。もう二十分程前からのことであると云う。今朝の九時から大凡《おおよ》そ七時間余睡《ねむ》りつづけた訳である。二十四時間以上昏睡がつづくと危険なように聞いておりますが、よい塩梅《あんばい》でございましたと小池看護婦が云う。だが左半身の動作は依然として自由を欠いているようである。

五時半頃、病人が口をもぐもぐさせる。何か物を云いたげである。（発音不明瞭ではあるが、今暁発病の直後よりはやや聴き取れるようになった気がする）右の手を少し動かして、腹の下の方を指し示す。小便がしたいのであろうと察し、溲瓶《しびん》を当てて見るが排尿しない。頻りに愌《じ》れているように見える。「おしっこですか」と云うと頷《うなず》くので、又当てて見るが出ない。長時間尿が溜《たま》っているので、下腹部が張って苦しい筈《はず》なのであるが、膀胱《ぼうこう》が麻痺《まひ》して、出て来ないのであるらしいことが分る。児玉さんに電話で指図《さしず》を仰ぎ、カテーテル*を取り寄せて小池さんが導尿してくれる。多量の排尿を見る。

七時、牛乳と果汁少量を吸い口*を以《もっ》て病人に与える。

十時半頃婆やが自分の家に帰る。家庭の事情でどうしても泊る訳には行かないのだそうで、その時刻まで働いていてくれたのである。敏子が私はどうしましょうと云う。泊っても差支えないのだが、私が泊っては却《かえ》って都合の悪いこともありはしないでしょうか、と云う意味が含まれているものと察せられる。泊ってくれてもどちらでもよい、病人は小康を保っているようだから、別に心配はないようである、急変があれば知らせて上げてもよい、と私は答える。「そうね」と云って、彼女も十一時に関田町に去る。

病人はウトウトしているが、余り熟睡はしていないらしい。

四月十九日。………午前零時、小池さんと二人で無言のまま病室にいる。病人に明りが射さないようにして、ランプの蔭で新聞雑誌等を読んで時間を消す。小池さんに二階で少しお休みなさいと勧めても寝ようとしない。五時頃夜が明けかかってから漸く寝に行く。

雨戸の隙間《すきま》から日が射して来たので、病人はなおさら安眠が得られないらしい。いつの間にか眼をぼんやり開けて、顔を私の方に向けている。眼で私を捜しているようでもある。私が側の椅子《いす》に掛けているのが見えないのか、見えるのに見えないふりをしているのか、よく分らない。口を動かして何か云っている。ほかの言葉は不明瞭で聴き分けられないが、一箇所だけ聴き分けられる——ような気がする。気のせいかも知れないが、き——む——ら、と云っているように思える。そのあとは口をあぶあぶ云わせるだけであるが、き——む——ら、のところは、どうもそうに違いないように聞える。(ほかの部分も、もっと明瞭に云おうと思えば云えるのかも知れない。照れ隠しにあぶあぶと胡麻化《ごまか》しているのかも知れない)二三度それを繰り返して云ってから、又黙って眼を潰《つむ》ってしまった。……

七時頃婆やが、少し後《おく》れて敏子が来る。八時頃小池さんが起きて来る。八時半病人に朝食を取らせる。ゆるい粥《かゆ》を一碗《わん》、卵黄、林檎《りんご》汁等。私が匙《さじ》で掬《すく》って食べさせる。病人は小池さんよりも、なるべく私に身の周《まわ》りの世話をして貰いたがっている風が見える。

十時過ぎに尿意を催す。溲瓶を当てて見るが矢張出ない。小池さんが導尿しようとすると、それを嫌うらしく、カテーテルを彼方《あっち》へ持って行けと云う風な手つきをする。仕方なく又溲瓶を当てて見る。十数分経過しても依然として出て来ない。ひどく苛々《いらいら》する様子である。「気持がお悪いでしょうけれども、これで出しておしまいになった方がようございます。ね、そうなさいませ、一遍にお楽になりますよ」と、小池さんが子供を諭《さと》すように云って、又カテーテルを持ち出す。病人は何か分らないことを繰り返して云い、手で何事をか示そうとする如くである。小池さん、敏子、私、三人で頻《しき》りに聞いて見る。結局、「カテーテルを使うならお前が使ってくれ、敏子と看護婦はあっちへ行っていろ」と云うことを、私に向って話すのであるらしい。カテーテルは看護婦でなければ扱うことが出来ないのであるから、小池さんに導尿して貰わなければならないことを、敏子と二人で辛《かろ》うじて納得させる。

正午病人が昼食を取る。大体朝と同じような食事であるが、食慾は可なりあるように思える。

午後零時半木村が来る。昏睡から覚めたこと、意識が少しずつ回復しつつあるらしいこと、木村と云う名を口にしていたように思えたこと、等々を告げ、今日は玄関で帰って貰う。

午後一時児玉さん来診。経過良好、まだ油断はならないがこの分なら順調であると云う。血圧最高が一六五、最低一一〇。体温三七度二分に低下。今日もバビンスキー反射と提睾筋反射の検査をする。(提睾筋検査の時、病人がどんな顔をするかと思って懸念していたが、どんよりとした、無感覚な瞳《ひとみ》を虚空に向けて、されるがままにされていた）葡《ぶ》萄糖《どうとう》、ネオフィリン、ヴィタミン等を静注《じょうちゅう》*する。

発病のことは努めて人に知らせないようにしていたのだが、追い追い学校方面に知れてしまい、見舞客、電話の問い合せ等が午後からときどきある。果物籠《くだものかご》、花束等を方々から貰う。関田町のマダムが見え、自分の夫と同病であることを知って大いに同情してくれる。そして、これも家の庭に咲いたのですと云ってライラック*の花を置いて行く。敏子がそれを瓶に挿《さ》して病室に運び、「パパ、マダムが庭のライラックを切って来て下すったのよ」と云って、病人によく見えるような位置に台を持って来て据える。貰い物の果物の中に病人の好きな伊予柑《いよかん》があったので、ミクサーで絞って与える。三時、敏子と小池さんに頼んで置いて二階に上り、日記をつけてから睡眠を取る。今日はさすがに睡気が溜っていたので、約三時間ぐっすりと眠る。………敏子今夜は夕飯後間もなく、午後八時に引き上げる。婆や九時半頃に去る。………

四月二十日。………午前一時、小池さんが二階へ寝に行く。そのあと私一人病室に附き添う。病人は宵からうつらうつらしていたようであったが、小池さんが去ってから十数分後、どうも眼を覚ましているらしいけはいを何となく感じる。薄暗い蔭の方に臥《ね》ているので、はっきり分らないのであるが、微《かす》かな身じろぎと共に口をムニャムニャさせたような気がしたからである。そおっと覗《のぞ》き込んで見ると、推察の通り、いつの間にか眼を開けている。その眼は私の顔を超《こ》えて、もっと向うの方を見ている。あの、敏子が活《い》けたライラックの花、——病人の眼はそこに注がれているらしい。スタンドの光線を遮蔽《しゃへい》して、室内のほんの一部分だけを、辛うじて新聞が読める程度に明るくしてあるのだが、その明るい光の圏の端の方に、ライラックが仄白《ほのじろ》く匂《にお》っている、——その白い影を、見るともなく視詰《みつ》めて何か考えているような眼つきである。私は何がなしにハッとした。昨日、敏子があの花を持って来て、「マダムが庭に咲いていたのを切って来て下すったのよ」と云った時、今そんなことを聞かせないでもよいのにと、——敏子はどんなつもりで云ったのか知れないが、——私は思ったのであった。あの時多分病人はあの言葉を聴き取ったであろう。——聴き取らなかったとしても、あの花を見ればあの木が植わっている関田町の庭を思い出したであろう。そしてあの家の離れ座敷を思い出し、彼処《あそこ》で起った過去の夜の出来事の数々を思い出したであろう。——そう思うのは思い過しかも知れないが、私は病人の眼を見ると、何かそのことと関聯《かんれん》のある妄想《もうそう》が、あの空虚《うつろ》な瞳の奥に浮かんでいるのではあるまいか、と云う気がした。私は慌《あわ》ててスタンドの明りをその花から外《そ》らした。……

……午前七時ライラックの花瓶を病室から運び出し、ガラスの花器に挿した薔薇《ばら》に置き換える。……

……午後一時児玉さん来診。体温六度八分に低下。血圧は再び上る傾向を示す、最高

一八五、最低一四〇。そのためネオヒポトニン注射。*今日も睾丸の検査がある。玄関まで送って出て児玉さんと話す。膀胱《ぼうこう》の麻痺がつづいていて、今朝も小池さんが導尿したこと、導尿の度毎に病人が愧《じ》れること、ちょっとしたことが神経に触《さわ》って興奮する様子が見えること、口と手足が思うように利《き》かないために一層イライラするらしいこと、等々について相談する。鎮静と安眠のためルミナールを用いることにする。………

……敏子今日は午前中は見えず、夕刻五時頃から来る。……十時頃より病人の鼾《いびき》が聞え始める。これは一昨日の異様な鼾と違い、いつもの安眠の鼾らしい。先刻夕食後注射したルミナールが利いて来たのだと見える。敏子寝顔を覗《のぞ》いて見て、「よい塩梅《あんばい》にすやすや休んではるらしいわ」と云い、間もなく去る。相前後して婆やも去る。小池さんを二階へ寝に行かせる。十一時近く電話が鳴る。出て見ると木村である。「こんな時刻に失礼ですが」と云う。(今なら私が一人でいることを、敏子が教えたのではあるまいか)その後の御容態を聞かして下さいと云う。経過を話して、今夜は睡眠剤の注射が利き、鼾を掻《か》いて熟睡している由を告げる。「ちょっと今から伺ってお顔を見る訳に行きませんか」と云う。「お顔」とは誰のお顔の意味なのかと思う。「来たら私が裏口から外へ出るまで、庭で待っていて欲しい。玄関のベルを押してはいけない。出て行かなかったら、都合が悪いのだと察して帰って欲しい」と、電話口で出来るだけ小声で答える。

十五分後、微《かす》かな足音が庭に聞える。病人は依然安らかに鼾ごえを立てている。彼を裏口から上げて女中部屋で三十分ほど話す。………病室へ戻って来ても、まだ鼾ごえが続いていた。………

四月二十一日。………午後一時児玉さん来診。血圧最高一八〇、最低一三六。昨日より又少し下ったけれどもなお安心とは云えない、せめて最高が一七〇台に下り、最低との開きが五十以上にならなければと云われる。体温は六度五分で漸《ようや》く平熱になる。尿も今朝来溲瓶《しびん》を用い辛うじて排尿するようになる。食慾は相当、持って行けば何でも受け付けるけれども、今のところやや固い目の流動物のみを与える。………

二時、病人を小池さんに頼んで二階に上る。日記をつけてから五時まで眠る。病室へ下りて来て見ると、敏子が来ている。五時半、夕食前三十分に今日もルミナールを射す。薬が利いて来るのは四五時間後であるから、当分毎日この時刻に睡眠剤を射して夜間の安眠を謀《はか》った方がよいであろうと云う、児玉さんの意見があったからである。但し、小池さんに云い含めて、病人には睡眠剤であることを知らせず、血圧降下剤だと云うことにして置く。………

………六時、夕食の膳がナイトテーブルに運ばれて来たのを見、病人が何か云いたいことがあるらしく口を動かす。二度も三度も繰り返して一つことを云う。何のことか聞き取れない。私がスプーンで粥《かゆ》を掬《すく》って持って行くと、その手を抑えるようにしてなおも云う。私の給仕が気に入らないのかと思って、敏子が代って見、小池さんが代って見るが、給仕のことではないらしい。そのうちに、病人の云っていることがだんだん私に分って来る。病人はさっきから、びーふーてーき、びーふーてーき、と云っているのである。突飛のようであるが、どうもそう云っているに違いない。ビフテキ、――ビフテキ、――そう云って、訴えるが如き眼つきでチラと私を見、すぐ又眼を潰《つむ》る。………私には病人が何を訴えつつあるのかほぼ想像することが出来たが、他の二人には分らなかったことであろう。(敏子には分ったかも知れない) 私は二人に気づかれないように、病人に向って微かに首を振って見せ、「今そんなことを思ってはいけない、当分の間我慢なさい」と云う意味を匂《にお》わせたつもりであるが、病人にそれが読めたかどうか。でも病人は、それきりもうそのことを云わず、おとなしく口を開けて私がさし出す粥をすすった。………

八時、敏子が去り、九時、婆やが去る。十時、病人が鼾を搔いて熟睡し始める。小池さんを二階へ行かせる。十一時、庭に足音が聞える。裏口から女中部屋へ通す。十二時、彼去る。鼾ごえがなお続いている。

四月二十二日。………病状には格別の変化もない。血圧が昨日より又少し高い。睡眠剤で夜間は安眠するらしいけれども、昼間はとかくもやもやしたものが頭に浮かんで来るらしく、ややもすればイライラする様子が見える。一日十二時間以上睡眠を取らせることが必要であると、児玉さんは云うのであるが、正味熟睡しているのは六七時間に過ぎないであろう、その他の時間は、ウトウトしているようには見えるが、ほんとうに寝ているのかどうかアテにならない。(大体に於《お》いて、鼾を掻いていない時は眠りの浅い時、せいぜい半睡半醒《はんすいはんせい》の状態にいる時であると、私は長年の経験に依って判断している。いや、その鼾さえも、今のはニセの鼾ではないかと疑い得る場合がないではない) 児玉さんの許可を得て、明日からルミナールを日に二回、午前中に一回と、午後に一回と用いることにする。………

………いつもの時刻に敏子が去り、婆やが去る。十時に病人の鼾が始まる。十一時に庭に足音が聞える。………

四月二十三日。………発病以来今日で一週間である。午前九時、朝食後、小池さんが膳を台所へ下げに行き、私と二人きりになった隙《すき》を見て病人が唇を動かす。にーき、にーき、――と云っている。昨日の、びーふーてーき、に比べて今日は余程発音がしっかりしている。にーき、にーき、日記のことが気にかかるのであるらしい。「日記をお附けになりたいの？　でもまだ無理よ」と云うと、「ちがう」と云って首を振る。「違うの？　日記のことと違うの？」と云うと、「お前の日記――」と云う。「私の日記？」と云うと、頷《うなず》いて、「お前は――お前は日記を――どうしている？――」と云う。「私は昔から日記なんか附けていませんわ、そんなこと、あなた知ってはるやありませんか」と、私はわざと意地悪く空とぼけてやる。すると口辺に力のない薄笑いを浮かべて、「ああ、そうだったか、分ったよ」と云う風に頷いている。病人が微かながらも笑顔を見せたのは始めてであるが、ちょっと意味の分らない、謎《なぞ》のような笑いである。小池さんは病人の膳を台所へ運んだついでに茶の間で自分の食事を済ませ、十時頃病室に戻る。そして、黙って病人の腕へルミナールを射そうとする。「何の注射？」と、病人が尋ねる。午前中のこの時刻に注射されたことがないので不審を抱《いだ》いたらしいのである。「まだ血圧が少しお高いようですから、下げる注射をするのでございます」と、小池さんが答える。………

午後一時児玉さん来診。二時半頃から病人が鼾《や》を掻き出したのを見て、私は二階へ上る。が、五時に下りて来て見ると、もう鼾ごえが止んでいる。小池さんに聞くと、ほんとうに熟睡したのは一時間足らずで、それからは夢うつつの境を彷徨《ほうこう》しつつあるように見えたと云う。矢張睡眠剤を飲んでも夜間のようには寝られないらしい。夕食後二回目の注射をする。………

きっちり十一時、庭に足音を聞く。………

四月二十四日。………発病以来今日が二度目の日曜である。朝から見舞客が二三人見える。いずれも上らずに帰って貰う。………児玉さん本日は来診せず。病人は格別の変化なし。二時頃から敏子が来る。彼女はこのところ毎日夕刻から来て、二三時間病室に詰めるようにしていたのに、今日は珍しく昼間から出て来た。父が鼾ごえを立てている傍で、「今日はお客様が多くはないかと思って」と、そう云って私の顔色を見ている。私が何とも云わないでいると、「ママ、買い物が溜《たま》っていはしないの。………たまの日曜に外の空気を吸うて来やはったらどう?」などと云ったりしている。いったい彼女は自分一人だけの考で云っているのか、彼から頼まれているのであるか。………彼にそんな気があったのなら、昨夜私に匂わしそうなものだけれども、何もそんな話は出なかった。………直接私には云い出しにくいので、敏子に云わせたのであろうか。それとも敏子が勝手に気を廻しているのであろうか。………ふっと私は、ちょうど今、この時刻に、あの大阪の宿で私の来るのを心待ちにしている彼の様子を思い描いた。……ひょっとしたら、ほんとうにそんなことになっているのかも知れない、――そんな妄想まで浮かんで来たが、でもそんなことがある筈はないと思って打ち消す。打ち消しても打ち消しても、もし待っていたらどうしよう、と、又妄想が湧《わ》いて来る。が、どう考えても今日の私は彼処《あそこ》まで出かける時間はない、そんなに長く家を空ける訳には行かない、せめてこの次の日曜ぐらいにならなければ、などと思う。……しかし私は、ほかに聊《いささ》か気にかかっていたことがあるので、「ではちょっと、錦《にしき》辺まで買い物に行って来る。一時間以内に帰るわ」と、敏子に断って、三時過ぎに家を出た。そして大急ぎでタキシーを拾って御幸町《ごこまち》錦小路*まで飛ばした。私は先《ま》ず、食料品の買い出しに来たと云う証拠に、錦の市場で麩《ふ》だの湯葉だの野菜物だのを買った。それから三条寺町*まで歩いて、いつもの紙屋で大判の雁皮《がんぴ》を十枚と表紙用の厚紙を一枚買い、それを私の日記帳の大きさに裁《た》って貰い、皺《しわ》にならないように巧《うま》く包装して貰って、買い物袋の野菜物の下に入れた。それから河原町通りでタキシーを拾って、――いや、八百屋の店で彼を電話口へ呼び出したことも書き洩《も》らしてはならない。「いいえ、今日は何処にも出かけず、家にいました」と彼は云った。事に依れば誘いが懸りはしないかと思っていたらしい口ぶりでもあったが、一二分話しただけであった。――四時少し過ぎに帰宅した。（一時間より多少過ぎていたかも知れない）私は玄関の傘《かさ》立ての蔭に雁皮の包を隠し、買い物袋は台所の婆やに渡した。……病人はまだ寝ているようには見えたけれども、鼾は止んでいた。………

……私が気にかかっていたことと云うのは、昨日病人が「お前は日記をどうしている」と云った、あの言葉なのである。私が日記をつけていることを、表向きは知らない体《てい》を装っていた筈の夫が、どうして突然あんなことを云い出したのか。頭が混乱していたために、知らない筈になっていたことをウッカリ忘れたのであろうか。それとも、「もう僕は知らないふりをする必要を認めなくなった」と云うのであろうか。私が咄嗟《とっさ》の返辞に困って、「日記なんか附けていない」と答えると、「分ったよ」と云って変な笑い方をしたのは、「空惚《そらとぼ》けるのは止《よ》せ」と云う意味だったのであろうか。——何にしても、夫は彼の発病以後も私が日記を附けることを継続しつつあるかどうか、それを知りたいのに違いなく、継続しているのなら、何とかしてそれを読ませて貰いたいのに違いあるまい。盗み読みが出来なくなった彼としては、おおびらに私の許可を求めたい下心があったためにあんな言葉を洩らしたのだと、私は推測せざるを得ない。とすると、彼から公然とそう云う申し出があった場合のことを、早速考えて置かねばならない。この正月から四月十六日に至るまでの私の日記は、もし求められれば、私はいつでも彼の前に取り出して見せるであろう。しかし十七日以後の日記があることは、決して彼に知らせてはならない。私は彼に云うであろう、――「この帳面は始終あなたが盗み読みしていたのですから、隠しても仕方がありませんが、今更見せるまでもありますまい。それでも見たいと云うのならいくらでも見て貰いますが、見れば分る通り、十六日で日記は終っているのです。あなたが病気になってからは、私は看護に忙しくて日記どころではなかったし、書くような材料もありませんでした」と。――で、私は彼に十七日以後空白になっている日記帳を開けて見せ、彼を安心させなければならない。私が雁皮を買って来たのは、十六日までの分と、十七日以後の分と、日記帳を二冊に分けて製本し直すためなのである。………

………昼寝の時間に外出したので、帰宅後五時から一時間半ほど二階に上る。六時半に下りて来る時に、日記帳を持って下り、茶の間の用簞笥《ようだんす》の抽出《ひきだし》に入れて置く。敏子、夕食後八時に去る。十時小池さんを二階へ行かせる。十一時、庭に音が聞える。………

四月二十五日。………午前零時、送り出して勝手口の戸締りをする。それから約一時間、病室にいて鼾ごえに耳を澄ます。熟睡しているのを見届けて茶の間に入り、日記帳の製本に取りかかる。二冊に分けて、十六日までの分は用簞笥の抽出に収め、十七日以後の分は二階へ持って行って書棚に隠す。この仕事に一時間を費す。二時過ぎ頃から病室に戻る。病人はずっと眠りつづけている。……午後一時、児玉さん来診。格別の変化なし。このところ血圧も一八〇より一九〇内外を上下している。もう少し下ってくれないものかと、児玉さんは首をかしげる。昼間は依然十分な安眠が得られないらしい。……

……十一時、庭に音が聞える。……

四月二十八日。……十一時、庭に……

四月二十九日。……十一時、庭に……

四月三十日。……午後一時、児玉さん来診。……来週早々、今一度相馬先生に見てお貰いになった方がよござんすなと云う。……

……十一時、庭に……

五月一日。……発病以来三度目の日曜である。……敏子、この前の日曜と同じ時刻、午後二時過ぎに現われる。そうではないかと予期していた通りである。父の寝息を確かめるような風をしてから、「買い物かたがた息抜きに散歩していらっしゃい」と、小声ですすめる。「どうしようかしら」と、私が躊躇《ちゅうちょ》していると、「パパは大丈夫、今しがた寝やはったところよ。………行ってらっしゃいよママ。今日は関田町で昼間から風呂が沸いているのよ、ついでに寄って風呂を貰っていらっしゃい」と云う。何か訳があることと察し、「ではちょっと二時間」と云って、三時頃に買い物袋を提《さ》げて出かける。真っ直ぐ関田町へ行って見る。マダムは留守で、木村が離れに一人でいる。先刻敏子から電話があって、「今日はマダムが和歌山へ行って夜おそくまで不在であるが、私もこれから病人の所へ出かけるので、済まないけれども二三時間留守番に来ていて欲しい。夕刻までには帰って来る」と云うことで、呼び寄せられたのであると云う。風呂は沸いていなかったが、風呂の代りに木村がいたと云う訳である。………ざっと半月ぶりに少しゅっくり話し合うことが出来たけれども、矢張何となくセカセカして落ち着いた気分にはなれなかった。………彼を残して五時に関田町を出て、時間がないので、――病人が眼を覚ましはしないかと心配なので、――大急ぎで近所の市場で買い物をして帰宅する。「お帰り。早かったわね」と、敏子が云う。「パパは」と云うと、「今日は珍しくよう寝たはる。もう三時間以上になるわ」と云う。なるほど凄《すご》い鼾ごえである。「お嬢さんにお願いして、お風呂へ行って参りました」と、小池さんが云う。湯上りの色つやのよい顔をてかてかさせている。あ、そうだったか、小池さんは銭湯へ行って来たのか、――私は何がなしにハッとする。何かしら敏子が作為を施したらしいことを感じる。――尤《もっと》も、夫が臥床《がしょう》してからは、家の風呂を沸かしたことは二三度しかない。私も、小池さんも、婆やも、大概隔日か三日置きぐらいに、昼間のうちに銭湯へ浴びに行くことにしているのであるし、今日あたりは小池さんが行く番であるから、行って来るのに不思議はない。が、敏子はそれを計算に入れて、病人と自分と二人きりになるように、私を外へ出したのではあるまいか。ついウッカリして、そう云う場合が生じ得ることに、私は考え及ばなかった。いつもなら当然気が付くのであるが、(小池さんの風呂は長湯で、五六十分はかかると云うことも、私は知っていた筈であるが)「関田町で風呂が沸いている」と云われて、さてはと胸をときめかせて思慮を失ったのである。――私は「しまった」と思いながら、二人に病人を預けて置いて、「いつもの午睡をするために」二階へ上った。

直ぐに私は、書棚の蔭に隠してある日記帳を取り出して、念のために調べて見たが、セロファンテープで封をして置けばよかったのであるが、まさかそこまで用心深くはしなかったので、盗み読まれていたにしても、証拠を見付けようはなかった。――いや、やっぱり自分の疑心暗鬼に過ぎないのだ、と、私はそうも思い直して見た。自分は少し気を廻し過ぎた、日記帳を二つに分けたこと、後の部分が二階の書棚に隠してあること、等々を、彼等がどうして知る筈《はず》があろう。私はそう思って一と先ず安心し、その時はそれで済んだのであったが、………午後八時、敏子が関田町へ去ってしまうと、又そのことが気にかかった。私は台所へ行って婆やに聞いて見た。今日の午後、私が外出したあとで誰かが二階の書斎へ上りはしなかったか。すると意外にも、「はあ、お嬢さんがお上りになりました」と云う。婆やの話だと、私が出かけてから十五分程たって小池さんが銭湯へ出かけた、それから間もなく敏子が二階へ上って行ったが、二三分で下りて来て病室に戻り、「何か旦那様とお話しになっていらっしゃる御様子でした」と云う。でも病人は鼾を掻いていた筈だが、と云うと、「その鼾ごえがぱったり止んでいました」と云う。そして敏子は「旦那様と暫《しば》く話をなすってからもう一度二階へ上り、又直ぐ下りておいでになった、そのあとで小池さんが銭湯から戻って来られました」と云う。でも、夕刻私が帰って来た時には病人の鼾ごえが聞えていたのに、と云うと、「奥さんのお留守中は止んでいて、お帰りになる少し前から又始まっていたのです」と云う。――

どうやら私の疑心暗鬼が当っており、思い過しが思い過しでなかったことが分りかけて来たのであるが、それでも私にはまだ腑《ふ》に落ちかねることがあった。ここで一往敏子の今日の行動を順に並べて見ると、――午後三時、口実を設けて私を外へ出してしまう。次に小池さんを風呂へ行かせる。次に病人が自ら眼を覚まして敏子に告げたか、敏子から病人に働きかけたか、そこのところは不明であるが、彼女は私の日記帳が茶の間の用簞笥に入れてあることを知り、それを捜し出して病人の枕元へ持って来る。病人が、この帳面は四月十六日で終っているが、十七日以後の分も必ず何処《どこ》かに秘してあるに違いない、己《おれ》が読みたいのはその方であるから捜してくれと云う。そこで彼女は二階の書棚を探って見つけ出す。次にそれを病室へ持参して病人に見せる。或《あるい》は読んで聞かせる。次に二階へ持って上って元の場所に収めて来る。小池さんが戻って来る。病人が再び安眠を装う。五時過ぎ、私が帰って来る。――と、こう云う風になるのであるが、これだけのことが私の外出中の二三時間に、こうすらすらと運ぶと云うことは、ちょっと普通には考えられない。そこで、思い出したのは、私はこの前の日曜（四月二十四日）にも、敏子にすすめられて午後に外出したのであった。とすると、敏子のこの仕事は、多分あの日曜日から取りかかっていたのではないか。既に病人は二十三日の土曜の朝、私と二人きりでいる時に、「にーき、にーき」と口走って、私の日記を読みたがっている意を明かにした。それなら、二十四日の午後、私がいなくなった留守に、敏子と小池さんのいる前（その時も小池さんは銭湯へ行っていたのかも知れないが、婆やは確かな記憶がないと云う）でも、同じ言葉を口走らなかったと誰が云えよう。病人は、私に訴えても取り合ってくれないので、敏子に訴えた。――それは最も有り得ることだと云わなければならない。私は敏子には、私の日記の存在を嘗《かつ》て知らした覚えはない。しかし木村を通してでも、又そうでなくても、何かの折々に感づいていたことであろうし、まして病人が口走ったとすれば、直ちにピンと来たであろう。「ヨウダンス、――」と、病人が茶の間の方を指さす。敏子が茶の間へ行って用箪笥の抽出を捜して見る、が、もはや日記帳はそこに置いてないことが知れる。「分った、きっと二階だわ」と、敏子が云って二階を捜す。そんな場面が私には想像される。――とにかくそう云う風にして、先ずこの前の日曜日に十七日以後も日記を附けていることが知れる。そして今日の日曜に、日記帳が用心深く二冊に製本し直されており、一冊は二階に、一冊は階下に置かれていることが分る。――それなら出来ないことではない。――

さしあたっての私の当惑は、もしこの推定が当っているとすれば、これから以後の日記をどうしたらよいか、と云うことであった。私は一旦附け始めた日記を、障害に出遇《であ》ったからと云って、中絶する気にはなれなかった。そうかと云って、これ以上盗み読まれることは、避けられるだけは避けた方がよい。今日から私は、昼寝の時間に二階で書くことを止めにする。そして深夜、病人と小池さんの寝るのを待ってしたため、某所に隠して置くことにする。……

六月九日。……長い間、私は日記をつけることを怠っていた。去月一日、即《すなわ》ち病人が第二回目の発作を起して斃《たお》れた日の前日を以《もっ》て私の日記は終っており、それ以後今日まで三十八日間と云うもの、私はあとを書き継ぐことを中止していた。それは、病人の突然の死去に依って当分の間いろいろな家事上の雑務が生じ、多忙であったからでもあるが、彼の死の結果として、さしあたり先を書き継ぐ興味が、——と云うか、張り合いが、と云うか、——なくなったからでもある。その「張り合いがなくなった」と云う事情は、今日と云えども変っていない。だから私は今後も日記をつけることをしないかも知れない。少くとも、再び日記を始めることにするかどうかは、今のところ未定であると云ってよい。が、今年の正月一日以来百二十一日の間毎日書きつづけて来た日記が、あんな風にポツリと切れてしまったままになっているので、あれに一往の結末をつけて置く方がよいとは思う。日記の体裁の上から云ってもそれが必要であると思うし、亡《な》くなった人と私との性生活の闘争についても、ここらでもう一度振り返って見て、そのいきさつを追想して見るのも徒爾《とじ》*ではない。故人が書き遺《のこ》して行った日記、——分けてもこの正月以来の日記と、私のそれとを仔細に読み比べて見るならば、闘争の跡は歴々と分るのであるが、なお私としては、故人の生前には書き記すことを憚《はばか》っていた事柄が可なりあるので、最後にそれの幾分を書き加えて、過去の日記に締めくくりをつけたいのである。

病人の死が突然であったことは今も書いた通りである。後に記すような事情で、正確な時間は分らないのであるが、死んだのは五月二日の午前三時前後――ではなかったかと思う。当時看護婦の小池さんは二階で寝ており、敏子は関田町に去っており、病室には私だけが附き添っていた。しかし私も、午前二時頃病人がいつものように安らかに鼾《いびき》を搔《か》いているのを見て、密《ひそ》かに病室を抜け出して茶の間に行き、四月三十日の夕刻以後五月一日にかけての出来事を書き留めつつあった。と云うのは、私はその前々日、つまり夫の発病以後四月三十日までは、毎日午後の午睡の時間を利用して、二階でそっと、その前日の午後からその日の午後に至る出来事を記すことにしていたのであるが、五月一日の日曜に、図《はか》らずも秘密にしていた第二冊目の日記帳が病人や敏子に盗み読まれている事実を知り、当日はいつもの時間に二階で記すことを止め、以後は深夜の時刻を選んで筆を執り、日記帳の隠匿場所を変更することに極《き》めたのであった。（変更する場所を何処にしたらよいかについては、直ぐには思い当らなかったので、私は一と先ず日記帳を以前の場所に収めて置いて、その時は二階を下りた。そしてその夜、敏子や婆やが去るのを待って、小池さんが寝に行く少し前に取りに上り、それをふところに入れて下りて来た。その直ぐあとで小池さんが上って行った。私はまだその時も適当な隠し場所を考えつかないで困っていた。今夜じゅうに考えつけばよいのであるが、已《や》むを得なければ茶の間の押入の天井板を一枚剝《は》がして、その上に挿し込むことにしようか、などと思案していた）で、五月二日の午前二時過ぎ、茶の間に這入《はい》って懐中していた帳面を取り出し、四月三十日の夕刻以後の出来事を記していると、ふと、つい先刻まで聞えていた病人の鼾《いびき》ごえが、いつからか聞えなくなっているのに心づいた。病室と茶の間とは壁一《ひ》重《え》しか隔たっていないのであるが、私は書く方に気を取られていたので、それまで知らずにいたのである。私は、「……今日から私は、昼寝の時間に二階で書くことを止めにする。そして深夜、病人と小池さんの寝るのを待ってしたため、某処に隠して置くことにする。……」と、ここまで書き終った時に気がついて筆を止め、暫《しばら》く隣室に耳を傾けていた。が、それきり声が聞えて来る様子がないので、書きさしの日記帳を卓の上に置き、立って病室に行って見た。病人は静かに仰向いて、顔を真正面《まとも》に天井に向けて寝ているようであった。（発病の日に私が眼鏡を外してやってから、病人は一度も眼鏡を掛けたことがなかった。彼の寝ている時の姿勢は、大体に於《お》いて仰向けであったが、そのために一層、あの「眼鏡のない顔」を見せられる場合が多かった)「ようであった」と云うのは、病室ではスタンドのシェードに布を被《かぶ》せて病人に光線が直射せぬようにしていたので、蔭のところに臥《ね》ている病人の顔が、急にはハッキリ見定め難かったからである。私は椅子《いす》に腰かけて一と息つき、薄暗いところにいる病人を見据えたのであったが、何か異常に静か過ぎる感じがしたので、シェードの布を上げて病人の顔に露骨な光線があたるようにした。と、病人の眼は半眼に見開かれて、斜めに、寝台の裾の方の天井に注がれたまま、凝然と動かなくなっていた。「死んだのだ」――私はそう思って傍へ寄り、手に触れて見ると、冷たくなっていた。枕元の時計は三時七分を指していた。であるから、五月二日の午前二時数分後から三時七分に至る間に於いて死去した、と云うことだけが云える。そして恐らく寝ている間に、殆《ほとん》ど何の苦痛もなく逝《い》ったらしいことは想像出来る。私は臆病な人間が恐怖を怺《こら》えて深淵《しんえん》の底を覗《のぞ》き込むように、「眼鏡のない顔」を数分の間息を凝らして視詰《みつ》めてから、――新婚旅行の夜の記憶が途端に鮮《あざや》かに蘇生《よみがえ》った。――再び急いでシェードの布を被せたのであった。

相馬博士も児玉さんも、第二回目の脳溢血《のういっけつ》の発作がこの病人にこんなに早く襲って来るであろうとは、予期していなかったと云うことを翌日云われた。昔、と云っても今から十年ぐらい前までは、一度脳溢血に罹《かか》ると、それから二三年、もしくは七八年を経て二度目の発作に襲われる例が多く、大概な人はその時に駄目になったものであるが、近年は医術の進歩に依って、そうとも限らないようになった。一度罹ってもそれきり罹らない人もあり、二度罹っても又再起する人もあり、三度も四度も罹りながらなお天寿を保っている人も、しばしば見受けるようになった。お宅の御主人は学者の方に似合わず、摂生に関しては無頓着《むとんじやく》なところがあり、ややともすると医師の忠告をお用いにならない風があったので、再発の恐れが全くないとは云えなかったけれども、こんなに早くそれが来るとは思わなかった、まだ六十歳には達しておられないことであるし、ここで一旦、徐々ながらも健康を回復され、今後数年、巧《うま》く行ければ十数年は活動をおつづけになるであろうと考えていたのに、斯様《かよう》な結果になったのは意外である。――と、博士も児玉さんもそう云ってくれた。博士や児玉さんがほんとうにそう思っておられたかどうかは、勿論《もちろん》推測の限りではない、人の命数は如何《いか》なる名医にも予断出来ないものであるから、二人がそう思っておられたとしても不思議はないが、正直に云って、私は大体予期していたことが予期した時に起ったと思い、あまり意外な感は抱《いだ》かなかったのであった。予期したことが予期した通りに起らないこともあり得るし、むしろその方が普通であるが、私と夫の場合には、私の予測が適確に当ったのである。そのことは娘の敏子にしても、同様に感じているだろうと思う。

そこで、もう一遍夫の日記と私の日記とを読み返し、照らし合わしながら、夫と私とがこう云う風な発展の後にこう云う風な永別を遂げるに至った事の次第を、今こそあけすけに跡づけて見たいのである。尤《もっと》も、夫は既に何十年も前、私と結婚する以前から日記をつけていたそうであるから、彼と私との関係を根本的に究《きわ》めるためには、そう云う古い日記から読み直すのが順序であるかも知れない。が、私のようなものがそんな大仕事に手をつける資格はない。二階の書斎の、梯子《はしご》を掛けなければ届かない高い所にある戸棚には、夫の日記帳が何十冊となく埃《ほこり》にまみれて積み重ねてあるのを知っているけれども、私はそんな厖大《ぼうだい》な記録に眼を通すほどの根気はない。故人は彼自身も云っている通り、去年までは私との閨房《けいぼう》生活のことは努めて日記に附けないようにしていた。彼がそのことを遠慮なく記すようになったのは、――と云うよりは、殆どそのことばかりを記す目的を以て日記を書くようになったのは、今年の正月以来のことで、同時に私もこの正月からそれに対抗して附け始めたのであるから、先ずそれ以後の彼と私とが代る代る語るところを対比して見、その間に漏れているところを補って行けば、二人がどんな風にして愛し合い、溺《おぼ》れ合い、欺《あざむ》き合い、陥《おとしい》れ合い、そうして遂に一方が一方に滅ぼされるに至ったかのいきさつが、ほぼ明かになる筈で、それ以前の日記にまで溯《さかのぼ》る要はないように思う。夫は本年一月一日の記に於いて、私のことを「生レツキ陰性デ、秘密ヲ好ム癖ガアル」と云い、「知ッテイル〡デモ知《こと》ラナイ風ヲ装イ、心ニアル〡ヲ容易ニ口ニ出サナイ」性質の女であると云っているが、これはたしかにその通りであることを否定しない。概括的に云えば、私よりも彼の方が何層倍か人間が正直に出来ており、従ってその記すところにも虚偽が少いことは認めざるを得ないけれども、そう云っても彼の言葉にも、全く譃《うそ》がないと云う訳でもない。たとえば「妻ハコノ日記帳ガ書斎ノ何処《どこ》ノ抽出《ひきだし》ニ這入《はい》ッテイルカヲ知ッテイルニ違イナイ」けれども、「マサカ夫ノ日記帳ヲ盗ミ読ムヨウナ〡ハシソウモナイ」と云ったり、「シカシ必ズシモソウトハ限ラナイ理由モアル」が、「今年カラハソレヲ恐レヌ〡ニシタ」と云ったりしているが、実はその後段に於いて告白している通り、「ムシロ内々《ないない》読マレル〡ヲ覚悟シ、期待シテイタ」と云うのが本心であったことを、私は夙《つと》に見破っていた。正月四日の朝、彼が書棚の水仙の花の前にわざと抽出の鍵《かぎ》を落しておいたのは、私に日記を読んで貰いたくて溜《たま》らなくなった証拠であるが、そんな小細工をしてくれないでも、私は疾《と》うから盗み読みをしていたのであることを、ここで白状することにしよう。私は私の一月四日の記に於いて、「私は(夫の日記帳を)決して読みはしない。私は自分でここまでと極《き》めている限界を越えて、夫の心理の中にまで這入り込んで行きたくない。私は自分の心の中を人に知らせることを好まないように、人の心の奥底を根掘り葉掘りすることを好まない」と云っているが、ほんとうを云えばそれは虚言である。「私は自分の心の中を人に知らせることを好まない」けれども、「人の心の奥底を根掘り葉掘りすること」は好きなのである。私は、彼と結婚したその翌日あたりから、ときどき彼の日記帳を盗み読む習慣を持ち始めていた。私は彼が「その日記帳をあの小机の抽出に入れて鍵をかけていることも、そしてその鍵を時としては書棚のいろいろな書物の間に、時としては床の絨緞《じゅうたん》の下に隠していることも、とうの昔から知っていた」のであり、決して「日記帳の中を開けて見たりなんかしたことはない」どころではない。ただ今までは、われわれ夫婦の性生活につながりのある問題は余り扱われていたことがなく、私には無味乾燥な学問的な事柄が多かったところから、めったに身を入れて見たことはなかった。時折ぱらぱらとページをめくって見る程度で、纔《わず》かに「夫のものを盗み読んでいる」と云うことだけに、或る満足を覚えていたに過ぎなかったのであるが、彼がそのことを記すことを「恐レヌ〓ニシタ」今年の正月一日の記から、私は当然の結果として彼の記述に惹《ひ》き付けられた。私は早くも正月二日の午後、彼が散歩に出かけた留守中に、彼の日記の書き方が今年から変化していることを発見した。但し私が盗み読みをしていることを夫に秘していたのは、生来「知ッテイル〓デモ知ラナイ風ヲ装」うのが好きであるためばかりではない。盗み読んでは貰いたいのだが、読んでも読まない風をしていてくれるようにと云うのが、恐らくは夫の注文であるらしいことをも、察していたからである。

彼が私を、「郁子ヨ、ワガ愛スルイトシノ妻ヨ」と呼び、「何ヨリモ、僕ガ彼女ヲ愛シテイル〔」〕は「偽リノナイ〔」デ〕あると云っているのは、真実に違いないと思う。私はその一事については寸毫《すんごう》も彼を疑っていない。が、同時に私も当初に於いては彼を熱愛していたことを、認めて貰いたいのである。「遠い昔の新婚旅行の晩、……彼が顔から近眼の眼鏡を外《はず》したのを見ると、途端にゾウッと身慄《みぶる》いがしたこと」も事実であり、「今から考えると、私は自分に最も性の合わない人を選んだらしい」ことも、時々彼に面と向って見て、「何と云う理由もなしに胸がムカムカ」したことも事実であるに相違ないが、そうだからと云って、私が彼を愛していなかったと云うことにはならない。「古風ナ京都ノ旧家ニ生レ封建的ナ空気ノ中ニ育ッタ」私は、「父母の命ずるままに漫然とこの家に嫁《とつ》ぎ、夫婦とはこう云うものと思」わされて来たのであるから、好むと好まないとに拘《かか》わらず、彼を愛するより外に術《すべ》はなかった。まして私には「今日モナオ時代オクレナ旧道徳ヲ重ンズル一面ガアリ、或ル場合ニハソレヲ誇リトスル傾向モア」ったのである。私は胸がムカムカするたびに、夫に対しても、亡《な》くなった私の父母に対しても、そう云う心持を抱く自分自身を浅ましいとも、申訳がないとも感じ、そんな心持が起れば起るほど、尚更それに反抗して彼を愛するように努めたし、又愛し得ていた。なぜかと云うのに、生れつき体質的に淫蕩《いんとう》であった私は、どうでもこうでもそうするより外に生き方はなかったからである。当時の私が、夫に対して何かの不満を持っていたとすれば、それは夫が私の旺盛《おうせい》な慾求に十分な満足を与えてくれないと云う点にあったが、それでも私は、彼の体力の乏しさを咎《とが》めるよりは、自分の過度な淫慾を耻《は》じる気持の方が強かった。私は彼の精力の減退を歎《なげ》きながらも、そのために愛憎《あいそ》を尽かすどころか、一層愛情を募らせつつあった。然《しか》るに、彼は何と考えたのか、この正月からそう云う私に新しい眼を見開かせてくれたのである。彼が「今日マデ日記ニ記スコトヲ躊躇《ちゆうちよ》シテイタヨウナ事柄ヲモ敢《あえ》テ書キ留メル「ニシタ」真の動機が何であったかは、よく分らない。「僕ハ彼女ト直接閨房ノ「ヲ語リ合ウ機会ヲ与エラレナイ不満ニ堪エカネテコレヲ書ク」と云い、私の「アマリナ秘密主義」、私の所謂《いわゆる》「身嗜《みだしな》ミ」、「アノ偽善的ナ『女ラシサ』」、「アノ態《わざ》トラシイオ上品趣味」に反感を抱き、それを打破してやりたいために「コウ云ウ「ヲ書ク気ニナッタ」と云っているのは、果してそれだけが理由だったのであろうか。恐らくは他に重大な原因もあったことと思われるけれども、日記は不思議にもそのことについて明瞭には記すところがない。或は彼自身も、ああ云う日記を書きたくなった心の経過、その由《よ》って来《きた》るところを理解していなかったのかも知れない。とまれ私は、自分が「多クノ女性ノ中デモ極メテ稀《まれ》ニシカナイ器具ノ所有者デアル「」を、始めて教えられたのであった。私が「モシ昔ノ島原ノヨウナ妓楼《ぎろう》ニ売ラレ」た女であったとしたら、「必ズヤ世間ノ評判ニナリ、無数ノ嫖客《ひょうかく》ガ競ッテ」「周囲ニ集マ」ったであろうことを、私は始めて知ったのであった。ところで、「僕ハコンナ〓ヲ彼女ニ知ラセナイ方ガヨイカモ知レナイ。彼女ニソウ云ウ自覚ヲ与エル〓《こと》ハ、少クトモ僕自身ノタメニ不利カモ知レナイ」にも拘わらず、彼が敢てその不利を冒す気になったのはなぜであろうか。彼は私のその「長所ヲ考エタダケデモ嫉妬《しっと》ヲ感」じ、「モシモ僕以外ノ男性ガ彼女ノアノ長所ヲ知ッタナラバ、……ドンナ〓ガ起ルデアロウカ」不安であると云っているが、その不安を殊更《ことさら》隠すところなく日記に書き記すと云うことは、ひょっとすると、私にそれを盗み読んで貰い、そうして彼を嫉妬せしめるような行動を示して貰うことを、期待しているのではあるまいかと云う風に、私は取った。この推測が当っていたことは、「僕はソノ嫉妬ヲ密《ひそ》カニ享楽シツツアッタ」、――「僕ハ嫉妬ヲ感ジルトアノ方ノ衝動ガ起ル」、――「ダカラ嫉妬ハ或ル意味ニ於イテ必要デモアリ快感デモアル」(一月十三日)――等々とあるので明かであるが、もうそのことは一月一日の日記の中でうすうす私には想像出来たのであった。………

六月十日。………八日に私はこう書いている。――「私は夫を半分は激しく嫌《きら》い、半分は激しく愛している。私は夫とほんとうは性が合わない……」と。そうしてまたこうも書いている。――「だからと云って他の人を愛する気にはなれない。私には古い貞操観念がこびり着いているので、それに背《そむ》くことは生れつき出来ない」、――「私は夫のあの……愛撫《あいぶ》の仕方にはホトホト当惑するけれども、そう云っても彼が熱狂的に私を愛していてくれることは明かなので、それに対して何とか私も報いるところがなければ済まない」と。亡くなった父母に厳しい儒教的躾《しつけ》を受けた私が、仮にも夫の悪口を筆にするような心境に引き入れられたのは、二十年来古い道徳観念に縛りつけられて、夫に対する不満の情を無理に抑圧していたせいもあるけれども、何よりも、夫を嫉妬せしめるように仕向けることが結局彼を喜ばせる所以《ゆえん》であり、それが「貞女」の道に通ずるのであることを、おぼろげながら理解しかかっていたからである。しかし私はまだ、夫を「激しく嫌」うと云い、「性が合わない」と云っているに過ぎず、すぐそのあとから「他の人を愛する気にはなれない」、夫に「背くことは生れつき出来ない」と、弱音を吐いているのである。私は既にその時分から、潜在的には木村を恋しつつあったのかも知れないが、自分ではそれを意識していなかった。自分は夫に貞節を尽さんがために、心ならずも彼の嫉妬を煽《あお》るような言葉を、恐る恐る、それも大変遠廻しに洩《も》らしていただけであった。

だが、十三日に、「木村ニ対スル嫉妬ヲ利用シテ妻ヲ喜バスヿニ成功シタ」――「ソウ云ウ風ニシテ努メテ僕ヲ刺戟《しげき》シテクレルヿハ、彼女自身ノ幸福ノタメデモアルト思ッテ貰イタイ」と云う語、「僕ハ僕ヲ、気ガ狂ウホド嫉妬サセテ欲シイ」、――「妻ハ随分キワドイ所マデ行ッテヨイ。キワドケレバキワドイ程ヨイ」、――「多少疑イヲ抱カセルクライデアッテモヨイ。ソノクライマデ行クヿヲ望ム」と云う語が出て来るのを読んでから、私は急角度を持って木村のことを考えるようになった。「少クトモ妻ハ、……自分デハ若イ二人ヲ監督シテイルツモリカモ知レナイガ、実際ハ木村ヲ愛シテイルヨウニ思エテナラナイ」と、七日に夫がそんな風に書いているあたりでは、私はむしろ「イヤらしい」と云うように感じ、いくら夫に嗾《けしか》けられてもそう云う道に外《はず》れたことが出来るものかと、反撥《はんぱつ》を感じていたのであったが、「キワドケレバキワドイ程ヨイ」と云われるに及んで、私の心に急回転が起った。私が意識するより前に、私に木村を好む様子があるのを見て夫が嗾けたのか、嗾けられたので無から有が生じたのか、そこのところはよく分らない。が、私は自分の好奇心が木村の方へ傾いたのを明瞭に意識し出してからも、なお暫《しばら》くは、夫のために「心ならず」もそのように「努めて」いるのであると、自らを欺いていた。――そう、私は今「好奇心」と云う語を使ったが、当時は夫を喜ばすために夫以外の人間にちょっとした好奇心を持って見るのだ、と云う風に自分に云い聴かせていた。一月二十八日に、始めて人事不省になった時の心理状態を云えば、木村に対する自分の気持が夫のためのものであるのか、自分自身のためのものであるのか、その辺の境界があの晩あたりから自分にも分らなくなって来たので、その苦しさを胡麻化《ごまか》そうとしていたのであった。あの晩から、二十九日、三十日の朝にかけて、私はずっと寝通していた。「彼女ノ性質カラ推《お》シテ、果シテホントウニ睡《ねむ》ッテイタノカ寝タフリヲシテイタノカ、ソノ点ハ疑ワシイ」と夫が書いているあの二日間、私は決して「寝タフリヲシテイタ」のではないが、そうかと云って完全に意識を失いつづけていたとは云い難い。あの時の半睡半醒の状態は、大体あの折の日記に書いた通りであるが、「彼女ノ口カラ『木村サン』ト云ウ一語ガ譫言《うわごと》ノヨウニ洩《も》レタ」ことについては、多少書き添える必要があろう。あれは「ホントウノ譫言ダッタノカ、譫言ノ如ク見セカケテ故意ニ僕ニ聞カセタノデアルカ」孰方《どちら》であるかと云えば、その中間ぐらいであったと云えよう。私は「寝惚《ねぼ》ケテ、木村ト情交ヲ行ッテイルト夢見」つつあったのであるが、途端に「木村さん」と云う譫言を口走ったのを、朦朧《もうろう》とした意識の底で感じていた。「ああ浅ましいことを口走っているな」と思いながら云っていた。そして、こんな言葉を夫に聞かれて恥《はず》かしいと思う一方、聞かれた方がよかったと云う気持も、ないではなかった。しかしその次の夜。「『木村サン』ト云ウ一語ガ今夜モ彼女ノ口カラ洩レタ。彼女ハ今夜モ同ジ夢、同ジ幻覚ヲ、同ジ状況ノ下ニ於イテ見タ」のであろうかと云っている三十日の夜の場合は違う。あの夜は私は明かに或る目的を以て寝た振りをし、譫語のように見せかけてあの言葉を云った。はっきりした意図と計画に基いていたとまでは云い難いが、――矢張幾分は寝惚けていたかも知れないが、――寝惚けているのを意識しながら、良心を麻痺《まひ》させるのにそれを利用した。「僕ハ彼女ニ愚弄《ぐろう》サレテイルト解スベキナノデアロウカ」と夫は云っているが、或はそう解するのが当っているかも知れない。あの譫語には、「木村サントコンナ風ニナッタラナア」と云う気持と、「夫があの人を私に世話してくれたらなあ」と云う気持と、二つの願望が籠《こも》っていたに違いなく、それを分って貰うためにあの言葉を云った。

二月十四日に、木村は夫にポーラロイドと云う写真機のあることを教えた。「僕ニソウ云ウ機械ノアルヿ《こと》ヲ教エタラ僕ガ喜ブデアロウト云ウヿヲ、ドウシテ木村ハ察シタノデアロウカ、ソレガ不思議ダ」と云っているが、それは私にも不思議であった。夫が私の裸体像を撮影したがっているだろうなどとは、私にしても察知してはいなかった。仮に察知していたとしても、そんなことを木村に知らせてやる隙《すき》などはなかった。あの時分、私は毎夜のように泥酔して木村の腕に凭《よ》りかかりつつ抱き運ばれていたけれども、夫婦間の秘戯に関することは愚か、ついぞ打ち解けた談合などを彼と遣《や》り取りしたことはなかった。ありていに云って、彼とは酔って運ばれるだけの関係で、夫の眼を掠《かす》めて話し合う機会などある筈はなかった。私はむしろ敏子が怪しいと睨《にら》んでいた。木村にそんな暗示を与えた者があるとすれば、敏子を措《お》いて他《ほか》にない。彼女は二月九日に、関田町に別居させて欲しい旨を申し出ており、静かな場所で勉強したいと云うのを理由に挙げているが、「静かな場所」を欲すると云うのは、深夜両親の寝室で時々煌々《こうこう》と電燈が点《とも》ったり、蛍光燈ランプが輝いたりするのに辟易《へきえき》していると云う意味であろうことは、推測するに難くなかった。多分彼女は、蛍光燈に照らされている寝室内の光景を夜な夜な隙見していたに違いないが、――ストーブがゴウゴウと呻《うな》りを立てて燃えていたので、足音を忍ばせるには好都合であった筈だ。――とすれば、私を裸体にしてさまざまな姿態に置きかえることに限りない愉悦を覚えていた夫の所作をも、悉《ことごと》く見て知っていたであろうことも想像出来る。とすれば又、彼女がそのことを木村に話したであろうことも想像出来る。これらの想像が当っていたことは後日に及んで明かになったが、私は十四日の夫の日記を読んだ時に、大凡《おおよ》そそこまでは察していた。つまり、当時私が裸体にされて弄《もてあそ》ばれていたことは、私自身より先に敏子が知り、木村に報告していた筈であった。

それにしても、木村は何のために「ソウ云ウ機械」のあることを夫に教えたり、私の裸体を撮影することを示唆したりしたのであろうか。このことについては、ついまだ木村に聞いて見るのを忘れていたが、察するところ、一つには夫にそう云う智慧《ちえ》を授けて彼の歓心を得たかったのであろう。が、一つには、そうすれば他日夫の撮影した裸体写真を、自分も手に入れることが出来るようになることを、期待したからなのであろう。そしてその方が主たる目的だったのであろう。夫がやがてポーラロイドで満足出来ず、ツワイス・イコンを使うようになり、それを現像する役目が木村に廻って来るようになるのを、――細かい先の先まではどうか知れないが、大体そう云うようなことが起り得《う》ることを、木村は恐らく見通したのであろう。

二月十九日に、「敏子の心理状態が私には摑《つか》めない」と書いているが、実は或る程度は摑めていた。今述べたような工合で、私は彼女がわれわれ夫婦の閨房《けいぼう》の情景を木村に洩らしたであろうことは、ほぼ推していた。彼女は木村を、心密《ひそ》かに愛しているのであり、それ故に「内々私に敵意を抱きつつある」ことも分っていた。彼女は、「母は生れつき繊弱なたちで過度の房事には堪えられないのに、父が無理やりに云うことを聴かせ」ているのであると解し、その点では私の健康を気づかい、父を憎んでいたのであるが、父が妙な物好きから木村と私とを接近させ、木村も私もまたそれを拒まない風があるのを見て、父を憎むと共に私をも憎んだ。私はそれを随分早くから感づいていた。ただ、私以上に陰険である彼女は、「自分の方が母より二十年も若いに拘《かか》わらず、容貌《ようぼう》姿態の点に於いて自分が母に劣っている」ことを知っており、木村の愛がより多く母に注がれているることを知っているが故に、先ず母を取り持っておいて徐《おもむ》ろに策を廻《めぐ》らすつもりでいたことも、私には読めていた。しかし二人を取り持つについて、彼女と木村との間に予《あらかじ》めどれだけの連絡があったのかは、未《いま》だに私によく分らない。たとえば、彼女が関田町へ間借りしたのは、蛍光燈に辟易したためばかりでなく、木村の下宿が近いと云うことも、初めから考慮の中にあったことと思われるけれども、それは木村の入れ智慧だったのか、彼女が単独で思いついたことなのか。あれは敏子が勝手にお膳立てをしたので、「僕は据《す》え膳《ぜん》の箸《はし》を取っただけだ」と、木村は云っていたけれども、真相はどうなのであろうか。私はそう云う点については、今も木村を信用していない。

敏子が私を嫉妬していたように、私も内心敏子に対して可なり激しい嫉妬を燃やしていた。にも拘わらず、私は努めてそのことを人にも悟らせず、日記にも書かないようにしていた。それは私の持ち前の陰険性の故でもあるが、それよりも、自分の方が娘よりも優《すぐ》れていると云う自信を持っていたところから、その自尊心を自ら傷つけたくなかったからであった。なおもう一つ、私が敏子を嫉妬する理由のあること――と云うのは、木村が彼女をも愛しているかも知れないと云う疑いのあること――を、夫に知られるのを何よりも私は恐れた。夫自身も、「モシ僕ガ木村デアッタトシテ、ドッチニ余計惹《ひ》キ付ケラレルカト云エバ、ソレハ、年ハ取ッテイルケレドモ母ノ方デアル「ハ確カ」であると云いながら、「ダガ木村ハドウトモ云エナイ」と云い、「サシアタリ母ノ歓心ヲ買イ、母ヲ通ジテ敏子ヲ動カソウトシテイル」かも知れないと、多少疑念を挟んでいた時もあった。で、私は夫にそう云う疑念を抱かせることを最も嫌った。木村は一途に私一人を愛しているもの、私のためには如何《いか》なる犠牲をも惜しまないでいるものと、夫に思わせて置きたかった。そうでなければ、夫の木村に対する嫉妬が生一本で強烈なものにならないからであった。

六月十一日。………夫は二月二十七日に、「ヤッパリ推察通リダッタ。妻ハ日記ヲツケテイタノダ」と云い、「数日前ニウスウス気ガ付イタ」と云っているけれども、実際は余程前からハッキリと知っており、かつ内容を盗み読みしていたものと思う。私もまた、「自分が日記をつけていることを夫に感づかれるようなヘマはやらない」――「私のように心を他人に語らない者は、せめて自分自身に向って語って聞かせる必要がある」――などと云っているのは、真赤な譃《うそ》である。私は夫に、私には内証で読んで貰うことを欲していた。「自分自身に向って聞かせ」たかったことも事実であるが、夫にも読ませることを目的の一つとして書いていた。では何のために音のしない雁皮紙《がんぴし》を使ったり、セロファンテープで封をしたりしたかと云えば、用もないのにそう云う秘密主義を取るのが生来の趣味であったのだ、と云うより外はない。この秘密主義は、私のことをそう云って嗤《わら》う夫にしても同様であった。夫も私も、互に盗み読まれることは分っていながら、途中にいくつもの堰《せき》を設け、障壁を作って、出来るだけ廻りくどくする、そして、相手が果して標的へ到達したかどうかを曖昧《あいまい》にする、それが私たちの趣味であった。私が面倒な手数を厭《いと》わずセロファンテープ等を使ったのは、自分だけでなく、夫の趣味に迎合するためでもあった。

私は四月十日になって、始めて夫の健康が尋常でないことを日記に書いている。――「夫は彼の日記の中に彼自身の憂慮すべき状態について何事かを洩らしているであろうか。………彼の日記を読まない私にはそれは想像出来ないけれども、実は私はもう一二カ月前から、彼の様子が変調を来たしていることに気がついていた」と。夫自身がこのことを自白したのは、三月十日の記事からであるが、実際は、彼が自分で気がつくより先に、私の方が知っていたのではないかと思う。私はしかし、いろいろの理由から、最初のうちはわざとそれに気がつかない振りをしていた。それは夫を徒《いたず》らに神経過敏にさせることを恐れたからでもあるが、それ以上に、神経過敏の結果として、彼が房事を慎しむようになることを一層恐れたのであった。私は夫の生命を心配しない訳ではなかったが、飽くことを知らぬ性的行為の満足の方がもっと切実な問題であった。私は何とかして彼に死の恐怖を忘れさせ、「木村ト云ウ刺戟剤」を利用して嫉妬を煽《あお》り立てることに懸命になっていた。………が、私のこの気持は、四月に這入《はい》ってから次第に変った。三月中、私はたびたび、自分が未だに「最後の一線」を固守している旨を日記に書き、夫に私の貞節を信じさせるように努めたのであったが、「紙一重のところまで」接着していた私と木村の最後の壁がほんとうに除かれたのは、正直に云うと三月二十五日であった。翌二十六日の日記に、私と木村のそらぞらしい問答が記されているが、あれは夫を欺《あざむ》くための拵《こしら》え事であった。そして、私の心に重大な決意が出来上るようになったのは四月上旬、四日、五日、六日、あたりであったと思う。夫に誘導されて一歩々々堕落の淵《ふち》に沈みつつあった私であるが、まだそれまでは、夫の要請黙《もだ》し難く苦痛を忍んで不倫を犯しているかのように、――そうしてそれは旧式な道徳観から見ても、婦人の亀鑑と仰がれてもよい模範的行為であるかのように、自分を欺いていたのであったが、その時あたりから、私は全く虚偽の仮面を投げ捨ててしまった。私はきっぱりと、自分の愛が木村の上にあって夫の上にはないことを、自ら認めるようになった。四月十日に、「体の工合が寒心すべき状態にあるのは夫ばかりでなく、実は私も同様である」と書いていのは、深い魂胆があってのことで、ありようは、私は病気でも何でもなかった。尤も、「敏子が十ぐらいの時に二三度喀血《かっけつ》した経験があ」り、「肺結核の症状が二期に及んでいると云われ」たのは事実であるが、それでも「医師の忠告を無視して不養生の限りを尽し」て、幸運にも「案ずるほどのこともなく自然に治癒《ちゆ》してしま」い、それ以後再発したことはなかったのであった。従って、「二月の或る日、この前の時と全く同じ泡《あわ》を交えた鮮紅色の血液が痰《たん》と共に出た」ことも、「午後になると毎日のように疲労感が襲って来」て、「おりおり胸が気味悪く疼《うず》」いたことも、「今度は次第に悪化して救い難いことにな」りそうで、どうやら「ただごとでない」ような気がしたことも、すべて根も葉もない虚構で、それは夫を一日も早く死の谷へ落し込む誘いの手として書いたのであった。私も死を賭《と》しているのであるから、あなたもその気におなりなさいと、私は夫にそう云って聞かせるのが目的であった。あれから以後の私の日記は、専《もっぱ》らその目的に添って書かれているのであるが、書くだけでなく、場合に依っては喀血の真似事《まねごと》をさえ演じて見せる用意をしていた。私は彼を息《いこ》う暇なく興奮させ、その血圧を絶えず上《じょう》衝《しょう》させることに手段を悉《つく》した。（第一回の発作以後も、私は少しも手を緩《ゆる》めずに、彼を嫉妬させるべく小細工を弄《ろう》しつづけた）彼の肉体的破滅がそう遠くない時期に迫っているらしいことは、木村が余程以前からそれとなく予言していたが、私も、そして恐らくは敏子も、そう云うことに勘の鋭い木村の直覚を、なまじな医師の判断よりもアテにしていた。

それにしても、私の体質に淫蕩《いんとう》の血が流れていたことは否み得ないとして、夫の死をさえたくらむような心が潜んでいたとは、どうした訳であろう。いったいそんな心が、いつ、どんな隙に食い込んだのであろう。亡くなった夫のような、ひねくれた、変質的な、邪悪な精神で、執拗《しつよう》にジリジリと捻《ね》じ曲げられたら、どんな素直な心でもしまいには曲って来るのであろうか。そうではなくて、私の場合は、昔気質《かたぎ》な、封建的な女と見えたのは環境や父母の躾《しつけ》のせいで、本来は恐ろしい心の持ち主だったのであろうか。このことはもっとよく考えて見なければ孰方《どちら》とも云えない。と同時に、終局に於いて矢張私は亡くなった夫に忠実を尽したことになるのである。夫は彼の希望通りの幸福な生涯を送ったのであると、云えるような気がしないでもない。

敏子のことや木村のことも、今のところ疑問の点が沢山ある。私が木村と会合の場所に使った大阪の宿は、「何処カナイデショウカト木村サンガ云ウカラ」敏子が「オ友達ノ或ルアプレノ人」に聞いて教えてやったのだと云うけれども、ほんとうにそれだけが真実であろうか。敏子もあの宿を誰かと使ったことがあり、今も使っているのではないであろうか。

木村の計画では、今後適当な時期を見て彼が敏子と結婚した形式を取って、私と三人でこの家に住む。敏子は世間体を繕うために、甘んじて母のために犠牲になる、と、云うことになっているのであるが。………

瘋《ふう》癲《てん》老人日記

一

十六日。………夜新宿ノ第一劇場*夜ノ部ヲ見ニ行ク。出シ物ハ「恩讐《おんしゅう》の彼方《かなた》へ」*「彦市ばなし」*「助六曲輪菊《すけろくくるわのももよぐさ》」*デアルガ他ノモノハ見ズ、助六ダケガ目的デアル。勘弥《かんや》*ノ助六デハ物足リナイガ、訥升《とっしょう》*ガ揚巻《あげまき》ヲスルト云ウノデ、ソレガドンナニ美シイカト思イ、助六ヨリモ揚巻ノ方ニ惹《ひ》カレタノデアル。婆サント颯子《さつこ》ト同伴。浄吉《じょうきち》モ会社カラ直接駆ケツケル。助六ノ芝居ヲ知ッテイルノハ予《よ》ト婆サンダケ。颯子ハ知ラナイ。婆サンモ団十郎*ノハ見タコトガアルカモ知レナイガ、記憶ガナイ。先々代ノ羽左衛門《うざえもん》*ノハ一度カ二度見タト云ウ。団十郎ノヲハッキリト見テイルノハ予一人デアル。アレハ明治三十年前後*、十三四ノ頃ダッタト思ウ。団十郎ノ助六ハコノ時ガ最後デ、三十六年ニハ死ンデイル。揚巻ハ先代歌右衛門*、ソノ時ハマダ福助ト云ッテイタ。意休《いきゅう》ハ福助ノ父ノ芝翫《しかん》*デアッタ。予ノ家ガ本所割下水《わりげすい》*ニアッタ時代デ、両国広小路*ノ、アレハ何ト云ッタッケナ、何トカ云ウ有名ナ絵草紙屋*ノ店頭ニ助六ト意休ト揚巻ノ三枚続キ*ノ錦絵《にしきえ》ガ掲ゲテアッタノヲ今モ忘レナイ。

予ガ羽左衛門ノ助六ヲ見タ時ハ、意休ガ先代中車《ちゆうしや》*、揚巻ガヤハリ昔ノ福助、当時ノ歌右衛門ダッタト思ウ。何デモ冬ノ寒イ日デ、羽左衛門ハ熱ガ四十度近クモアッタニ拘《かかわ》ラズ、ブルブル震エナガラ水入リヲシタ。カンペラ門兵衛ハ特ニ浅草ノ宮戸座《みやとざ》*カラ中村勘五郎*ガ買ワレテ来テ演ジタガ、コレガ妙ニ印象ニ残ッテイル。トニカク予ハ助六ノ芝居ガ好キナノデ、助六ガ出ルト聞クト、勘弥ノデモ見ニ行キタクナル。況《いわ》ンヤ御贔屓《ごひいき》ノ訥升ガ見ラレルニ於《お》イテヲヤ。

勘弥ノ助六ハ初役デアロウガ、ヤハリドウモ感心出来ナイ。勘弥ニ限ラズ、近頃ノ助六ハ皆脚《あし》ニタイツヲ穿《は》ク。時々タイツニ皺《しわ》ガ寄ッタリシテイル。コレハ甚《はなは》ダ感興ヲ殺《そ》グ。アレハ是非素脚《すあし》ニ白粉《おしろい》ヲ塗ッテ貰《もら》イタイ。

訥升ノ揚巻ハ十分満足シタ。コレダケデモ来タ甲斐《かい》ガアルト思ッタ。福助時代ノ昔ノ歌右衛門ハイザ知ラズ、近頃コンナ美シイ揚巻ヲ見タコトハナイ。イッタイ予ニハPederasty*ノ趣味ハナイノダガ、最近不思議ニ歌舞伎俳優ノ若イ女形《おやま》ニ性的魅力ヲ感ズルヨウニナッタ。ソレモ素顔デハ駄目ダ。女装シタ舞台ノ上ノ姿デナケレバ駄目ダ。ソウソウ、ソレデ思イ出シタガ、予ニモ全然ペデラスティーノ趣味ガナイトハ云エナイカモシレナイ。

若イ時ニタッタ一遍ダケ奇怪ナ経験ヲシタコトガアル。昔新派ニ若山千《わかやまち》鳥《どり》*ト云ウ美少年ノ女形ガイタ。山崎長之輔《やまざきちょうのすけ》*ノ一座ニ属シ中洲《なかず》ノ真砂座《まさござ》*ニ出テイタガ、ヤヤ老イテカラハ六代目*ノ面差《おもざし》ニ似テイタ先代嵐芳三郎《あらしよしさぶろう》*ノ相手役トシテ宮戸座ニ出テイタ。老イタト云ッテモ三十ソコソコデナオ美シカッタガ、見タトコロ年増《としま》女ト云ウ感ジデ、トテモ男性トハ思エナカッタ。真砂座時代紅葉山人《こうようさんじん》ノ「夏小袖《なつこそで》」*ノオ嬢サンニナッタ時、予ハ特ニ彼女、デハナイ彼ニ魅惑サレタ。何トカ出来タラ一夕《いっせき》彼ヲオ座敷ヘ呼ビ、舞台デ見タ通リノ女装ヲサセテ、チョットデモイイカラ一緒ニ寝テミタイ。冗談ニソンナコトヲ云ッタラ、オ望ミナラサセテアゲマスト云ッテクレタ或ル待合ノ女将《おかみ》ガイタ。ソシテ図《はか》ラズモ予ノ希望ハ叶《かな》エラレタガ、首尾ヨク同衾《どうきん》シ、事ヲ行ウニ至ッテモ、普通ノ芸妓ト普通ノ方法デ行ッテイルノト異ルトコロハナカッタ。ツマリ彼ハ最後マデ男子デアルコトヲ相手ニ感ジサセズ、女性ニナリ切ッテイタ。鬘《かつら》ヲツケタママ舟底形ノ枕*ニ寝、暗イ部屋ノ褥《しとね》ノ中デ、友禅《ゆうぜん》ノ長襦袢《ながじゅばん》ヲ着テノコトデハアルガ、実ニ異常ナ技巧ヲ持ッテイタモノデ、マコトニ不思議ナ経験デアッタ。断ッテオクガ彼ハ所謂《いわゆる》Hermaphrodite*デハナイ、立派ニ男性ノ器具ヲ備エテイタ。タダ技巧ヲ以《もっ》テソレヲ感知セシメナカッタノデアル。ダガ如何《いか》ニ技巧ガ巧妙デアッテモ、モトモト予ノ趣味デハナカッタノデ、タッタ一遍好奇心ヲ満足サセタダケデ、ソレキリ同性ト関係シタコトハナカッタ。然《しか》ルニ七十七歳ノ今日ニナリ、既ニ左様ナ能力ヲ喪失シタ状態ニナッテカラ、男装ノ麗人ナラヌ女装ノ美少年ニ魅力ヲ感ジ出シタノハナゼカ。青年時代ノ若山千鳥ノ記憶ガ今ニ及ンデ甦《よみがえ》ッテ来タノカ。ドウモソウデハナイラシイ。ソレヨリ何カ不能ニナッタ老人ノ性生活――不能ニナッテモ或ル種ノ性生活ハアルノダ――ト関係ガアルラシイ。………

今日ハ手ガ疲レタ。コレデ止《や》メル。


十七日。昨日ノアトヲモウ少シ続ケル。入梅中デ雨モ降ッテイタノニ、昨夜ハナカナカ暑カッタ。尤《もっと》モ劇場内ハ冷房シテイタガ、コノ冷房ガ予ニハ禁物ナノダ。オ蔭《かげ》デ左手ノ神経痛ガ一層痛ミ、皮膚感覚ノ麻痺《まひ》モ激シクナル。イツモハ手頸《てくび》カラ指ノ先マデガ疾患部ナノデアルガ、手頸カラ上、肘《ひじ》ノ関節マデガ痛ミ、時ニハ肘ヲ越エテ肩ノ辺マデ波及シタ。

「ソレ御覧ナサイナ、ダカラ云ワナイコッチャナイ。何モソンナ思イヲシテマデ見ニ来ルコトハナイジャアリマセンカ」

ト婆サンガ云ッタ。

「コンナ二流芝居」

「イヤソウ云ッタモンデモナイサ。己《おれ》ハアノ揚巻ノ顔ヲ見テルダケデモイクラカ痛ミヲ忘レルンダ」

予ハ婆サンニ窘《たしな》メラレテ一層依怙地《いこじ》ニナッタ。ソノ癖手ノ冷エ方ハマスマス激シカッタ。紗《しゃ》ノ夏羽織*ニポーラー*ノ単衣《ひとえ》、絽《ろ》*ノ長襦袢ヲ着テ、シカモ左ノ手ニハ鼠ノ毛糸ノ手袋ヲ嵌《は》メ、白金懐炉《はっきんかいろ》ヲハンケチニ包ンデ握ッテイタ。

「デモ訥升ハホントニ綺麗《きれい》ダワ。オ爺《じい》チャンガアア仰ッシャルノモ無理ナイワ」

ト颯子ガ云ッタ。

「君……」

ト云イカケテオ前ト云イ直シ、

「オ前ニモ面白味ガ分ルカネ」

ト浄吉ガ云ッタ。

「巧《うま》イ拙《まず》イハ分ラナイケレド、顔ヤ姿ノ綺麗サニハ感心スルワ。オ爺チャン、明日昼ノ部*ヲ見ニイラッシャラナイ？ 『河庄《かわしよう》』*ノ小春ガ又キットイイワ。御覧ニナルナラ明日ニナスッタラ。先ニ行クホド暑クナリマス」

正直ノトコロ、予ハ手ノ痛サニ閉口シテ昼ノ部ヲ見ルノハ止メヨウカト思ッテイタノダガ、婆サンニ窘メラレタノデ却《かえ》ッテ依怙地ニナリ、痛イノヲ怺《こら》エテ明日ノ昼ニ又来ヨウカト思ッテイタノダッタ。颯子ハ予ノソウ云ウ気持ヲ実ニ早ク見テ取ル。颯子ガ婆サンニオ覚エノ悪イノハ、コンナ場合、婆サンヲ無視シテ予ノ気持ヲ迎エヨウトスルカラナノダ。彼女モ訥升ガ好キナノデハアロウガ、或《あるい》ハ治兵衛ノ団子《だんご》*ノ方ニヨリ興味ガアルノカモ知レナイ。………

今日ノ昼ノ部「河庄」ノ場ハ午後二時開演三時二十分頃ハネル。今日ハ炎天デ昨日ヨリ一層暑イ。車内ノ暑サモ思イヤラレルガ、冷房ガヒトシオ厳シイニ違イナク、手ノ痛サノ方ガ心配デアル。昨夜ハ夜デヨカッタケレドモ、コレカラダト時間ガ時間ダカラ、必ズドコカデデモ隊*ニ打《ぶ》ツカリマス、米国大使館*ト国会議事堂ト南平台《なんぺいだい》*ヲ結ブ線ヲドコカデ横切ラナケレバナリマセン、ソノ積リデ早目ニオ出カケニナッテ下サイト、運転手ガ云ウ。已《や》ムヲ得ズ一時ニ出カケル。今日ハ三人デ浄吉ハ欠席。

幸イ大シタ妨害モナク到着。マダ段四郎*ノ「悪太郎*」ガ済ンデイナイ。ソレハ見ナイデ食堂ニ這入《はい》リ一ト休ミスル。皆ガ飲ムノデ予モアイスクリームヲ注文シタガ、婆サンニ止メラレル。「河庄」ハ小春訥升、治兵衛団子、孫右衛門猿之助*、女房オ庄《しょう》宗十郎*、多兵衛団之助*等々デアル。昔先代鴈治郎《がんじろう》*ガ新富座*デコレヲ出シタ時ノコトヲ思イ出ス。アノ時ノ孫右衛門ハコノ猿之助ノ父段四郎*、小春ハ先代梅幸*デアッタ。団子ノ治兵衛ハ如《い》何《か》ニモ一生懸命デ、全力ヲ尽シテイルコトハ認メラレルガ、余リ一生懸命過ギ、緊張シ過ギテコチコチニナッテイル。尤《もっと》モアノ若サデアノ大役ヲスルノデアルカラ無理モナイ。努力ニ免ジテ将来ノ大成ヲ祈ルノミデアル。同ジ大役デモ大阪ノモノデナク、江戸ノモノヲ選ンダ方ガヨカッタト思ウ。訥升ハ今日モ綺麗デアッタガ、揚巻ノ方ガヨカッタ気ガスル。後ニ「権三《ごんざ》と助十《すけじゅう》」*ガアッタガ見残シテ出ル。

「ココマデ来タンダカラチョット伊勢丹*ヘ寄ロウ」

ト、婆サンノ反対ヲ予期シテ云ウト、

「又冷房デモイインデスカ、コノ暑イノニ早クオ帰リニナッタラドウ」

ト果シテ云ウ。

「コノ通リ」

ト、予ハ持ッテイルスネークウッド*ノステッキノ石突《いしづき》*ヲ示シ、

「ココントコロガ取レチマッタンダヨ。ドウ云ウモンカステッキノ石突ハメッタニ長持チシナイモンダネ。必ズ二三年デ取レチマウネ。伊勢丹ノ特選売場ヘ行ッタラ何カシラ見ツカルダロウ」

実ハ外ニ少シ考ガアッタンダガ、ソンナコトハ口ニシナカッタ。

「野村サン、帰リモデモハ大丈夫カシラ」

「エエ、大丈夫ダト思イマス」

運転手ノ説ニ依ルト、今日ハ全学連ノ反主流派*ノデモダソウデ、二時カラ日比谷ニ集リ、主トシテ国会警視庁辺ヲ襲ウラシイノデ、ソレニ打ツカラナイヨウニスレバイイト云ウ。

紳士用ノ特選売場ハ三階ダッタガ、生憎《あいにく》好マシイステッキハナカッタ。ツイデニ見テ行コウト、二階ノ婦人物ノ特選売場ヲ覗《のぞ》ク。全館中元売リ出シノ最中デ、相当ニ雑踏シテイル。サンマーイタリアンファッション*ノ陳列ガアッテ、有名ナデザイナーノデザインニ依ルイタリー好ミノオートクチュール*ノ服ガ沢山飾ラレテイル。颯子ハ、

「マア素敵！」

ヲ連発シテ容易ニ動コウトシナイ。颯子ノタメニカルダン*ノ絹ノネッカチーフヲ買ッテヤル。三千円*ホドデアル。

「コンナノトテモ欲シインダケレド、オ高クッテ手ガ出ナイワ」

ト、墺太利《オーストリア》製ラシイベージュノスウェードノ、口金ニサファイヤノイミテーションラシイ石ガ這入《はい》ッテイルハンドバッグノ前デ、颯子ハ頻《しき》リニ嘆声ヲ発シテイル。定価ハ二万何千円デアル。

「浄吉ニ買ワセルサ、ソレクライナモン」

「駄目ヨ、彼ハケチダカラ」

婆サンハ黙ッテ何モ云ワナイ。

「モウ五時ダネ、オ婆チャン、コレカラ銀座へ出テ晩飯ヲ喰ッテ帰ロウジャナイカ」

「銀座ノドコへ」

「浜作《はまさく》*へ行コウヨ、コノ間カラ鱧《はも》ガ喰イタクッテ仕様ガナインダ」

颯子ヲ呼ンデ浜作ニ電話サセ、カウンターノ席ヲ三四人分取ッテオイテ貰ウ。六時ニ行クカラ浄吉モ来ラレタラ来ルヨウニ云ワセル。野村曰《いわ》ク、デモハ夜遅クマデ続キ、霞《かすみ》ヶ関《せき》カラ銀座ヘ出テ十時ニ解散スル、今カラ浜作ヘイラッシャレバ、八時マデニハ帰レマスカラ大丈夫デス、但シ少シ遠廻リシテ市ヶ谷見附カラ九段ヲ経、八重洲口*ヘ出テ行ケバ、デモニ打ツカル恐レハナイト思イマス、ト云ウ。……

十八日。昨日ノ続キ。予定通リ六時浜作着。浄吉ノ方ガ先ニ来テイル。婆サン、予、颯子、浄吉ト云ウ順ニ腰カケル。浄吉夫婦ハビール、予等ハ番茶ヲタムブラーニ入レテ貰ウ。突キ出シニ予等ハ滝川ドウフ*、浄吉ハ枝豆、颯子ハモズク。予ハ滝川ドウフノ他ニ晒《さら》シ鯨《くじら》ノ白味噌《しろみそ》和《あ》エガ欲シクナッテ追加スル。刺身ハ鯛《たい》ノ薄ヅクリ二人前、鱧ノ梅肉《ばいにく》*二人前。鯛ハ婆サント浄吉、梅肉ハ予ト颯子デアル。焼キ物ハ予一人ダケガ鱧ノ附焼、他ノ三人ハ鮎《あゆ》ノ塩焼、吸物ハ四人共早松《さまつ》*ノ土瓶《どびん》蒸シ*、外ニ茄子《なす》ノ鴫焼《しぎやき》*。

「マダ何カ喰ッテモイイナ」

「冗談ジャナイ、ソレデ足リナインデスカ」

「足リナイコトハナインダガ、ココヘ来ルト関西ノモノガ恋シクナルンダ」

「グジ*ノ一ト塩ガアリマスゼ」

ト浄吉ガ云ウ。

「オ爺チャン、コレ召シ上ッテ下サラナイ？」

颯子ノ前ニ鱧ガソックリ残ッテイル。彼女ハ残リヲ予ニ食ベサセル積リデ、ホンノ一片《ひときれ》カ二片食ベタダケデアル。実ヲ云ウト予モ彼女ノ喰イ残シガ廻ッテ来ルコトヲ予期シテ――或ハソレガ今夜ノ目的デ――ココへ来タノカモ知レナイ。

「困ッタナ、僕ハトウニ食ベチャッタンデ、梅肉ヲ下ゲテ行ッチャッタンダ」

「梅肉ダッテココニアルワ」

ト、颯子ハ鱧ト一緒ニ自分ノ梅肉ヲ廻シテヨコシナガラ、

「梅肉ダケ別ニ取リマショウカ」

「ソレニハ及バナイ、コレデ結構」

颯子ハタッタ二片《ふたきれ》ダケシカ食ベナイノニ、梅肉ガワリニ穢《きたな》ラシク喰イ荒サレテイル。女ラシクナイ食ベ方デアル。或ハコレモワザトデハナイカト思ウ。

「ココニ鮎ノ腸《わた》モ取ットキマシタヨ」

ト、婆サンガ云ウ。婆サンハ焼鮎ノ骨ヲ綺麗ニ抜クノガ得意ナノデアル。彼女ハ頭ト骨ト尾トヲ皿ノ一方ニ片寄セテ、身ヲ一片モ残サズニ猫ガ舐《な》メタヨウニ食ベル。ソシテ予

ノタメニ腸ダケヲ残シテオクノガ習慣ニナッテイル。

「ワタクシノモゴザイマス」

ト、颯子ガ云ウ。

「ワタクシハオ魚ヲ食ベルノガ下手デスカラ、オ婆チャンノヨウニ綺麗デハゴザイマセンケレド」

颯子ノ鮎ノ残骸ハ成ル程マコトニキタナラシイ。梅肉以上ニ喰イ散ラサレテイル。コレモ意味ガナクハナイヨウニ予ニハ取レル。

食事中ノ雑談ニ、浄吉ガ二三日中ニ札幌ヘ出張スルカモ知レナイト云ウ。滞在ハ一週間ノ予定ダガ、来ルナラ一緒ニ来テモイイト云ウ。颯子ハ考エテ、北海道ノ夏ヲ見タイト思ッテタンダケレド、今度ハ止メルワ、二十日ニ春久サンニ誘ワレテボクシング*ニ行ク約束シチャッタモンダカラ、ト云ウ。浄吉ハソウカト云ッタキリ、強イテ来イトモ云ワナイ。七時半頃帰宅。

十八日朝経助《けいすけ》ガ学校ニ、浄吉ガ会社ニ出テ行ッタ後、庭ヲ散歩シテ四阿《あずまや》ニ休ム。四阿マデ三十メートル余デアルガ、コノトコロ日々脚ノ運動ガ不自由サヲ加エ、今日ハ昨日ヨリモ一層歩キニクイ。入梅中ハ湿気ガ多イノデソノセイモアルガ、去年ノ入梅中ハコンナデハナカッタ。手ノヨウナ痛ミヤ冷感ハナイガ、何トモ不思議ニ重ミガカカリ、モッレルヨウニナル。ソノ重ミハ膝頭《ひざがしら》ニ来ルコトモアリ、足ノ甲ヤ足ノ裏ニ来ルコトモアリ、日ニヨッテ違ウ。医師ノ意見モマチマチデアル。往年ノ軽微ナ脳溢血《のういっけつ》ノ痕跡《こんせき》ガマダ残ッテイ、脳中枢ニ僅《わず》カナ変化ガアルノデ、ソレガ脚ニ影響シテイルノダトモ云イ、又レントゲンデ検《しら》ベテミルト頸椎《けいつい》ト腰椎トガ曲ッテイルカラデアルトモ云ウ。ソノ頸椎ヤ腰椎ヲ矯正スルニハ寝台ヲ斜面ニシタ上ニ寝テ首ヲ上方ニ吊《つ》リ上ゲタリ、腰ニギプスデコルセットヲ作リ、当分ソレヲ篏《は》メル必要ガアルトモ云ウ。予ハトテモソンナ窮屈ナ姿勢ニハ耐エラレナイノデ、コノママデ我慢シテイル。シカシ歩キニクテモ、毎日少シズツデモ歩カナケレバイケナイ。歩カズニイルト、今ニ本当ニ歩ケナクナリマスト嚇《おど》カサレテイル。時々ヨロケテ倒レソウニナルノデ、寒竹《かんちく》*ノステッキヲ衝《つ》イテルガ、大概颯子カ看護婦カ誰カガツイテ来ル。今朝ハ颯子デアル。

「颯子、コレ」

四阿デ休ンダ時、予ハ袂《たもと》カラ小サクタタンダ札束ヲ取リ出シテ手ニ握ラセル。

「何デスノ、コレ?」

「二万五千円アル、昨日ノハンドバッグヲ買ッタライイ」

「ドウモ済ミマセン」

颯子ハ急イデブラウスノ内側*ヘ札束ヲ放リ込ム。

「ダケドアレヲ提ゲテ歩イタラ、僕ガ買ッテヤッタンダト、婆サンガ感ヅキヤシナイカナ」

「オ婆チャンハアノ時見テイラッシャラナカッタワ、ドンドン歩イテ先ノ方へ行ッテラッシャイマシタワ」

ヤッパリソウダッタナト予モ思ウ。

十九日。日曜デアルニモ拘《かかわ》ラズ、浄吉ガ午後羽田*カラ立ツ。颯子モスグ後カラヒルマン*デ出カケル。颯子ノ運転デハ危ナガッテ家ノ者ハメッタニ乗ラナイ。自然彼女ノ専用ニナッテイル。彼女ハ夫ヲ見送リニ行クノデハナイ。スカラ座*ヘアラン・ドロン*ノ「太陽ガイッパイ*」ヲ見ニ行クノデアル。今日モ多分春久ト一緒ラシイ。経助ガヒトリ家デショ ンボリシテイル。今日辻堂*カラ陸子《くがこ》ガ子供達ヲ連レテ来ルノデ、ソレヲ心待チニシテイルラシイ。

午後一時過ギ杉田氏来診。コレハ予ガアマリ痛ガルノデ、トモカクモト佐々木看護婦ガ心配シテ電話シタノデアル。東大梶浦《かじうら》内科ノ診断デハ、今日デハ脳中枢ノ病巣ハ殆《ほとん》ドヨクナッテイル。ソレニ痛ミガアルト云ウノハ脳ノ方ノ病気デハナイ。僂麻質性《りゆうまちす》*モシクハ神経痛ノ如キモノニ変化シテイル証拠デアルト云ウ。杉田氏ノ意見デ、整形外科ノ方へ行ッテ見テ貰ッタラト云ウノデ、先日虎ノ門病院*デレントゲンヲ撮《と》ッタノデアルガ、頸椎ノ辺ニ曇リガアルシ、手ノ痛ミガソンナニ激シイノナラ、事ニ依ルト癌《がん》カモ知レナイト嚇《おど》カサレテ、頸椎ノ断層写真マデモ撮ラセタリシタ。幸イニシテ癌デハナカッタガ、頸骨*ノ六番目ト七番目ガ変形シテイルト云ウ。腰椎モ変形シテイルガ、コノ方ハ頸《くび》程デナイト云ウ。手ガ痛ンダリ麻痺《まひ》シタリスルノハソノセイデアルカラ、ソレヲ直スニハ滑リヤスイ板ヲ作ッテ下ニ滑車ヲ入レ、三十度クライノ傾斜面ニシ、最初ハ朝夕十五分間グライソノ上ニ寝、グリンソン氏式シュリンゲ*ト称スルモノ（自分ノ首ノ寸法ニ合ワセテ特ニ医療器械屋ニ作ラセル一種ノ首吊《つ》リ器）ニ首ヲ入レ、体ノ重ミデ頸ガ引ッ張リ上ゲラレルヨウニスル。ソノ時間ト回数トヲダンダンニ殖《ふ》ヤスヨウニシテ二三カ月モ続ケレバヨクナルダロウトノ事。コノ暑イノニ、予ハトテモソンナコトヲスル気ハナカッタガ、外ニコレト云ウ治療法モナイカラ、マアヤッテゴランナサイト杉田氏ハススメル。スルカドウカ分ラナイガ、大工ヲ呼ンデ滑リ台ト滑車ヲ作ラセ、医療器械屋ヲ招イテ首ノ寸法ヲ測ッテ貰ウコトニスル。

二時頃陸子ガ来ル。子供ヲ二人連レテイル。長男ハ野球カ何カニ出カケタソウデ来ナイ。

秋子ト夏二ハ早速経助ノ部屋へ行ッテイル様子。三人デ動物園へ行ク計画ラシイ。陸子ハ予ニチョット挨拶《あいさつ》シタキリ、茶ノ間デ婆サント何カ頻《しき》リニ話シ込ンデイル。イツモノコトデ珍シクモナイ。

今日ハ外ニ書クコトモナイカラ、コンナ時ニ少シ心ニアルコトヲ記シテミル。

老年ニナルト誰デモソウカモ知レナイガ、近頃予ハ一日トシテ自分ノ死ノコトヲ考エナイ日ハナイ。尤モ予ノ場合ハ近頃ドコロデハナイ。随分古ク、二十台グライカラダガ、近頃殊《こと》ニ甚《はなは》ダシクナッタ。「今日己《おれ》ハ死ヌンジャナイカナ」ト、日ニ二三度ハ考エル。ソレハ必ズシモ恐怖ヲ伴ワナイ。若イ時ハ非常ナ恐怖感ヲ伴ッタガ、今デハソレガ幾分楽シクサエアル。ソノ代リ、自分ノ死ヌ時ヤ死後ノ光景ヲ微ニ入リ細ニワタッテ空想スル。告別式ハ青山斎場*ナドへ持ッテ行カナイデ、コノ家ノ庭ニ面シタ十畳ノ間ニ棺ヲ安置スル。ソウスレバ会葬者ハ表門カラ中門ヲ通ッテ飛石伝イニ焼香ニ来ルノニ便利デアル。笙篳篥《しょうひちりき》ノヨウナモノヲ鳴ラサレルノハ迷惑ダケレドモ、誰カ一人、富山清琴《とみやませいきん》*ノヨウナ人ニ「残月*」ヲ弾《ひ》イテ貰ウ。

磯辺ノ松ニ葉隠レテ、沖ノ方へト入ル月ノ、

光ヤ夢ノ世ヲ早ウ、覚メテ真如《しんにょ》ノ明ラケキ、月ノ都ニ住ムヤラン。……

ト、清琴ノ声デ唄ッテイルノガ聞エテ来ルヨウナ。モウ死ンデイル筈《はず》ダガ、死ンデモ聞

エテ来ルヨウナ気ガスル。婆サンノ泣ク声モ聞エル。五子《いつこ》モ陸子モ予トハ反《そ》リガ合ワナイデ喧嘩《けんか》バカリシテイタガ、ヤハリ声ヲ挙《あ》ゲテ泣ク。颯子ハキット平気ダロウナ。ソレトモ案外泣クカシラ。セメテ真似《まね》グライハシテミセルカシラ。死ニ顔ハドンナ顔ニナルダロウカ。ナルベク今ノ程度ニハ太ッテイテ貰イタイナ。少シ憎体《にくてい》ニ見エルクライニ。………

「オ爺チャン、………」

ココマデ書イタラ、不意ニ婆サンガ陸子ヲ連レテ這入《はい》ッテ来タ。

「陸子ガ何カオ爺チャンニオ願イガアルンデスッテ」

陸子ノオ願イト云ウノハコウデアル。長男ノ力《つとむ》ガ、マダ大学ノ二年生デ早過ギルノダケレドモ、恋人ガ出来テ結婚サセテクレト云ウノデ、許スコトニシタ、ガ、若イ二人ヲアパートナドニ別居サセテオクノハ不安デアルカラ、力ガ卒業シテ就職スルマデハ手許《てもと》ニオイテ夫婦生活ヲサセヨウト思ウ。ソウナルト今ノ辻堂ノ家ハアマリニ狭イ。ソレデナクテモ陸子夫婦ニ子供ガ三人デ、狭過ギテ困ッテイタ。ソコヘ嫁ガ来レバ、イズレ赤ン坊モ生レル。ツイテハコノ際今少シ広クテ近代的様式ノ家ニ移リタイ。同ジ辻堂ノ中デ五六丁離レタ所ニオ誂《あつら》エ向キノ家屋ガ一軒売リ物ニ出タノデ、何トカシテソレヲ買イタイノダガ、ソレニハ金ガ二三百万足リナイ。百万グライハドウニカナルガ、ソレ以上ハ目下ノトコロ工合ガ悪イ。勿論《もちろん》ソレヲオ爺チャンニ出シテ下サイナンテ云ウンジャナイ。銀行デ借リルツモリデアルガ、差当リソノ利息ダケ二万円ホド助ケテモラエマイカ。ソレモ来年中ニハオ返シシマスト云ウ。

「株ヲ持ッテル筈ジャナイカ、アレヲ売ル訳ニ行カナイノカ」

「アレヲ売ッタラ、ソレコソアタシタチ一文ナシニナッチャウワ」

「ソウヨホントニ、アレダケハ手ヲツケナイ方ガイイヨ」

ト、婆サンガ助ケ舟ヲ出ス。

「エエ、何カノ時ノ用心ニアレハ取ットク積リナノ」

「何云ッテルンダイ、オ前ノ亭主ハマダ四十台ジャナイカ。今ノ若サデソンナ意気地《いくじ》ノナイコトデドウスル」

「陸子ハ嫁ニ行ッテカラ今マデ一度モコンナ話ヲ持ッテ来タコトハアリマセン。今度始メテナンデス。聴イテオヤリニナッタライカガ」

「二万円ト云ウケレドモ、三月経《た》ッテ利息ガ払エナカッタラドウスル」

「マアソノ時ハソノ時ノコトニシテ」

「ソレジャ際限ガナイカラ困ルナ」

「鉾田《ほこだ》サンダッテ必ズ御迷惑ハカケマセン、グズグズシテルト売レチマウカラ一時助ケテイタダキタイト云ッテルンデス」

「利息ノ金グライ、オ婆チャンドウニカナラナイノカ」

「アタシニ出サセルナンテ、ヒドイワ。颯子ニハヒルマンヲ買ッテオヤリニナルノニ」

ソウ云ワレタノガグット来テ、予ハハッキリト断ル決心ガツイタ。却《かえ》ッテ気持ガサバサバシタ。

「マア考エテオクコトニシヨウ」

「今日御返事ガイタダケナインデスカ」

「コノトコロイロイロト出銭《でせん》ガ多クッテネ」

ブツブツ云イナガラ二人ハ出テ行ッタ。

飛ンダトコロニ邪魔ガ這入ッテ腰ヲ折ラレタ。サッキノ話ヲモウ少シ続ケル。

五十台クライマデハ死ノ予感ガ何ニモ増シテ恐シカッタガ、今デハソンナコトハナイ。モハヤ人生ニ疲レタ、トデモ云ウノダロウカ、イツ死ンデモイイ気ガシテイル。先日虎ノ門病院デ断層写真ヲ撮《と》ラレタ時、癌カモ知レナイト云ワレテ附添ノ婆サンヤ看護婦ハ色ヲ失ッタヨウデアルガ、予ハマッタク平気ダッタ。コンナニモ平気デイラレルノガ意外ダッタ。長イ長イ人生モコレデイヨイヨ終ルノカナト、イクラカホットシタクライダッタ。ダカラ生ニ執着スル気ハ少シモナイガ、デモ生キテイル限リハ、異性ニ惹《ひ》カレズニハイラレナイ。コノ気持ハ死ノ瞬間マデ続クト思ウ。九十ニナッテモ子ヲ産ンデミセルト云ウ久原房之助《くはらふさのすけ》*ノヨウナ精力ハナク、既ニ全ク無能力者デハアルガ、ダカラト云ッテイロイロノ変形的間接的方法デ性ノ魅力ヲ感ジルコトガ出来ル。現在ノ予ハソウ云ウ性慾的楽シミト食慾ノ楽シミトデ生キテイルヨウナモノダ。ソウ云ウ予ノ心境ヲ、颯子ダケハオボロゲニ察知シテイルラシイ。コノ家ノ中デ、ソレヲ知ッテイルノハ颯子ダケダ。他ノ者ハ一人モ知ラナイ。颯子ハ少シズツ間接的方法デ試シテ見、ソノ反応ヲ見テイルラシイ。

予ガ我ナガラキタナラシイ皺《しわ》クチャ爺デアルコトハ自分デモヨク知ッテイル。夜寝ル時ニ義歯ヲ外シテカラ鏡デ見ルト実ニ不思議ナ顔ヲシテイル。上顎《あご》ト下顎トニ自分ノ歯ハ一本モナイ。歯齦《はぐき》モナイ。口ヲ結ブト上唇ト下唇ガペチャンコニ喰ッ着キ、ソノ上ニ鼻ガ垂レ下ッテ来テ頤《あご》ノ方マデ落チテ来ル。コレガ自分ノ顔ナノカト呆《あき》レザルヲ得ナイ。人間ハオロカ、猿ダッテコンナ醜悪ナ顔ハシテイナイ。コンナ顔デ女ニ好カレヨウナンテ馬鹿ナコトヲ思ウ訳ハナイ。ソノ代リ、全クソンナ資格ノナイ老人デアルコトヲ自分ミズカラモ認メテイルニ違イナイト、ソウ思ッテ世間ガ安心シテイルトコロガ附ケ目デアル。附ケ目ニ乗ジテドウスルト云ウ資格モ実力モナイケレドモ、安心シテ美人ノ傍《そば》ニ寄ルコトハ出来ル。自分ニハ実力ガナイ代リニ、美女ヲ美男ニ嗾《けしか》ケテ、家庭ニ紛紜《ふんぬん》*ヲ起サセテ、ソレヲ楽シムコトハ出来ル。………

二十日。………浄吉ハ今デハ颯子ヲソンナニ愛シテハイナイヨウニ見エル。経助ヲ生ンデカラ後次第ニ愛情ガ冷メタノカシラン。何シロ出張旅行ガ多イシ、東京ニイテモ宴会ガ多クテ夜ガオソイ。外ニ誰カ出来タノカモ知レナイガ、ソノ点ハ確カデナイ。今デハ女ヨリモ仕事ノ方ガ面白クッテ溜《たま》ラナイラシクモアル。昔ハ随分熱烈ナ仲ダッタ時代モアルノニ、飽キッポイノハ親譲リカモ知レナイ。

予ハ放任主義ダカラ敢《あえ》テ干渉シナカッタガ、婆サンハ颯子トノ結婚ニハ反対ダッタ。N・D・T*ノ踊リ子ダト云ッテタケレド、日劇ニイタノハホンノ半年グライデ、ソノ後何ヲシテイタノカ、浅草*辺ニイタコトモアルラシイシ、ドコカノナイトクラブニモイタラシイ。

「君ハトウダンスハシナイノカネ」

ッテ聴イタラ、

「トウダンスハヤリマセン。バレリーナニナロウト思ッテ、バーレッスンヲ一二年受ケタコトガアルノデ、チョットグライ立ツコトハ立テタンデスガ、サア今デモ立テルカシラ」

ッテ、ソンナ話ヲシタコトガアッタ。

「折角《せっかく》ソコマデ習ッタノニナゼ止《や》メタンダネ」

「ダッテ、トテモ足ガ変形シチャッテ醜ククナルノヨ」

「ソレデ止メタノカネ」

「アタシ、足ガアンナニナルノハイヤダワ」

「ドンナニナルノサ」

「ドンナニナルッテ、ソリャヒドイノヨ。足ノ趾《ゆび》ニ全部胼胝《たこ》ガ出来チャッテ、腫《は》レ上ッテ爪モ何モナクナッチマウノヨ」

「今デハ綺麗ナ足ジャナイカ」

「ホントウハモット綺麗ナ足ダッタノヨ。ソレガトウダンスノ胼胝ノオ蔭デスッカリ穢《きたな》クナッチャッタンデ、トウヲ止メテカラ一生懸命モトノヨウニシヨウト思ッテ、毎日々々軽石ダノ鑢《やすり》ダノイロンナモノデ擦《こす》ッタノヨ。ソレデモ未《いま》ダニ前ノヨウニハナラナイワ」

「ドレドレ、チョットオ見セ」

ハカラズモ予ハ彼女ノ素足ニ触レ得《う》ル機会ヲ摑《つか》ンダ。彼女ハソファニ両足ヲ伸バシ、ナイロンノ靴下*ヲ脱イデ見セタ。予ハソノ足ヲ自分ノ膝《ひざ》ノ上ニ載セ、五本ノ趾ヲ一本々々握ッテ見タ。

「触《さわ》ッテ見ルト柔イゼ、胼胝ナンカアリャシナイジャナイカ」

「モットヨク触ッテ見テヨ。ソコヲグウット押シテ見テ」

「ア、ココ?」

「ネ? マダ直リキッチャイナイワ。バレリーナナンテ、足ノコトヲ考エルト見ラレタモンジャナイワ」

「レペシンスカヤモソンナ足ヲシテルノカネ」*

「勿論《もちろん》ヨ、アタシダッテ練習中ハ靴カラタラタラ血ヲ出シタコトガ何度モアッタワ。足バカリジャナイ、ココノ脹脛《ふくらはぎ》ダッテフックラシタ肉ガナクナッチマッテ、労働者ノ脚ノヨウナグリグリガ出来ルワ。胸モペッタリシテオ乳ナンゾナクナッチマウシ、肩ノ筋肉モマルデ男ミタイニコチコチニナルワ。ステージダンサーデモ幾分カソウナルケレドモ、アタシハ幸イニシテナラナカッタワ」

浄吉ガ彼女ニ魅セラレタノハ彼女ノ姿態ニアルコトハ確カダガ、ロクロク学校モ出テイナイノニ、頭モ悪クハナイラシイ。負ケズ嫌イナノデ、家へ来テカラ勉強シテフランス語ヤ英語モ片言《かたこと》グライハシャベレルヨウニナッタ。自動車ヲ運転シタガッタリ拳闘《けんとう》ヲ愛シタリスル一面、ガラニモナク生花ガ好キデ、京都ノ一草亭*ノ娘婿ガ週ニ二回、イロイロ珍シイ花ヲ持ッテ東京へ出テ来テ教エルノデ、ソノ人ニ就《つ》イテ去風流《きょふうりゅう》ヲ習ッテイル。

今日ハ予ノ部屋ニ青磁《せいじ》ノ水盤ニ縞《しま》ススキト三白草*ト泡盛草《あわもりそう》*ガ活《い》ケテアル。ツイデナガラ幅《ふく》ハ長尾雨山《ながおうざん》*ノ書デアル。

　柳絮飛来客未レ還
　鶯花寂莫夢空残
　十千沽得京華酒
　春雨闌干看ニ牡丹一*

二十六日。昨夜冷奴《ひややっこ》ヲ食ベ過ギタノガ悪カッタト見エテ夜半ヨリ苦シミ出シ二三度下痢スル。エンテロビオフォルム*ヲ三錠服用シタガマダ止マラナイ。今日一日寝タリ起キタリシテ暮ラス。

二十九日。午後ヨリ颯子ヲ誘イ明治神宮*方面ヘドライブスル、隙《すき》ヲ狙《ねら》ッテ出タ積リダッタガ、ワタクシモオ供イタシマスト、看護婦ガ見ツケテ附イテ来タノデ一向面白クナイ。一時間足ラズデ怱々《そうそう》帰宅。……

二日。数日前ヨリ又血圧ガ昇リ気味デアル。今朝ハ一八〇――一一〇。プルス*百。看護婦ニススメラレテセルパシール二錠アダリン三錠飲ム。手ノ冷エ込ミト痛ミモマタ激シイ。可《か》ナリ激シクテモソノタメニ寝ラレナイト云ウコトハメッタニナイノニ、昨夜ハ夜中ニ眼ガ覚メ、耐エ難イノデ佐々木ヲ起シ、ノブロンヲ注射シテ貰ウ。ノブロンハ利《き》クコトハ利クケレドモ、アトノ気持ガ不快デアル。

「コルセットト滑リ台ガ出来テ参リマシタカラ、思イ切ッテヤッテ御覧ニナリマスカ」

気ハススマナイガ、コノ調子デハ試験的ニシテ見ヨウカト云ウ気ニモナル。

三日。………試シニ頸《くび》ノコルセットヲ嵌《は》メテミル。石膏《せっこう》デ出来テイテ、頸カラ頤《あご》ヲ突キ上ゲルヨウニシテアル。篏メテモ痛イコトハナイガ、全ク首ヲ動カスコトガ出来ナイ。右ニモ左ニモ下方ニモ向ケル訳ニ行カナイ。ジット正面ヲ視《み》ツメタママデイナケレバナラナイ。

「マルデ地獄ノ責メ道具ダナ」

日曜ナノデ、浄吉モ経助モ婆サンヤ颯子ト一緒ニ集ッテ見物シテイル。

「マアオ爺チャン、可哀《かわい》ソウニ」

「ソンナ恰好《かっこう》ヲシテ何分グライ続ケルンデス」

「幾日グライヤレバイイノ」

「オ止メニナッタ方ガヨクハナイ？　オ年寄ニハ残酷ダワ」

ミンナガ周《まわ》リデガヤガヤ云ッテルノガ聞エル。振リ向ケナイカラ顔ハ見エナイ。結局コルセットハ止メルコトニシ、滑リ台ニ寝テ頸ノ牽引《けんいん》ダケヲスルコトニスル。所謂《いわゆる》グリンソン氏式シュリンゲト云ウ奴デアル。最初ハ朝夕十五分ズツ。コレハコルセットヨリ柔イ布デ頤ヲ吊ルダケデアルカラ、コルセットホド窮屈デハナイガ、首ヲ動カセナイコトハ同ジデ、天井ヲ睨《にら》ンダママデアル。

「ハイ、十五分経チマシタ」

看護婦ガ腕時計ヲ見ナガラ云ウ。

「第一回ノ終リ」

経助ガソウ云ッテ廊下ヲ駆ケテ行ッタ。

十日。牽引ヲ始メテ今日デ一週間デアル。ソノ間ニ十五分ヲ二十分ニ伸バシ、滑リ台ノ傾斜ヲヤヤ急ニシテ頤ヲ一層引ッ張リ上ゲルヨウニスル。シカシ少シモ効験ガ現ワレナイ。手ノ苦痛ハ相変ラズデアル。看護婦ノ意見デハ、ヤッパリ二三カ月グライハ続ケナイト駄目カモ知レマセントノコト。予ニハソンナ辛抱ハオボツカナイ。夜、皆デ寄リ寄リ相談スル。老人ニハコノ療法ハ無理デアルカラトニカク暑中ハ見合ワセテ、何カ他ノ方法ヲ考エタ方ガイイ、或ル外人ニ聞イタンデスガアメリカンファーマシイ*ニ神経痛ノ薬デドルシント云ウノガアルソウデス、根治スルコトハ出来ナイガ、三四錠ズツ一日ニ三四回服用スレバ必ズ痛ミダケハ取レル、奏効確実デアルト云イマスカラ買ッテ来マシタ、試シテ御覧ニナッタラト颯子ガ云ウ。婆サン曰《いわ》ク、田園調布*ノ鈴木サンニ鍼《はり》ヲシテオ貰イニナッタラドウ、鍼デ直ルカモ知レナイカラ頼ンデ見タラト。婆サン電話口デ長イ間シャベッテイル。鈴木氏曰ク、非常ニ忙シイノデ拙宅ヘオ越シ下サルコトヲ望ムガ、往診ノ場合ハ週ニ三回ニシテ戴《いただ》キタイ、拝見シナケレバ分ラナイガ、オ話ノ様子デハ多分治癒《ちゆ》出来ルト思ウ、二三カ月ハカカルデショウト。鈴木氏ニハ数年前ニ心臓ノ期外収縮*ガ長ク続イテドウシテモ止マラナイデ困ッタ時ト、眼眩《めまい》デ苦シンダ時ニ治癒シテ貰ッタ経験ガアル。依ッテ今回モ来週カラ来診ヲ乞ウコトニスル。

予ハ元来健康ナ体質デアッタ。少年時カラ六十三四ニ達スルマデハ、肛門《こうもん》周囲炎*ノ手術デ一週間程入院シタ以外、病気ラシイ病気ハシタコトガナカッタ。六十三四歳ノ時高血圧症ノ警告ヲ受ケ、六十七八歳ノ時軽微ナ脳溢血《のういつけつ》デ一カ月程寝タガ、肉体的苦痛ト云ウモノハ知ラナカッタ。ソレヲ知ッタノハ数エ年七十七歳デ喜寿ヲ祝ッテカラデアル。最初ニ左ノ手カラ肘《ひじ》、次イデ肘カラ肩、次ニ足カラ脚、脚ノ方ハ左右両方デ、日増シニ運動ノ自由ヲ欠クニ至ッタ。コンナ風デ何楽シミニ生キテルノカト、人モ思ウダロウシ、自分デモ思ウコトガアルガ、幸イト云ッテイイノカドウカ、不思議ナコトニ食慾ト睡眠ト便通トハ至ッテ満足ニ行ッテイル。アルコール類ト刺戟物《しげきぶつ》ト塩カライ物トハ禁ジラレテイルガ、食慾ハ常人以上デアル。ビフテキデモ鰻《うなぎ》デモ過度ニナラナイ程度ナラ差支《さしつか》エナイトノコトナノデ、何デモオイシク食ベテイル。睡眠モ常ニ寝過ギルホド寝、午睡ヲ合ワセレバ日ニ九時間カ十時間ハ寝ル。便通モ日ニ二回ハアル。従ッテ尿量ガ多ク、夜中ニ二回カ三回ハ起キルガ、ソノタメニ寝ソビレテ眼ガ冴《さ》エルナンテコトハ一度モナイ。半分夢ウツツデ排尿シ、済マセレバ又直ググッスリ寝入ッテシマウ。手ノ痛ミデ眼ガ覚メルコトモタマニハアルガ大概半分ハ寝惚《ねぼ》ケテイテ、痛イナト思イナガライツカ寝テシマウ。余程痛イ時ハノブロンヲ射シテ貰ッテ又直グ寝ル。ソウ云ウコトガ出来ルノデ予ハ今日マデ生キテ来ラレタノデアル。サモナカッタラ疾《と》ックニ死ンデイタカモ知レナイ。

「手ガ痛イダノ歩ケナイダノト云イナガラ、結構生活ヲ享楽シテイラッシャルジャアリマセンカ。痛イナンテ嘘《うそ》デショウ」

ト云ウ人モアルガ、嘘デハナイ。タダ痛イノガ激シイ時トソウデナイ時トアリ、一定ノ状態デ持続セズ、全ク痛マナイ時モアル。天候ヤ湿気ノ加減デイロイロニナルラシイ。オカシナコトダガ、痛イ時デモ性慾ハ感ジル。痛イ時ノ方ガ一層感ジル、ト云ッタ方ガイイカモ知レナイ。或ハ又痛イ目ニ遇《あ》ワセテクレル異性ノ方ニヨリ一層魅力ヲ感ジ、惹《ひ》キツケラレル、ト云ッタ方ガイイカ。

コレモ一種ノ嗜虐《しぎやく》的傾向＊ト云エバ云エヨウ。若イ時カラソウ云ウ傾向ガアッタトハ思ワナイガ、老年ニ及ンデダンダントコンナ工合ニナッテ来タ。

ココニ同程度ニ美シイ、同程度ニ予ノ趣味ニ叶《かな》ッタ異性ガ二人イルトスル。Aハ親切デ正直デ思イ遣《や》リガアリ、Bハ不親切デ嘘ツキデ人ヲ欺《だま》スコトガ上手ナ女デアルトスル。ソノ場合ドチラニ余計惹カレルカト云エバ、近頃ノ予ハAヨリBニ惹カレルコトハ先《ま》ズ確カデアル。但シ美シサニ於《お》イテAヨリBガ少シデモ劣ッテイタノデハイケナイ。美シサト云ッテモ予ニハ予ノ好ミガアルカラ、顔ヤ体ノ種々ナ点ガソレラニ合致シテイナケレバ駄目ダ。予ハ鼻ガ長クテ高スギル顔ハ嫌イダ。何ヨリモ足ガ白クテ、華奢《きやしや》デアルコトガ必要ダ。ソノ他サマザマナ美点ガ相互ニ等シイ場合、悪イ性質ノ女ノ方ニ余計魅セラレル。時ニ依ルト顔ニ一種ノ残虐性ガ現ワレテイル女ガアルガ、ソンナノハ何ヨリ好キダ。ソンナ顔ノ女ヲ見ルト、顔ダケデナク、性質モ残虐デアルカノヨウニ思イ、又ソウデアルコトヲ希望スル。昔ノ沢村源之助＊ノ舞台顔ニハソノ感ジガアッタ。フランス映画ノ「悪魔ノヨウナ女」＊ノ中ノ女教師ニナッタシモーン・シニョレ＊ノ顔、近頃評判ノ炎加《ほのおか》世子《よこ》＊ノ顔等モソウダ。コレラノ婦人達ハ実際ニハ善良ナ婦人ナノカモ知レナイガ、モシ本当ニ悪人デアリ、ソレト同棲《どうせい》――ハ出来ナイマデモ、セメテ身近ニ住ミ、接近スルコトガ出来タラドンナニ幸福デアロウカト思ウ。……

十二日。……悪イ性質ノ女デモ、ソノ悪サガ露骨ニ見エルノハイケナイ。悪ケレバ悪イホド怜悧《れいり》デアルコトガ必須《ひっす》条件デアル。悪サニモ限度ガアリ、盗癖、殺人癖等ハ困リモノダケレドモ、ソレモ一概ニハ云エナイ。予ハコノ女ハ枕サガシダト分ッテモ、却《かえっ》テソノタメニ興味ヲ惹カレテ、枕サガシヲ承知ノ上デ関係ヲ結ブ、ソノ誘惑ニ抗シカネルヨウナ気ガスル。*

大学時代ノ予ノ同窓ニ山田湿《やまだうるう》ト云ウ法学士ガアッタ。*大阪ノ市役所ニ勤メテ、疾《と》ウニ故人ニナッタガ、コノ男ノ父ハ古イ弁護士カ代言人デ、明治初年ニ高橋オ伝*ノ弁護ヲ勤メタコトガアッタ。ソシテ忰《せがれ》ノ湿ニシバシバオ伝ノ美シサニツイテ語ッタコトガアルソウダ。ナマメカシイト云ッタライイノカ、色ッポイト云ッタライイノカ、己ハ今マデニアンナ妖艶《ようえん》ナ女ヲ見タコトガナイ、妖婦ト云ウノハ正《まさ》シクアンナ女ノコトヲ云ウンダロウナ、アンナ女ニナラ殺サレタッテイイト思ッタト、湿ノ親父《おやじ》ハイツモ忰ヲ摑《つか》マエテヨクヨク感ニ耐エタヨウニ云イ暮ラシタソウダ。予ハコレ以上生キナガラエテイタトコロデ格別ノコトモナイノダカラ、モシ今ノ世ニオ伝ノヨウナ女ガ現ワレタラ、ムシロソノ女ノ手ニカカッテ殺サレタ方ガ幸福カモ知レナイ。少クトモコンナ生殺《なまごろ》シノヨウナ手足ノ痛ミヲ怺《こら》エナガラ生キテイルヨリ、ヒト思イニ残酷ナ殺サレ方ヲシテ見タクモアル。予ガ颯子ヲ愛スルノハ、彼女ニイクラカソンナ幻影ヲ感ズルセイデアロウカ。彼女ハチョット意地ガ悪イ。チョット皮肉デアル。ソシテチョット嘘ツキデアル。姑《しゅうとめ》ヤ義理ノ姉妹達トアマリ折リ合イガ良クナイ。子供ニ対スル愛情ガ薄イ。結婚シタテハソレホドデモナカッタノダガ、コノ三四年目立ッテソンナ風ニナッタ。コレハ幾分予ガケシカケテ、左様《さよう》ニシムケタ気味合イモアル。彼女ハ本来ソンナニ悪イ性質デハナイ。今デモ本心ハ善良ナノデアロウガ、イツノマニカ偽悪趣味*ヲ覚エ、ソレヲ自慢ニスルヨウニナッタ。ソウシタ方ガコノ老人ノ気ニ入ルコトヲ看《み》テ取ッタカラデアロウ。予ハ何故カ実ノ娘達ヨリモ彼女ノ方ヲヨリ多ク可愛《かわい》ガリ、彼女ガ彼女達ト仲良クスルノヲ好マナイ。彼女ガ彼女達ニ意地悪ヲスレバスルホド彼女ニ魅セラレル。コンナ心理状態ニナッタノハ最近デアルガ、ソレガマスマス極端ニナリツツアル。病苦ヲ怺《こら》エルト云ウコトガ、正常ナ性ノ快楽ガ享受出来ナイト云ウコトガ、人間ノ根性ヲカクモヒネクレサセルノデアロウカ。ソウ云エバ、先日家庭内デコンナイザコザガアッタ。

経助ハ既ニ七歳ニナリ小学一年生ニナルノニ、ソノ後アトガ生レナイ。コレハ颯子ガ不自然ナ方法*デ生マナイヨウニシテルノデハナイカ、ドウモソウラシイト云ウ疑イヲ、婆サンハ抱《いだ》イテイルノデアル。予モ恐ラクソウデハナイカト、心中デハ思ッテイルノダガ、ソンナコトハナイダロウト、婆サンノ前デハ否定シテイタ。婆サンハ溜《たま》リカネテソノコトヲ浄吉ニ訴エルコト再三ニ及ンダラシイガ、

「ソンナコトハアリマセンヨ」

ト、浄吉ハ笑イニマギラシテ相手ニシナイ。

「キットソウニ違イナイヨ、アタシニハチャント分ッテイマス」

「アハハハ、ソンナラ颯子ニ聴イテ御覧ナサイ」

「笑ウ人ガアリマスカ。コレハ真面目《まじめ》ナ話デスヨ。オ前サンガ颯子ニ甘スギルノガイケナインダヨ、スッカリ舐《な》メラレテルンダカラ」

トウトウ浄吉ニ呼ビツケラレテ颯子ガ婆サンニ弁明スル段ニナッタ。トキドキ颯子ノ甲《かん》高《だか》イ声ガ洩《も》レタ。一時間ホド揉《も》メテイタガ、シマイニオ爺チャン、チョットイラシッテ下サイト、婆サンガ予ヲ呼ビニ来タ。シカシ予ハ行カズニシマッタノデ、委《くわ》シイ様子ハ知ラナイガ、アトデ聞クト、余リ嫌味ヲ云ワレタノデ却ッテ颯子ガ反撃シタ。

「ワタクシハソンナニ子供ガ好キジャゴザイマセンノ」

トカ、

「死ノ灰*ガ降ルッテ云ウノニ沢山生ンダッテ仕様ガナイジャアリマセンカ」

トカ云ッタリシタ。婆サンモナカナカ負ケテハイズ、オ前サンハ御亭主ノコトヲワタシ

ノ蔭デハ「浄吉々々」ト呼ビ捨テニシテルジャナイカ、浄吉モオ前サンノコトヲワタシノ前デハ「オ前」ト云ッテイルケレド、外ノ人ノ前デハ「君」ト云ッテイルジャナイカ、アレモオ前サンガ亭主ニソウ云ワセテイルンダロウト、飛ンダトコロヘ議論ガ脱線シテ果テシガツカナイ。モウソウナルト婆サンモ颯子モイキリ立ッテ、浄吉デハ手ガツケラレナイ。

「ソンナニワタクシドモガオ嫌イナラ、イッソ別居サセテ戴キマショウヨ。ネエアナタ、ソウシヨウジャナイノ」

ソウ云ワレルト婆サンハ二ノ句ガ継ゲナイ。トテモソンナコトヲ予ガ許ス筈《はず》ガナイコトヲ、婆サンモ颯子モ知ッテイルカラデアル。

「オ爺チャンノオ世話ハ、オ婆チャント佐々木サンニオ願イスレバイイジャナイノ。ネエアナタ、ソウシマショウヨ」

婆サンガスッカリ凹《へこ》ンダノヲ見テ、颯子ガイヨイヨ図ニ乗ッテ云ッタ。ソレデ結着ガツイテシマッタ。見テイタラサゾ面白カッタロウト、予ハアトデ残念ニ思ッタ。

「モウ入梅モ明ケルンデショウネ」

ト、今日モ婆サンガ這入《はい》ッテ来タ。先日ノ諍《いさかい》ガマダ頭ニ残ッテイテ、少シイツモヨリ萎《しょ》ゲテイル。

「今年ハソノ割ニ雨ガ降ラナカッタジャナイカ」

「モウ今日ハ草市*デスヨ。ソレデ思イ出シタンデスガ、オ墓ノコトハドウナサルノ」

「ソウ急グコトハナイサ。己《おれ》ハコノ間モ云ッタ通リ、自分ノ墓ハ東京ノ墓地デハ嫌ダ。己ハ江戸ッ子ダガ、近頃ノ東京ハ好キジャナインダ。東京ニ墓ナンカ作ッタラ、ドンナ時ニドンナ都合デドンナ所ヘ移転サセラレルカ分ッタモンジャナイ。多磨《たま》墓地*ナンテ東京ノ感ジガシナイ。アンナ所ニ埋メラレタクナインダ」

「ソレハ分ッテマスケレド、京都ニナサルニシタッテ、来月ノ大文字《だいもんじ》*マデニハ決メルッテオッシャッタデショウ」

「マダ一カ月アルンダカライイサ。浄吉ニデモ行ッテ貰ウサ」

「御自分デ御覧ニナラナクッテモイインデスカ」

「コノ暑イノニコノ体デハ行ケソウモナイ。オ彼岸マデ延バスコトニシヨウカ」

予等夫婦ハ二三年前ニ戒名ヲ附ケテ貰ッタ。予ノ戒名ハ琢明院遊観日聡居士《たくみよういんゆうかんにつそうこじ》、婆サンノ戒名ハ静皖院《じようかんいん》妙光日舜大姉《みようこうにつしゆんだいし》デアルガ、予ハ日蓮宗ガ嫌イナノデ、浄土カ天台ニ変エタイト思ッテイル。日蓮宗ガ嫌イデアル主ナ理由ハ、仏壇ニ、頭ニ綿帽子ヲ載セラレタ泥人形ノヨウナ日蓮上人《しようにん》ノ像ガ飾ッテアッテ、ソレヲ拝マセラレルカラダ。出来レバ京都ノ法然院《ほうねんいん》カ真如堂《しんによどう》*アタリヘ埋メテ貰イタイ。

「只今《ただいま》」

ト云ッテ、ソコヘ颯子ガ這入ッテ来タ。午後五時頃デアル。パッタリ婆サント出会ッタノデ、コレモ特別ニ馬鹿丁寧ナオ辞儀ヲシテイル。婆サンハ直《す》グ姿ヲ消シタ。

「今日ハ朝カライナカッタネ、ドコヘ行ッテタンダ」

「方々買イ物ヲシテ廻ッテ、春久サントホテルノグリルデ食事ヲシテ、エトランゼ*デ服ノ仮縫イヲシテ、ソレカラ又春久サント落チ合ッテ有楽座*デ『黒イオルフェ』*ヲ見タリシテ……」

「右ノ腕ガエラク日焦《ひやけ》シテイルネ」

「コレハ昨日逗子《ずし》*ヘドライブ*シタモンデスカラ」

「ヤハリ春久ト一緒カネ」

「エエソウ、春久サンハ駄目ナンデ、往復トモアタシガ運転サセラレチャッタノ」

「一カ所ダケ焦《や》ケテルト白イノガ特ニ目立ツネ」

「右側ニハンドルガ附イテルカラ、一日乗リ廻ストコウナルノヨ」

「少シ上気《のぼ》セタヨウナ顔ヲシテルネ、興奮シテル見タイダナ」

「ソウカシラ。マサカ興奮モシナイケド、ブレノ・メロハチョット良カッタワ」

「何ダネ、ソレハ」

『黒イオルフェ』ノ黒人ノ主役ヨ。ギリシャ神話ノオルフェノ伝説ヲモトニシテ、リオ・デ・ジャネイロノカーニヴァルノ時ノ黒人ヲ主役ニシテ作ッタ映画ナノ。ミンナ黒人ノ俳優バカリ使ッテアルノ」*

「ソレガソンナニイイノカネ」

「ブレノ・メロッテノハサッカーノ選手上リデ、素人《しろうと》ナンデスッテ。映画デハ都電ノ運転手ニナッテルノ。運転シナガラトキドキ往来ノ女ノ子ヲ見テウインクスルノ。ソノウインクガ凄《すご》クイカスノヨ」*

「己ガ見タッテ面白クモナサソウダナ」

「アタシノタメニ見テ下サラナイ?」

「オ前ガモ一度連レテッテクレルカ」

「アタシガオ供スレバ見テ下サル?」

「ウン」

「エエ何度デモ。――ト申シマスノハネ、アノ顔ヲ見テルト、昔アタシガ贔屓《ひいき》ニシテイタレオ・エスピノザヲ思イ出スンデスノ」*

「又変ナ名前ガ出テ来タジャナイカ」

「エスピノザッテノハフライ級世界選手権ノタイトル・マッチニモ出タコトノアル、フイリッピンノボクサーナノ。ヤッパリ黒人デ、ブレノ・メロホド美男ジャナイケレド、ドコカ感ジガ似テルノヨ。ウインクスル時ノ感ジガ殊《こと》ニ似テルワ。今モエスピノザハイルケレド、モウ昔ホド良クハナイノ。昔ハホントニヨカッタワ。アタシアレヲ思イ出シチャッタワ」

「ボクシングハタッタ一ペンシカ見タコトガナイナ」

ココへ婆サント看護婦トガ滑リ台ノ時間ガ来タコトヲ知ラセニ来タノデ、颯子ハ一層面《つら》当《あて》ガマシク誇張的ニ話シ出シタ。

「エスピノザハセブ島ノ黒人デ左ストレートガ得意ナノ。左ノ腕ガ真ッ直グニ伸ビテ、敵ヲ打ツト直グ又ソノ腕ヲ引ッ込メル。ソノシュッ、シュット、伸ビタ腕ヲ引ッ込メル早サト云ッタラナイノ。シュッ、シュッ、ト、トテモ美シイノヨ。攻撃ノ際ニピュー、ピューット口ヲ鳴ラス癖ガアッテ。相手ノストレートガ這入ルト、普通ハ上体ヲ右カ左へウイービング*スルンダケレド、エスピノザハ上体ヲグット後ロニ反《そ》ラセルノ。体ガ妙ニ柔軟ナ感ジガスルノヨ」

「ハハア、オ前ガ春久ヲ贔屓ニスルノハ、色ノ黒イトコロガ黒人ニ似テルカラダナ」

「春久サンハ胸毛ガ一杯生《は》エテルケレド、黒人ハ毛ガ少イワ。ソレデ全身ニ汗ヲ掻《か》クト、肌《はだ》ガツルツルニ光ッテ非常ニ魅力的ニナルノヨ。アタシ、オ爺チャンヲ是非一ペンボクシングニ引ッ張ッテ行クワ」

「ボクサーニハ美男ハ少イダロウナ」

「鼻ガ潰《つぶ》レテル人ガ多イワ」

「レスリング*トドッチガイイカナ」

「レスリングハ多分ニショウ的デ、ムヤミニ血ダラケニナッタリスルケレド、真剣味ガ乏シイワ」

「ボクシングダッテ血ガ出ルンダロウ」

「エエ、ソリャ出ルワヨ。口ヲ打タレテ血ダラケニナッテマウスピース*ガ三ツニ割レテ飛ンダリスルワ。ダケドレスリングノヨウニワザトジャナイカラ、アンナニ沢山ハ出ナイワ。大概ヘッディングト云ッテ、頭ガ相手ノ顔ノドコカニ打《ぶ》ツカッテ出ル場合ガ多イワ。ソレカラ瞼《まぶた》ガ切レル場合」

「若奥様ハソンナノヲ見ニイラッシャルンデスカ」
ト、佐々木ガ口ヲ挟ンダ。婆サンハサッキカラ呆《あき》レテ突ッ立ッタキリデアル。今ニモ逃ゲ出シソウニシテイル。
「アタシバカリジャナイ、女ガ沢山見ニ来テルワ」

「ワタクシダッタラ気絶シチマイマスワ」

「血ヲ見ルト多少興奮スルワネ。ソレガ又愉快ナノヨ」

予ハコノ話ノ途中カラ左手ガヒドク痛ムヨウニ感ジ始メタ。シカモ痛ムノニ溜《たま》ラナイ快感ヲ覚エ出シタ。颯子ノ意地ノ悪ソウナ顔ヲ見ルト、イヨイヨ痛ミガ増シ、イヨイヨ快味ガ増シタ。……

二

十七日。昨夜盂蘭《うら》盆《ぼん》ノ送リ火*ヲ済マスト間モナク颯子《さつこ》ハ出カケテ行ッタ。夜ノ遅イ急行デ京都ヘ行キ、祇《ぎ》園会《おんえ》*ヲ見物スルノダト云ウ。コノ暑イノニ御苦労ナコトダガ、春久ガ御祭ヲ撮影スルノダト云ッテ昨日カラ行ッテイルノデアル。テレビノ一行ハ京都ホテル*、颯子ハ南禅寺*ニ泊リ、二十日ノ水曜ニ帰ルト云ッテイル。五子《いつこ》トウマク行ク筈ガナイカラ、ドウセホンノ泊メテ貰ウダケダロウ。……

「軽井沢ヘハイツイラッシャルノ。子供達ガ来ルトウルサクナリマスカラ、早イ方ガヨゴザンスヨ」

ト、婆サンガ云ウ。

「二十日ガ土用ノ入リ*デスッテ」

「ドウシヨウカナ、今年ハ。――去年ミタイニ長クイルノハ退屈ダナ。二十五日ニ実ハ颯子ト約束ガアルンダ。後楽園ジムニ全日本フライ級タイトルマッチ*ガアルンダ」

「年寄ノ冷水ネ、ソンナ所ヘ出カケテ行ッテ怪我《けが》デモナサラナケレバイイガ」

二十三日。………日記ヲ書クト云ウコトハ、書クコト自身ニ興味ガアルカラ書クノデアル。誰ニ読マセルタメデモナイ。視力ガ恐シク衰エタノデ、読書モ思ウニマカセズ、他ニ消閑ノ法モナイカラ、ヒマツブシニイクラデモ書ク気ニナル。読ミ易《やす》イヨウニ毛筆デ大キナ文字デ書ク。人ニ読マレテハ困ルカラ手提金庫ニ入レテアル。金庫ガモウ五箇ホドタマッタ。イズレハ焼イテシマッタ方ガイイト思ウガ、遺《のこ》シテ置クノモ悪クハナイ。時々前ノ日記ヲ取リ出シテ見ルト、ヒドク忘レッポクナッテイルノニ驚ク。一年前ノ出来事ガマルデ新シイ事実ノヨウニ感ゼラレ、興味津々《しんしん》尽キルトコロヲ知ラナイ。去年ノ夏軽井沢ヘ行ッテイタ留守ニ寝室ト浴室ト便所トヲ作リ直サセタコトガアッタ。イクラ忘レッポイト云ッテモ、コノコトハヨク覚エテイル。シカシ去年ノ日記帳ヲ繰ッテ見ルト、コノ出来事ノ記載ガ詳細ヲ欠イテイル。今日ハコノコトヲ少シ委《くわ》シク書キ留メル必要ガ起ッタノデ、モウ一度ココニ記ス。

去年ノ夏マデハ、予等夫婦ハ同ジ日本間ノ部屋ニ枕ヲナラベテ寝テイタガ、去年日本間ヲ板敷ニシテベッドヲ二台据エタ。ソシテ一台ハ予ノベッド、他ノ一台ニハ佐々木看護婦ガ寝ルコトニナッタ。婆サンハソレ以前カラモ時々自分ダケ茶ノ間デ寝テイタガ、ベッドニシテカラハ完全ニ別レ別レニ寝ルヨウニナッタ。予ハ早寝早起キデ、婆サンハ寝坊デ宵ッ張リデアル。予ハ洋式便所ヲ可トスルノニ、婆サンハ日本式デナケレバ困ルト云ウ。ソノ他イロイロ医師ヤ看護婦ノ便宜ナドモ慮《おもんぱか》ッタ結果デアル。ソレデ寝室ノ右側ニ接シテイタ老夫婦専用ノ便所ヲ、予専用ノモノトシテ椅子式ニ改良シ、寝室ト便所トノ境界ノ壁ヲ刳《く》リ抜イテ、廊下へ出ナイデモ行ケルヨウニ、行《い》ケ行《い》ケ*ニシタ。寝室ノ左隣ハ浴室デアル。コレモ去年大改造ヲ施シ、水槽カラ何カラ何マデタイル張リニシ、シャワーノ設備ヲシタ。コレハ専《もっぱ》ラ颯子ノ註文ニ依ッタノデアル。ソシテ浴室ト寝室ノ間モ行ケ行ケニシタガ、コレハ必要ニ応ジテ浴室ノ内部カラ締マリガ出来ルヨウニシテアル。

ツイデニ記スト、便所ノ右隣ガ予ノ書斎（コノ間モ行ケ行ケニシテアル）、ソノ右ガ看護婦ノ部屋。看護婦ガ予ノ隣ノベッドニ寝ルノハ夜間ダケデ、昼間ハ普通自分ノ部屋ニイル。婆サンハ夜モ昼モ廊下ヲ曲ッタ茶ノ間ノ方ニ引ッ込ンデイテ、殆《ほとん》ド一日テレビヤラジオヲ聞イテイル。用ガナケレバメッタニ出テ来ナイ。浄吉《じょうきち》夫婦ト経助《けいすけ》ノ寝室ヤ居間ハ二階デアル。別ニ泊リ客ノタメニ寝台附キノ部屋ガ一ト間アル。若夫婦ノ居間ハ可ナリ豪華ニ飾ッテアルラシイガ、階段ノ中途ガ螺旋《らせん》ニナッテイルノデ、足モトノ悪イ予ハタマニシカ上ッタコトガナイ。

浴室ヲ改造スル時ニ、チョット悶着《もんちゃく》ガアッタ。婆サンハ、浴槽ハ木製ニ限ル、タイルデハ冷《さ》メ易《やす》ク、冬ハツメタクテイケナイト云ウ説デアッタガ、コレモ颯子ノサジェッション*ニ従ッテ（婆サンニハ颯子ノ意見ト云ウコトヲ内証《ないしょ》ニシテ）タイルニシタ。ケレドモコレハ失敗ダッタ。――イヤ、結局ハ成功ダッタノカナ。――ト云ウノハ、タイルニシテ見タラ濡《ぬ》レテイル時ツルツル滑リ易クッテ、老人ハ危クテ仕方ガナイ。婆サンモ一ペン流シ場デスッテンコロリト鮮《あざや》カニ転ンダ。予モ浴槽デ足ヲ伸バシテイテ、急ニ起キ上ロウトシテ浴槽ノ縁ニ手ヲカケタラ、手ガ滑ッテ起キラレナイ。予ハ左ノ手ガ利《き》カナイノデ、コウ云ウ時ニ寔《まこと》ニ不便ダ。流シ場ニハ木製ノ下司《げす》板《いた》*ヲ敷クコトニシタガ、浴槽ハイカントモスル訳ニハ行カナイ。

トコロデ昨夜コンナコトガアッタ。

佐々木看護婦ハ子持チナノデ、月ニ一二回子供ノ顔ヲ見ルタメニ子供ヲ預ケテアル親戚《しんせき》ノ家ニ泊リニ行ク。夕刻カラ出カケテ一泊シテ、翌日午前中ニ戻ッテ来ル。佐々木ノイナイ夜ハドウスルカト云ウト、婆サンガ代リニ佐々木ノベッドニ寝ルコトニシテアル。

予ハ十時ニハ寝ル習慣デ、寝ル直前ニ入浴シ、浴後直チニ寝室ニ入ル。但《ただ》シ入浴ノ助手ハ、婆サンハ転ンデカラ以後勤メナイノデ、颯子カ女中ガ勤メルノデアルガ、佐々木ノヨウニ上手ニ親切ニハ助ケテクレナイ。颯子ハ支度《したく》ダケハ甲斐《かい》甲斐《がい》シイガ、離レタトコロカラ見テイルダケデ、ロクニ何モシテクレナイ。スポンジデ背中ヲザット流スクライガ関ノ山デアル。湯カラ上ルト、ウシロカラタオルデ拭《ふ》キ、ベビーパウダーヲ振リカケ、扇風機ヲカケテクレルガ、決シテ前ヘハ廻ラナイ。ソレガタシナミナノカ、気味ガ悪イセイナノカ、ドッチダカ分ラナイ。ソシテ最後ニバスローブヲ着セテクレテ、予ヲ寝室ヘ押シ込ンデカラ、自分ハ廊下ヘ出テ行ッテシマウ。アトハオ婆チャンノオ役目デ、ワタクシノ係リデハゴザイマセント、云ワンバカリデアル。予ノ心中ハ、タマニハ寝室モ彼女ガ勤メテクレルコトヲ望ンデ已《や》マナイノデアルガ、婆サンガ待チ構エテイルセイカ、颯子ハ殊更《ことさら》ソッケナクスル。

婆サンダッテ、他人ノ寝台ノ上ニ寝カサレルコトヲ喜ンデハイナイ。シーツト掛ケ布団ヲスッカリ取リ替エテ、気味悪ソウニ横ニナル。婆サンモ年ノ加減デ尿ガ近イノデアルガ、洋式便所デハ出ルモノガ出ナイト云ッテ、夜中ニ二三回遠クノ日本便所ヘ通ウ。オ蔭《かげ》デ一ト晩ジュウ満足ニ寝ラレナイト云ッテコボス。イズレ近イウチニ、佐々木ノ留守ノ夜ハ颯子ガ勤メルヨウニナルト、予ハヒソカニ期待シテイル次第デアル。

今日ハ偶然ニソウナッタノデアルガ、午後ノ六時ニ今夜ハオ暇ヲ戴《いただ》キマスト云ッテ、佐々木ガ子供ノ所へ行ッタ。スルト、夕食ヲ済マシタアトデ、婆サンガ急ニ気分ガ悪クナッテ茶ノ間デ臥《ね》テシマッタ。自然入浴ト共ニ寝室ノ役目ガ颯子ニ廻ッタ。入浴ノ助手ヲスル時、彼女ハブリュウデエッフェル塔ノ模様ノ附イタポロシャツ*ヲ着テ、膝《ひざ》ノトコロマデノトレアドルパンツ*ヲ穿《は》イテイルノガ、素晴ラシクスッキリト意気ニ見エタ。心ナシカ、イツモヨリ念入リニ流シテクレルヨウナ気ガシタ。首ノ周《まわ》リダノ肩ダノ腕ダノ、トコロドコロニチョイチョイ手ガ触《さわ》ッタ。予ヲ寝室ニ送リ込ンデシマウト、

「今スグ来マスカラ、チョット待ッテテネ。アタシモシャワーヲ浴ビマスカラ」

ト、自分ダケ浴室へ引ッ返シタ。予ハ三十分グライ一人デ寝室ニ待タサレテイタ。予ハ妙ニ落チ着カナイデ、寝台ニ腰掛ケテイタ。ト、ヤガテ彼女ハ行ケ行ケノ戸口カラ現レタガ、今度ハ鮭色《さけいろ》ピンクノサッカー*ノガウンヲ着テ、支那《しな》製ラシイ牡丹《ぼたん》ノ刺繍《ししゅう》ノアル繻《しゅ》子《す》ノ室内履《しつないばき》ヲ穿イテ来タ。

「オ待チ遠サマ」

彼女ガ這入《はい》ッテ来ルト同時ニ廊下ノドーアガ開《あ》イテ、女中ノオ静ガ二段ニ畳マレル籐椅《とうい》子《す》ヲカツギ込ンデ来タ。

「オ爺チャン、マダオ休ミニナラナインデスカ」

「今寝ルトコロダ。君ハソンナモノヲ担《かつ》ギ込マセテドウスルンダ」

予ハ婆サンノイナイ所デハ、颯子ノコトヲ「オ前」ト呼ンダリ「君」ト呼ンダリスル。特ニ意識シテ「君」ト呼ブ場合ガ多イ。自分ノコトハ「己《おれ》」ト云ッタリ「僕」ト云ッタリスルガ、二人キリノ時ハ自然「僕」ガ出ル。颯子ノ方モ二人キリダト変ニ言葉ガゾンザイニナル。ソレガ却《かえつ》テ予ヲ喜バス所以《ゆえん》デアルコトヲ心得テイル。

「オ爺チャンハ早寝ダケレド、アタシハ当分寝ラレナイカラ、コレニ腰掛ケテ本デモ読ムワ」

彼女ハ籐椅子ヲ二段ニ伸バシテ長椅子ニシ、ソレニ臥《ね》コロンデ持ッテ来タ本ヲ広ゲタ。何カフランス語ノ教科書ラシイ。電燈ノスタンドヲ、予ニ光線ガ当ラヌヨウニ覆《おお》イヲ懸ケテイル。彼女モ佐々木ノベッドヲ嫌ッテ、長椅子デ寝ル積リナノデアロウ。

彼女ガ横ニナッタノデ、予モ横ニナッタ。予ノ寝室ニハ極《きわ》メテ微《かす》カニ、手ニ痛ミヲ与エナイ程度ニ冷房ガ施シテアル。コノ数日来アマリ蒸シ暑ク、湿気ガ多イノデ、空気ヲ乾燥サセルタメニモ冷房シタ方ガイイト、医師ヤ看護婦ガ云ウノデアル。予ハ寝タフリヲシナガラ、颯子ノガウンノ端カラ覗《のぞ》イテイル支那履ノ小サク尖《とが》ッタ尖端《せんたん》ヲ見テイタ。コンナニ繊細ニ尖ッタ足ハ日本人ニハ珍シイ。

「オ爺チャン、マダ起キテラッシャルノネ、鼾《いびき》ガ聞エテ来ナイワ。オ休ミニナルト直グ聞エテ来ルッテ、佐々木サンガ云ッテタケド」

「今日ハドウシタノカ寝ツキガ悪イ」

「アタシガ傍《そば》ニイルカラジャナイ?」

答エズニイルト、クスット笑ッタ。

「興奮ナスッタラ毒ヨ」

ソシテ又云ッタ。

「興奮サセルトイケナイカラ、アダリンヲ飲マセタゲマショウカ」

颯子ガ予ニコウ云ウ種類ノコケトリーヲ云ウノハ始メテデアル。予ハソノ言葉ノタメニ興奮ヲ感ジタ。

「マサカソレニハ及バンサ」

「イイワヨ、飲マセタゲルワヨ」

彼女ガ薬ヲ取リニ出テ行ッタ間ニ、予ハ又一ツノ楽シミヲ考エツイタ。

「サア、飲マセチャウ、二錠グライデイイカシラ」

左ノ手ニ小皿ヲ持チ、右手デアダリンノ容器カラ二錠ヲ皿ノ上ニ落スト、次ニ浴室カラコップニ水ヲ運ンデ来タ。

「サア、口ヲアーント開ケテ。アタシガ飲マセタゲルンダカライイジャナイノ」

「皿ナンカニ載セナイデ、君ノ手デ摘《つ》マンデ入レテクレナイカナ」

「ジャ、チョット手ヲ洗ッテ来ルワネ」

又浴室ヘ這入ッテ出テ来タ。

「水ガ零《こぼ》レルヨ、ツイデノコトニ口移シニシテクレナイカナ」

「駄目々々、図ニ乗ッチャ駄目」

パット予ノ口ノ中ヘ二錠、素早ク放リ込ンデ器用ニ水ヲ注ギ入レタ。予ハ薬ガ利《き》イタト見セカケテ寝タフリヲスル積リダッタガ、ツイ本当ニ寝テシマッタ。


二十四日。夜中二時頃ト四時頃ニ便所ヘ行ッタ。颯子ハ果シテ籐椅子ニ寝テイタ。フランス語ノ本ヲ床ニ落シテ、スタンドヲ消シテアッタ。予モアダリンノ利キ目デ、二度便所ヘ行ッタコトヲ辛《かろ》ウジテ記憶シテイル。朝ハ常ノ如ク六時ニ眼覚メタ。

「モウオ眼覚メ?」

朝寝坊ノ彼女ハ当分マダ寝テイルコトト思ッタラ、予ガ身動キヲシタ途端ニ上半身ヲ跳《は》ネ起シタ。

「何ダ、モウ起キテタノカ」

「アタシコソ昨夜ハ寝ラレナカッタワ」

予ガ窓ノブラインドヲ上ゲルト、寝起キノ顔ヲ見ラレタクナイラシク、慌《あわ》テテ浴室ヘ逃ゲテ行ッタ。………

午後二時頃、予ガ書斎カラ寝室ニ戻ッテ約一時間午睡ヲシ、マダボンヤリトベッドノ中デ眼ヲ開ケテイル時、突然浴室ノ戸ガ半分ホド開イテ颯子ノ首ガ此方《こちら》ヘ出タ。首ダケデ他ノ部分ハ見エナイ。ビニールノ帽子ヲ被《かぶ》ッタ顔ガ頭カラビショビショニ濡《ぬ》レテイル。シャワーノ音ガシャーシャー聞エル。

「今朝ホドハ失礼。今浴ビテルトコロナノ、チョウドオ昼寝ノ時ダト思ッテ覗《のぞ》イテ見タノ」

「今日ハ日曜ダッタッケナ、浄吉ハイナイノカ」

ソレニハ答エナイデ別ナコトヲ云ッタ。

「アタシシャワーノ時ダッテ、ココヲ締メタコトハ一度モナイノヨ。イツモココハ開ケラレルノヨ」

予ノ入浴ハ午後九時過ギニ決マッテイルカラ、ト云ウ意味ナノカ、予ヲ信用シテイルカラト云ウノカ、見タケレバ見セタゲルカラ這入ッテラッシャイト云ウノカ、老イボレ爺サンノ存在ナンカ全然問題ニシテナイト云ウノカ、何ノタメニワザワザソンナコトヲ断ルノカ分ラナイ。

「浄吉ハ今日ハイルノヨ、今夜庭デバーベキュー*ヲスルト云ッテ騒イデルノ」

「誰カ来ルノカ」

「春久サント甘利《あまり》サント、辻堂カラモ誰カ来ルラシイワ」

陸子《くがこ》ハアレ以来当分来ル筈ガナイ。来ルトスレバ子供達ダケダロウ。

二十五日。昨夜ハ大失敗ヲシタ。庭デバーベキューガ始マッタノハ夕刻六時半頃ダッタガ、賑《にぎや》カデ景気ガヨサソウナノデ、予モツイ若イ者タチノ中ヘ参加スル気ニナッタ。今時分カラ芝生《しばふ》ノ上ニ坐ッタリシテ、冷エルトイケナイカラオ止《よ》シナサイト、婆サンハ頻《しきり》ニ止メタガ、

「オ爺チャン、チョットイラッシャイヨ」

ト、颯子ガススメタ。予ハ彼等ノ貪《むさぼ》ル羊ノ肉ダノチキンノ手翅《てば》ナドニハ一向食欲ヲ感ジナイノデ、ソンナモノヲ喰ウ積リハナカッタ。実ハソレヨリモ、春久ト颯子トガドンナ工合ニ接触スルカ、ソノ様子ガ見タカッタノデアルガ、団欒《まどい》ノ中ニ加ワッテカラ三四十分モシタ時分、次第ニ脚《あし》カラ腰ノ周《まわ》リガ冷エテ来ルノニ心ヅイタ。婆サンカラアンナ注意ヲ受ケタタメニ、却《かえっ》テ神経質ニナッテ、気ニシテイタセイデモアル。婆サンニ聞イタ

ト見エテ、ヤガテ佐々木マデ心配ソウニ庭へ出テ来テ警告シタ。ソウナルト予ハイツモノ癖デ依怙地《いこじ》ニナリ、直グニハ立チ上ロウトシナイ。シカシマスマス冷エテ来ルノガ感ジラレタ。婆サンハコンナ時ハ心得テイルノデ、決シテ執拗《しつこ》クハ注告《ちゅうこく》シナイ。佐々木ガヒドク心配スルノデ、又三十分ホド粘《ねば》ッテカラ漸《ようや》ク立チ上ッテ部屋ニ帰ッタ。ダガソレダケデハ済マナカッタ。今暁二時頃、予ハ尿道ガ非常ニムズ痒《がゆ》イノデ眼ヲ覚マシタ。急イデ便所ニ走リ、排尿シテ見ルト、尿ガ牛乳ノヨウニ白濁シテイル。ベッドニ戻ッテ十五分モ経ツト又尿ヲ覚エル。ムズ痒サモ止マラナイ。コンナコトヲ繰リ返スコト四五回ニ及ンダガ、佐々木ガシノミン*ヲ四錠ススメ、尿道ヲ湯タンポデ温メテクレタノデ、ヤット鎮《しず》マリカケル。

数年前カラ予ニハ前立腺《ぜんりつせん》（青年時代花柳病ヲ患《わずら》ッタ頃ニハ摂護腺ト呼ンダモノダガ）肥大症*ガアリ、トキドキ残尿ガ溜《たま》ッタリ、尿ガ出ナクナッテカテーテルデ導尿シタリシタコトガ二三回アル。尿閉《にょうへい》ハ老人ニハシバシバ起ル現象ダソウダガ、平生デモ一回ノ排尿ニ時間ガカカリ、劇場ノ便所ナドデ人ガ大勢ウシロニ列《なら》ンデ待ッテイラレルト甚《はなは》ダ困ル。前立腺肥大ノ手術ハ七十五六歳マデハ可能デアルカラ、思イ切ッテシテオ貰イナサイ、手術シタ後ノ快感ハ何トモ云エナイ、若イ時ノヨウニ尿ガシャーシャート音ヲ立テテ走ッテ出マス、モウ一度青春時代ニ戻ッタ気ガシマスト、ソウ云ッテクレタ人モアッタガ、困難デ不愉快ナ手術ダカラオ止《よ》シナサイト云ウ人モアッタ。ドウシタモノカト迷ッテイルウチニ歳《とし》ヲ取リ過ギテ、モウ現在デハ手術モ手後レニナッタラシイ。デモ幸イニ一時快方ニ向ッテイタノダガ、昨夜ノ失敗デ又ブリ返シタヨウデアルカラ、当分用心シタ方ガイイ、シノミンハ余リ連用スルト副作用ガアルカラ一回四錠ズツ日ニ三回、三日以上ハ続ケナイデ下サイ、毎朝怠ラズ尿ノ検査ヲシ、雑菌ガアッタラ、ウバウルシ*ヲオ飲ミナサイト云ワレル。

オ蔭デ、今日ノ後楽園ノタイトルマッチハ諦《あきら》メルコトニスル。尿道ノ故障ハ今朝ハ一応良クナッタノデ、行ッテ行カレナイコトハナイノダガ、夜ノ外出ナド飛ンデモアリマセント云ッテ、佐々木ガ承知シナイ。

「オ爺チャン、オ気ノ毒ネ、アタシハ行ッテ参リマス、アトデ話シタゲルワ」

ソウ云ッテ颯子ハサッサト出テ行ッテシマッタ。

已《や》ムヲ得ズ安静ニシテ鈴木氏ノ鍼《はり》ダケシテ貰ウ。二時半カラ四時半マデハ可ナリ長クテ辛《つら》イガ、間デ二十分ホド休憩ガアル。

学校ガ休ミニナッタノデ、経助ハ辻堂ノ子供達ト一緒ニ近々軽井沢ニ行ク予定。婆サント陸子ガ同行スル。アタシハ来月参リマス、経助ヲヨロシクオ頼ミ申シマスト、颯子ハ云ッテイル。浄吉モ来月ニナッタラ十日間グライ休暇ヲ取ッテ行ク。辻堂ノ千六モ多分ソノ時分ニハ行ケル。春久ハテレビノ仕事ガトテモ忙シイ、美術デザイナーハ昼間ハ割ニ時間ノ余裕ガアルンデスケレド、夜ハ毎晩縛ラレテマシテネト云ッテイル。………

二十六日。最近ノ予ノ日課ハ左ノ如クデアル。午前六時前後起床。先《ま》ズ便所ニ行ク。排尿ニ際シ、最初ノ数滴ヲ消毒シタ試験管ニ取ル。次ニ硼砂《ほうしゃ》*ノ液デ眼ヲ洗ウ。次ニ重曹*ノ液デ口腔内ト咽喉《いんこう》部ヲ丁寧ニ含嗽《うがい》スル。次ニ葉緑素入リコールゲート*デ歯齦《しぎん》*ヲ洗ウ。入歯ヲ嵌《は》メル。約三十分庭ヲ散歩スル。滑リ台ニ臥《ね》テ牽引《けんいん》スル。コレモ三十分ニ延ビテイル。次ニ朝食。朝食ダケハ寝室デ取ル。牛乳一合、チーズトトースト一片、野菜ジュース一杯、果物一箇、紅茶一杯。同時ニアリナミン*一錠。次ニ書斎デ新聞ヲ見、日記ヲ附ケ、時間ガ余レバ読書ナドスルガ、午前中ヲ日記ニ費スコトガ多ク、時トスレバ午後ニモ夜間ニモ及ブ。午前十時佐々木ガ書斎ニ来、血圧ヲ測ル。三日ニ一度クライヴィタミン五〇ミリヲ注射。正午食堂で昼餐《ちゅうさん》、大概素麺《そうめん》一杯ト果物一箇ダケデアル。午後一時カラ二時マデ寝室デ午睡。月、水、金、ノ週ニ三回、二時半カラ四時半マデ鈴木氏ノ鍼ノ治療。午後五時カラ三十分又牽引スル。六時カラ庭ノ散歩。朝夕ノ散歩ハ佐々木同伴、時ニハ颯子ノコトモアル。六時半晩餐。飯ハ軽ク一杯、オ数ハヴァライエティーニ富ンダ方ガイイト云ウノデ、毎日イロイロ取リカエテ品数ガ多イ。老人ト若イ者トハ好ミガ違ウノデ、料理ノ種類ハ家族バラバラデアル。時間モバラバラノコトガ多イ。食後書斎デラジオヲ聴ク。眼ヲ害スルノデ夜ハ読書セズ、テレビモ殆《ほとん》ド見ナイ。

一昨日ノ日曜日、二十四日ノ午過ギニ、颯子ガ洩《も》ラシタ言葉ガアッタノヲ予ハ忘レナイ。アノ日ノ午後二時頃、予ガ寝室デ午睡カラ覚メ、マダボンヤリベッドノ中デ眼ヲ開ケテイタ時、突然浴室ノ戸カラ颯子ガ首ダケヲ此方《こちら》へ出シテ云ッタ。

「アタシシャワーノ時ダッテ、ココノ戸締マリヲシタコトハナイノヨ。イツモココハ開閉自在ヨ」

故意ニカ偶然ニカ、彼女ノ唇カラ出タコノ一語ハ妙ニ予ノ関心ヲ唆《そそ》ッタ。ソノ日ハバーベキュー、昨日ハ病気デ静養中デアッタガ、ソノ間モ予ノ頭ニハ絶エズコノ言葉ガ引ッカカッテイタ。今日ノ午後、二時ニ午睡カラ覚メテ一旦書斎へ這入ッタ予ハ、三時ニナルト再ビ寝室へ戻ッテ来タ。颯子ハ近頃家ニイレバ大体イツモコノ時刻ニシャワーヲ浴ビルコトヲ予ハ知ッテイル。予ハ試ミニ浴室ノ戸ヲコッソリト押シテミタ。果シテ戸ニハ締マリガシテナイ。シャワーノ音ガ聞エテイル。

「何カ御用?」

戸ハホンノ僅《わず》カ、動クカ動カナイクライニ触レタダケデアッタガ、早クモ彼女ハ気ヅイタラシイ。予ハ狼狽《ろうばい》シタ。シカシ次ノ瞬間ニ度胸ヲ据エタ。

「イツモ締マリガシテナイト云ッタカラ、ホントカドウカ試シテ見タノサ」

云イナガラ予モ浴室ノ方へ首ダケ出シタ。シャワーヲ浴ビツツアル彼女ノ全身ハ白地ニ粗《あら》イグリーンノ縦縞《たてじま》ノバス・カーテンデ囲ワレテイル。

「嘘《うそ》デナイコトガ分ッタ?」

「分ッタ」

「何シテルノヨ、ソンナ所デ。オ這入ンナサイヨ」

「這入ッテモイイ?」

「這入リタインデショウ」

「別ニ用モナインダケレドネ」

「ソレソレ、興奮スルト滑ッテ転ブワヨ、落チ着イテ、落チ着イテ」

今ハ下司板《げすいた》ガ上ゲテアッテ、タイル張リノ床ガシャワーノ水デビショビショニナッテイル。予ハ足元ニ用心シナガラ闖入《ちんにゅう》シテ、戸ヲウシロデ締メタ。バス・カーテンノ裂ケ目カラ、彼女ハトキドキ肩ダノ膝《ひざ》ダノ足ノ先ダノヲチラツカセタ。

「ソンナラ用ヲサセタゲルワ」

シャワーノ音ガ止マッタ。彼女ハ予ニ背中ヲ向ケテ上半身ノ一部ヲカーテンノ外へ露出シタ。

「ソコニアルタオルヲ取ッテ、背中ヲ拭《ふ》イテ頂戴《ちょうだい》。頭カラポタポタ落チルワヨ」

ビニールノ帽子ヲ脱グ時ニ二三滴予ニモ雫《しずく》ガカカッタ。

「ソンナニ恐々《こわごわ》拭カナイデ、モット手ニ力ヲ入レテシッカリト。ア、オ爺チャン左ガ駄目ナノネ、右ノ手デ一生懸命キューキュート擦《こす》ッテヨ」

咄嗟《とっさ》ニ予ハタオルノ上カラ両肩ヲ摑《つか》ンダ。ソシテ右側ノ肩ノ肉ノ盛リ上リニ唇ヲ当テテ舌デ吸ッタ、ト、思ッタ途端ニ左ノ頰《ほお》ニ
「ピシャッ」

ト平手打チヲ喰ッタ。

「オ爺チャンノ癖ニ生意気ダワ」

「コノクライハ許シテクレルンダト思ッタンダ」

「ソンナコト絶対ニ許サナイワヨ、浄吉ニ云附《いつ》ケテヤルカラ」

「御免々々」

「出テッテ頂戴!」

ソウ云ッテカラ、浴ビセテ云ッタ。

「慌《あわ》テナイデ、慌テナイデ。滑ルトイケナイカラユックリト」

予ガ戸口マデ辿《たど》リ着イタ時、柔イ指ノ先ガ背中ヲ軽ク押シ出スノヲ感ジタ。予ハ寝室ノ

ベッドニ腰カケテ一ト休ミシタ。直グソノ後カラ彼女ガ現レタ。例ノサッカーノガウンニ着換エテ立ッテイル。牡丹《ぼたん》ノ刺繡《ししゆう》ノ履《くつ》ガ覗イテイル。

「御免ナサイネ、アンナコトシチャッテ」

「イヤ、何デモナイヨ」

「痛カッタ？」

「痛カナカッタガ、チョットビックリサセラレタヨ」

「アタシ、男ノ人ノ横ッ面ヲ直キニピシャットヤル癖ガアルノヨ、ダモンダカラ、ツイソレガ出チャッテ」

「ダロウト思ッタヨ、イロンナ男ニアノ手ヲ使ッテルンダロウ」

「デモオ爺チャンヲ殴《なぐ》ルナンテ勿体《もったい》ナイワ」

…………………………

二十八日。…………………………

昨日ハ鍼《はり》ノ時間デ駄目。今日ノ午後三時、予ハ又浴室ノ戸ニ耳ヲ当テタ。戸締マリガシテナイ。シャワーノ音ガシテイル。

「イラッシャイ、待ッテタワヨ。一昨日ハ失礼イタシマシタ」

「ソウ来ナケレバナラナイト思ッタ」

「歳《とし》ヲ取ルト強イ」

「一昨日張リ飛バサレタカラ、何カ弁償シテ貰ッテモイイナ」

「冗談ジャナイワ、モウアンナコトハ決シテ致シマセント誓ッテ頂戴」

「頸《くび》ニ接吻《せっぷん》スルクライ、オ許シガ出タッテヨサソウナモンダノニ」

「頸ハ弱イワ」

「何処《どこ》ナライイノサ」

「何処ダッテ駄目。蛞蝓《なめくじ》ニ舐《な》メラレタミタイデ、一日気持ガ悪カッタワ」

「相手ガ春久ダッタラドウカナ」

グット、声ヲ呑《の》ンデカラ云ッタ。

「殴《なぐ》ルワヨ、ホントニ。コナイダハ手加減シタゲタノヨ」

「ソンナ御遠慮ニハ及バンヨ」

「アタシノ掌《てのひら》ハヨク撓《しな》ウノヨ、ホントニ打《ぶ》ッタラ眼ガ飛ビ出ルホド痛クッテヨ」

「ソレハ寧《むし》ロ望ムトコロ」

「始末ニ悪イ不良老年、ジジイ・テリブル!*」

「モウ一度聞クガ、頸ガ駄目ナラ何処ナライイノサ」

「膝カラ下ナラ一度ダケ許ス、一度ダケヨ。――舌デ触《さわ》ラナイデ唇ダケ着ケルノヨ」

膝カラ上ハ顔マデスッカリ隠レテイテ、バス・カーテンノ裂ケ目カラ脛《すね》ト足ノ先ダケ出タ。

「医者ガ内診スルミタイダ」*

「馬鹿ネ」

「舌ヲ使ワズニ接吻シロナンテ、随分無理ナ註文ダナ」

「接吻ジャナイモノ、タダ唇デ触ラセルダケダモノ。オ爺チャンニハソレガ相当ヨ」

「セメテコウシテル間、シャワーヲ止メテ貰エナイカナ」

「止メル訳ニ行カナイ、触ラレタ傍《そば》カラ直グト綺麗ニ流シチャワナイト気味ガ悪イ」

予ハタダ水ヲ呑マサレタ気ガシタダケダッタ。

「ソウ云エバ春久サンデ思イ出シタ、オ願イガアルノヨ」

「何サ」

「春久サンガコノ頃暑クッテ困ルンデ、トキドキココノシャワーヲ浴ビサセテ戴《いただ》キタイ、来テモイイカドウカ、伯父《おじ》サンニ伺ッテクレッテ云ッテルノ」

「放送局ニ風呂場ガナイノカ」

「アルコトハアルンダケド、出演者ノ風呂場ト、出演者以外ノ者ノ風呂場ト別々ニナッテテ、トテモキタナインデ這入ル気ニナラナイ、仕方ガナイカラ銀座へ出カケテ東京温泉*ニ這入ルンダケド、ココデ入レテ貰エタラ局カラノ距離モ近イシ、大変助カル。伯父サンニ聴イテミテクレッテ」

「ソンナコト、君ガ勝手ニ計ラッタライイ、一々僕ニ聴クマデモナイ」

「実ハコナイダ内証デ一ペン入レタゲタノヨ、ダケドヤッパリ黙ッテ這入ッチャ悪イッテ云ウノヨ」

「僕ハイイヨ、断ルンナラオ婆チャンニ断ンナサイ」

「オ爺チャンカラ仰《お》ッシャッテヨ、オ婆チャンハアタシ恐《こわ》イワ」

ソウハ云ッテルガ、颯子ハ内々婆サンヨリモ予ニ気ガネガアルノデアル。春久ダカラワザワザ断ル必要ヲ感ジテイルノデアル。

二十九日。……午後二時半鍼ノ治療ガ始マル。予ハ寝台ニ仰臥《ぎょうが》シ、盲人ノ鈴木氏ハソノ傍ノ椅子ニ腰カケテ治療ヲ施ス。鞄《かばん》カラ鍼ノ匣《はこ》ヲ取リ出シタリ、アルコールデ消毒シタリスル細カイ作業ハ鈴木氏自身デスルケレドモ、常ニ弟子《でし》ノ一人ガ附キ添ッテウシロニ控エテイル。今日マデノトコロデハ、手ノ冷感モ指先ノ感覚ノ麻痺感《まひかん》モ依然トシテヨクナラナイ。

二三十分シタ時分、突然春久ガ廊下ノドーアカラ這入ッテ来タ。

「伯父サン、チョットオ邪魔サセテ戴《いただ》キマス。御療治ノ最中ニ失礼ダト存ジマシタケレド、先日颯チャンカラオ願イシマシタラ御承知下サイマシタソウデ誠ニ有難ウゴザイマス。早速今日カラ戴キニ上リマシタンデ、チョットオ礼ヲ申シ上ゲタイト存ジマシテ」

「ナーニソンナコト、一々断ルニハ及バン。イツデモ来ルガイイ」

「有難ウ存ジマス、オ言葉ニ甘エテコレカラチョクチョク伺イマス、毎日ト云ウ訳ニモ参リマセンガ。――近頃ハ伯父サン、オ見受ケシタトコロ大層オ元気デ」

「ナーニダンダン老イ惚《ぼ》レガ激シクナッテネ、毎日颯子ニ叱《しか》ラレテバカリイルヨ」

「イヤ、イツマデモオ若イッテ、颯チャンガ感心シテマスガ」

「飛ンデモナイ、今日モコウヤッテ鍼ナンカシテ貰ッテ、辛《かろ》ウジテ露命ヲツナイデルノサ」

「ソンナコトガアルモンデスカ。マダマダ伯父サンハイクラデモ長生キナサイマスナ。

――イヤ、コレハオ邪魔ヲイタシマシタ、コレカラ伯母サンニ御挨拶《ごあいさつ》ヲシテ怱々《そうそう》退散イタシマス」

「暑イノニ大変ダネ、ユックリ休ンデ行キナサイ」

「有難ウ存ジマス、ナカナカソウシテモオラレマセンデ」

春久ガ出テ行ッテカラ暫《しばら》クスルト、オ静ガ二人分ノ茶ト菓子ヲ盆ニ載セテ持ッテ来ル。休憩ノ時間デアル。今日ハキャスタード・プディングニツメタイ紅茶ガ運バレテ来ル。休憩ガ済ムト再ビ治療ガ続ケラレ、四時半デ終ル。

治療ヲ受ケツツアル間、予ハ別ノコトヲ考エテイタ。

春久ガシャワーヲ浴ビニ来サセテクレト云ウノハ、タダソレダケノコトデナク、何カ魂《こん》胆《たん》ガアルノデハナイカ。或《あるい》ハ颯子ノ入レ智慧《ぢえ》カトモ思ウ。今日ニシテモ故意ニ予ガ治療中ノ時間ヲ狙《ねら》ッテ挨拶ニ来タノデハナイカ。ソウスレバ長イ間老人ニ取ッ摑《つか》マッテオ相手ヲシナイデモ済ムト、考エタノデハナイカ。予ハ春久ガ夜間ハ忙シイケレドモ、昼間ハ自由ガ利《き》クト語ッテイタコトガアルノヲ、聞キカジッテイル。トスルト、彼ガシャワーニ来ルノハ午後カラ夕刻マデノ間、多分颯子ガ浴ビルノト同ジクライナ時間デアロウ。ツマリ予ガ書斎ニイルカ、寝室デ治療ヲ受ケテイル期間ニ来ルコトニナル。彼ガ浴室ニイル時、アスコノドーアハマサカ開ケッ放シニハシテ置カナイダロウ、ソノ時ハ戸締マリヲスルデアロウ。悪イ習慣ヲツケテシマッタト、颯子ハ後悔シテイヤシナイカ。モウ一ツ気ニナルコトガアル。明後々日、八月一日ニ、婆サン、経助、辻堂ノ陸子ト子供三人、女中ノオ節ノ七人ガ軽井沢へ出発スル。浄吉ハ二日ニ関西方面へ出カケ、六日ニ帰京シテ七日ノ日曜カラ約十日間、コレモ軽井沢ニ行クト云ウ。ソウスルト颯子ノタメニイロイロト好都合ナコトガ起リソウデアル。ソノ颯子ハト云ウト、アタシハ来月ニナッテカラトキドキ二三日グライ軽井沢へ参リマス、佐々木サント静ガ東京ニオリマスシ、コトハオリマスケレドモ、オ爺チャンヲオ一人オ残シ申シトクノハ心配デゴザイマスシ、ソレニ軽井沢ハプールノ水ガツメタ過ギテ泳ゲナイカラ困リマスノ、トキドキナライイケレド、ズーットイルノハ御免ダワ、アタシヤッパリ海ノ方ガ好キダワ、ト云ッテイル。ソウ聞カサレルト、予モ何トカシテ居残ル算段ヲシナケレバナラナイ。

「アタシハ一ト足オ先ニ参リマス、オ爺チャンハイツイラッシャルノ」

ト、婆サンハ云ウ。

「サア、己《おれ》ハドウシヨウカナ、折角鍼ヲ始メタンダカラ、モウ少シ続ケテ見ヨウカト思ウ」

「ダッテ、チットモ利カナイッテ仰《お》ッシャッテタジャアリマセンカ。セメテ暑イ間ダケオ止メニナッタラ」

「イヤ、コノ頃イクラカ利イテ来タヨウナ気ガスルンダ。マダ始メテカラ一カ月ニモナラナインダカラ、今止メルノハ惜シイヨ」

「ソレジヤ、今年ハイラッシャラナイオ積リ?」

「ソウジヤナイヨ、イズレ行クヨ」

ソウ云ッテ婆サンノ訊問《じんもん》ヲ辛ウジテ切リ抜ケル。

三

五日。……………………………………………………

二時半鈴木氏見エル。直グ治療ガ始マル。三時少シ過ギ休憩時間。オ静ガ茶菓ヲ運ンデ来ル。モカノアイスクリームト冷紅茶デアル。オ静ガ部屋ヲ出テ行コウトスル時、

「今日ハ春久ハ来テイナイノカネ」
ト、何気ナク聞イテミル。
「オイデニナッテイラッシャイマシタガ、モウオ帰リニナッタヨウデゴザイマス」
ト、多少曖昧《あいまい》ニ答エテ出テ行ク。
盲人ガ物ヲ食ベルノニハ時間ガカカル。弟子ガ一ト匙《さじ》ズツユックリユックリト、アイスクリームノ塊《かたまり》ヲ口ノ中ヘ入レテヤル。ソノ合間々々ニ紅茶ヲ啜《すす》ル。

「チョット失礼イタシマス」

ト、予ハ寝台ヲ下リテ浴室ノ戸ノ前ニ行キ、把手《とって》ヲ廻シテミル。戸ハ締マッテイテ動カナイ。念ノタメ予ハ手洗イニ行ク振リヲシテ便所ニ入リ、便所カラ外ノ廊下ニ出、廊下カラ浴室ノ戸ヲ開ケテミル。開イタ。浴室ニハ誰モイナイ。シカシ春久ノ開襟《かいきん》シャツトズボント靴下ガ籠《かご》ニ入レテ脱ギ捨テテアル。湯殿ノガラス戸ヲ開ケテミル。タシカニ湯殿ハ空ッポデアル。バス・カーテンノ中マデ覗《のぞ》イテミタガ誰モイナイ。タダ流シ場ノタイルヤ周囲ノ壁ニ夥《おびただ》シク水ガ飛ビ散ッテ濡《ぬ》レテイル。オ静ノ奴、返答ニ困ッテ嘘《うそ》ヲツイタナ、ダガドコニイルンダロウ。一体颯子ハドコナンダ。予ガ食堂ノバアノ方ヘ捜シニ行コウトシタ時、食堂ノ廊下ノ方カラコカコラ*ノ壜《びん》トコップヲ二ツ盆ニ載セテ、オ静ガ二階ノ階段ヲ上ッテ行コウトスルノト、パッタリ出会ッタ。

オ静ハ急ニ真ッ青ニナッテ階段ノ上リ口デ立チ止マッタ。盆ヲ支エテイル手ガ震エテイル。予モドギマギシタ。コンナ時間ニ外ノ廊下ヲウロツイテイルノハ予モオカシイ。

「春久ハマダイタンダネ」

予ハ努メテ晴レ晴レト、気軽ナ風ヲ装ッテ云ッタ。

「ハイ、オ帰リニナッタコトト存ジテオリマシタラ……」

「アアソウカイ」

「……オ二階デ涼ンデイラッシャイマシタンデ、……」

コップガ二ツトコカコラノ罎ガ二ツ。二人ハ二階デ「涼ンデ」イルノデアル。服ガ籠ニ捨テテアル以上、彼ハシャワーヲ浴ビテカラ浴衣《ゆかた》ニ着カエテイルノデアル。シャワーモ一人デ浴ビタノカドウカ。二階ニハ泊リ客ノタメノ室モアルガ、ドコデ彼等ハ涼ンデイルノカ。斯様《かよう》ナ場合、浴衣ヲ借リルクライハイイガ、階下ノ客間ナリ応接間ナリ茶ノ間ナリ、今ハ婆サンモ留守デアルカラ至ルトコロガ空《あ》イテイルノニ、二階ヘ上ルニハ及ブマイ。ツマリ彼等ハ、午後二時半カラ四時半マデハ予ガ治療ヲ受ケテイテ寝室カラ出ル筈ガナイト、考エタノニ違イナイ。

オ静ガ階段ヲ上ッテ行クノヲ見上ゲテカラ、予ハ直グ寝室ヘ引キ返シタ。

「ヤ、失礼イタシマシタ」

ソウ云ッテ、又寝台ニ横ニナッタ。ソノ間十分モカカラナカッタ。盲人ハヤットアイスクリームヲ食ベ終ッタトコロデアル。

再ビ鍼ガ始マル。コレカラ四五十分間、予ハ鈴木氏ニ体ヲ預ケナケレバナラナイ。四時半ニナレバ鈴木氏ハ去リ、予ハ書斎ニ戻ル。ソレマデノ間ニソット二階カラ下リテ消エテナクナレバイイ筈デアッタノニ、彼等ノ方ニモ計算違イガアッタ。思イガケナク予ガ廊下ニ現レタリ、マズイコトニハオ静ト打《ぶ》ツカッタリシタ。ガ、モシ予トオ静トガ打ツカラナカッタラ、予ニ知レタコトヲ彼等ハ気ヅカズニイタデアロウ、トスルト、オ静ガ予ト行キ遇《あ》ッタコトハ、マダシモ仕合セダッタト云エル。モット人ノ悪イ邪推ヲスレバ、予ニ疑ワレテイルコトヲ知ッテイル颯子ハ、治療ノ隙間《すきま》ニ予ガ廊下ヘ出テ様子ヲ探ルコトモアリ得ルト、推量シタノカモ知レナイ。ソシテ故意ニ予ニソノヨウナ機会ヲ許シ、オ静ニ用事ヲ云イ付ケテ予ト巧《うま》ク打ツカルヨウニ予《あらかじ》メ仕組ンダノカモ知レナイ。イズレ老人ニハ知ラセテ置イタ方ガ都合ノイイコトガアルノダカラ、ソレナラ少シデモ早ク知ラセテ因果ヲ含メテヤッタ方ガ功徳《くどく》ニナルト、考エタカモ知レナイ。

「イイワヨ、ソンナニ慌《あわ》テナイデモ、度胸ヲ据エテ悠々トオ帰ンナサイヨ」

ト、颯子ノ声ガ聞エル気ガスル。

四時半カラ五時マデ休養。五時カラ五時半マデ牽引《けんいん》。五時半カラ六時マデ休養。ソレマデノ間ニ、恐ラク予ガ治療ヲ済マス以前ニ、二階ノ客ハ帰ッテ行ッタニ違イナイ。颯子モ一緒ニ出テ行ッタノカ、ソレトモサスガニバツガ悪イノデ一人デ二階ニ引ッ込ンデイルノカ、一向姿ヲ現ワサナイ。今日ハ昼ノ食事ノ時ニ顔ヲ見タキリデアル。(一日以来、予ハ彼女トタッタ二人差向イデ食事スルコトガ出来ルノデアル) 六時、佐々木ガ庭ノ散歩ヲ促シニ来ル。予ガ縁側カラ庭ヘ下リヨウトスルト、

「佐々木サン、今日ハイイワヨ、アタシガオ供スルカラ」

ト、不意ニ颯子ガ何処《どこ》カラカ現ワレタ。

「春久ハイツ帰ッタンダネ」

四阿《あずまや》デ直グソノ話ニナッタ。

「アレカラ間モナク」

「アレカラトハ？」

「コカコラヲ飲ムト間モナク。ドウセ見ラレチャッタンダカラ、急イデ帰ッタラ却《かえ》ッテオカシイッテ云ッタンダケレド」

「アレデ案外気ガ弱インダナ」

「キット伯父サンニ誤解サレテルニ違イナイカラ、アタシカラヨク弁解シトイテクレッテ散々云ッテタワヨ」

「モウ止《よ》ソウヨ、ソンナ話」

「誤解シテルナラシテテモイイワ、ダケド下ヨリ二階ノ方ガ風通シガイイカラ、二階ニ上ゲテ一緒ニコカコラヲ飲ンダダケヨ。昔ノ人ハソウ云ウ時ニ直グ変ニ取ルノネ。浄吉ナラ分ッテクレルワ」

「マアイイサ、ソンナコト。ドッチダッテ構ヤシナイイサ」

「構ワナイコトハナイワヨ」

「チョット云ットクガ、君ノ方ガ僕ヲ誤解シテヤシナイカ」

「仮リニ君ガ——仮リニダヨ、——春久トドウ云ウコトガアッタニシタッテ、僕ハソレヲ取リ上ゲル気ハナインダ。………」

颯子ハ怪訝《けげん》ナ顔ヲシテ黙ッタ。

「僕ハソンナコトヲ婆サンニモ浄吉ニモシャベリハシナイ。自分ノ胸ニ収メテ置ク」

「オ爺チャンハアタシニソンナコトヲシロッテ仰ッシャルノ？」

「或《あるい》ハソウカモ知レナイ」

「気狂《きちが》イネ」

「ソウカモ知レナイ。ソンナコトヲ今知ッタノカ、君ミタイナ利口ナ人ガ」

「ダケド、ドウ云ウ気持カラソンナコトヲ考エルノ」

「自分デ恋ノ冒険ヲ楽シムコトガ出来ナクナッタ腹癒《はらい》セニ、セメテ他人ニ冒険サセテ、ソレヲ見テ楽シム。人間モモウコウナッチャ哀レナモノサ」

「自分ニ希望ガ持テナイカラ焼ケ糞《くそ》気味ニナルノネ」

「岡焼キ*気味デモアルサ、不便《ふびん》ト思ッテクレ給エ」

「巧ク云ッテルワ。不便ト思ウノハイイケレド、オ爺チャンヲ楽シマセルタメニ、アタシガ犠牲ニサレルノハ嫌ダワ」

「ドウ云ウ風ニ？」

「犠牲ト云ウコトハナイデショウ、僕ヲ楽シマセルト同時ニ、君自身モ楽シムンジャナイカ。僕ノ楽シミヨリ、君ノ楽シミノ方ガズット大キイ筈ジャナイカ。ホントニ僕ナンカ哀レナモンサ」

「又頰《ほ》ッペタヲ打タレナイヨウニ気ヲ付ケテ頂戴」

「ゴマカシッコナシニシヨウ。尤《もっと》モ春久ト限ッタコトハナイガネ、甘利《あまり》デモ誰デモイイガネ」

「四阿へ来ルト、キットコンナ話ニナルノネ、チット散歩シマショウヨ、足ノ運動バカリデナク、頭ニモ毒ダワ。ホラ、佐々木サンガ縁側カラ見テルワヨ」

路《みち》ハ二人ガヨウヨウ並ンデ歩ケルホドノ広サデアル。萩《はぎ》ガ両側カラ伸ビテイテ歩キニクイ。

「葉ガ繁ッテテ絡《から》ミツクワヨ、アタシニ摑マッテラッシャイ」

「腕ヲ組マセテクレルトイイガナ」

「ソンナコト無理ダワヨ、オ爺チャンハ背ガ低インダカラ」

予ノ左側ニ並ンデイタ彼女ハ、突然右側ニ廻ッタ。

「ソノステッキヲアタシニ貸シテ。右手デココニ摑マッテラッシャイ」

ソウ云ッテ彼女ハ左肩ヲ差出シタ、ステッキハ自分ガ受ケ取ッテ、萩ノ枝ヲ払イ除《の》ケナガラ。………

六日。………昨日ノ続キ。

「一体浄吉ハ君ノコトヲドウ思ッテイルノカネ」

「ソレハアタシガ聞キタイクライヨ。オ爺チャンハドウオ思イニナル？」

「僕ニモ分ラン、僕ハアンマリ浄吉ノコトヲ考エナイヨウニシテイル」

「アタシモソウナノ、聞イテモ彼ハ面倒臭ガッテホントノコトヲ云ッテクレナイノ。ダガ要スルニ今デハ愛シテイナイノネ」

「君ニ愛人ガ出来タトシタラドウスル？」

「出来タラ出来タデ仕方ガナイ、ドウゾ御遠慮ナクッテ。――冗談ミタイニ云ッテタケド、案外本気ラシカッタワ」

「誰デモ女房ニソウ云ワレルト、ソンナ負惜《まけおし》ミヲ云ウモノサ」

「彼ニモ誰カ好キナ人ガアルラシイノヨ、アタシト同ジヨウナ過去ヲ持ッタ、何処《どこ》カノキャバレ*ノ人ラシイワ。経助ニサエ会ワシテクレルナラ別レテモイイワヨッテ云ッタラ、別レル気ハナイ、経助モ可哀《かわい》ソウダガ、ソレヨリ君ガイナクナルト親父《おやじ》ガ泣クノガ可哀ソウダッテ」

「人馬鹿ニシテヤガル」

「アレデオ爺チャンノコトハ何モカモ知ッテルノヨ、アタシハ何モ云ヤシナイケド」

「ヤッパリ親父ノ悴《せがれ》ダカラナ」

「飛ンダトコロデ親孝行ヲスル気ナノネ」

「ソノ実君ニ未練ガアルノサ、親父ヲ出シニ使ヤガッテ」

予ハ実ノトコロ予ノ長男デアリ卯木《うつぎ》家ノ嗣子デアル浄吉ノコトヲ、殆《ほとん》ド何モ知ルトコロハナイ。大切ナ悴ノコトニツイテコレホド無知ナ父親ハ少イダロウ。彼ガ東大経済学部ヲ卒業シテパシフィック・プラスチック工業株式会社*ニ入社シタコトハ知ッテイル。シカシ実際ニドンナ仕事ヲシテイルノカハヨク知ラナイ。何デモ三井化学*アタリカラ樹脂原料ヲ買イ入レテ写真フィルム、ポリエチレン被膜*、ポリエチレン成型品、バケツダノ、マヨネーズノチューブダノト云ッタ類ヲ製造スル会社デアルト聞イテイル。工場ハ川崎辺ニアルガ、本社ハ日本橋ニアッテ、彼ハソコノ営業部ニ勤メテイル。近イウチニ部長ニナレルラシイガサラリーヤボーナスハ今ドノクライ貰ッテイルノカ、予ニハ分ラナイ。彼ハ家督*相続人デアルケレドモ、目下ノトコロ予ガコノ家ノ主人デアル。コノ家ノ経済ハ彼モ幾分カ負担シテイルヨウデアルガ、依然トシテ大部分ハ予ノ不動産所得ト配当所得ニ依ッテイル。月々ノ家計ハ数年前マデ婆サンガ処理シテイタガ、イツカラカ颯子ガ当ッテイル。婆サンノ説ニ依ルト颯子ハアレデナカナカ計数ニ委《くわ》シク、出入ノ商人ノ請求書ナドモ忽《ゆるが》セニシナイ。トキドキ台所ヘ行ッテ冷蔵庫ヲ開ケテ調ベタリスルノデ、若奥様ト聞クト女中達ハチリチリシテイル。新シ物好キノ颯子ハ去年台所ヘディスポーザー*ヲ取リ附ケタガ、彼女ニ依レバ「マダ食ベラレル筈」ノ薩摩《さつま》薯《いも》ヲ放リ込ンダト云ッテ、オ節ガヒドク叱《しか》ラレテイルノヲ見タコトガアル。

「腐ッテタラ犬ニヤレバイイジャナイノ、アナタ達ハ面白ガッテ何デモアレヘ投ゲ込ムンダネ、アンナモノヲ買ワナキャヨカッタ」

ソウ云ッテ颯子ハ後悔シテイタ。

家庭ノ費用ハ出来ルダケ切リ詰メテ女中イジメヲシ、残リハ全部自分ノ懐《ふところ》ヘ取リ込ムラシイ、ミンナニ窮屈ナ思イヲサセテ自分ダケドンナ贅沢《ぜいたく》ヲシテルカ知レタモンジャナイト、婆サンハ云ッテイル。オ静ニ算盤《そろばん》ヲ弾《はじ》カセテイルコトモアルガ、大概ハ颯子ガ自ラシテイル。税金ハ計理士*ニ任セテアルガ、計理士トノ応対ハ彼女ガスル。若奥様トシテノ事務モ相当忙シイ筈デアルガ、何デモ引キ受ケテ極《きわ》メテ手早ク、イツノ間ニカテキパキト片附ケテイル。コンナトコロハ頗《すこぶ》ル浄吉ノ気ニ入ッテイルニ違イナイ。今ヤ彼女ハ卯木家ニ於《おい》テ確乎《かっこ》タル地歩ヲ占メルニ至リ、浄吉ニ取ッテモ、ソウ云ウ意味デ欠クベカラザル存在トナッテイル。

婆サンガ颯子トノ結婚ニ反対シタ当時、

「踊リ子上リナンゾッテ云ウケレド、キット彼女ハ家政ノ切リ盛リナンカモ上手ニヤッテ行キマスヨ、ソウ云ウ才能ノアルコトヲ僕ハ見抜イテルンデス」

ト浄吉ハ云ッタガ、アノ時ハ恐ラク当寸法《あてずっぽう》ヲ云ッタノデ、先見ノ明ガアッタ訳デハアルマイ。妻トシテ家庭ニ入レテ見ルト、案外ニモソウ云ウ才能ヲ発揮シ始メタノデアル。颯子自身モ自分ニソウ云ウ才能ガアルコトヲ、ソノ時マデハ知ラナカッタコトデアロウ。実ヲ云ウト予ハ、彼等ノ結婚ヲ許シハシタモノノ、ドウセ長クハ続クマイト思ッテイタ。惚《ほ》レッポイコトモ惚レッポイガ飽キッポイコトモ飽キッポイノハ親譲リデ、若イ時ノ予ト同様デアルト考エテイタガ、今日デハ左様ニ簡単ニハ云エナイ。結婚当座ノ浄吉ハ大シタ打チ込ミ方デアッタガ、今デハソレホドデナイコトハ確カダ。ガ、予ノ眼カラ見ルト、彼女ハ結婚当時ニ比ベテ現在ノ方ガ一層美シイ。ワガ家ニ来テカラ既ニ十年近クニナルノニ、歳月ヲ経ルホドマスマス美シクナリツツアル。経助ヲ生ンデカラ特ニ際立《きわだ》ッテソウナッタ。今デハ昔ノ踊リ子臭イ感ジハナイ。尤モ、予ト二人キリノ時ニ限ッテワザト昔ノ俤《おもかげ》ヲチラツカセルコトハアル。浄吉ト二人キリノ時ニモ、嘗《かつ》テ愛情コマヤカナリシ時代ニハソンナ風ダッタデアロウガ、今デハソウデモナサソウデアル。ソレヨリ悴ハ寧《むし》ロ彼女ノ経理ノオヲ徳トシテ、彼女ヲ失ッテハ不便デアルト考エテイルノデハナイカ。猫ヲカブッテイル時ノ彼女ハ、何処《どこ》カラ見テモ立派ナ奥様ノ貫禄《かんろく》ヲ備エテイル。言語動作ガキビキビトシテ、目カラ鼻ヘ抜ケルヨウデ、ソレデイテ情味モアレバ愛嬌《あいきょう》モアッテ人ヲ外《そ》ラサナイ。一般カラハソウ見エルニ違イナイノデ、忰モ内々ソレヲ自慢ニシテイル風ガアル。トスルト、ナカナカ別レル気ナンカアルマイ、万一彼女ニ疑ワシイ行為ガアッタトシテモ、見テ見ナイ振リヲスルカモ知レナイ、上手ニ振舞ッテサエクレレバ。……………………………………………………

七日。……浄吉昨夜関西ヨリ帰宅、今朝軽井沢ニ出カケル。……

八日。……午後一時ヨリ二時マデ午睡、ソノママ鈴木氏ノ来診ヲ待ッテイル。ト、浴室ノドーアヲノックシテ、

「チョット、ココ締メルワヨ」

ト云ウ声ガシタ。

「来ルノカネ彼氏」

「エエ」

ソウ云ッテ、颯子ガチラリト顔ヲ出シタガ、直グニバタンバタント強イ音ヲ立テテ締メ切ッテ

シマッタ。ホンノチラリト見タダケダッタガ、変ニ冷イ無愛想ナ顔ヲシテイタ。自分ガ先ニシャワーヲ浴ビタト見エテ、ビニールノ帽子カラ水ガタラタラ滴《た》レテイタ。………

九日。………午睡ノアト、今日ハ鍼ハ休ミデアルガ、ヤハリ気ニナルノデ寝室ニイル。

「ココ締メルワヨ」

ト、今日モノックスル音ガ聞エル。今日ハ昨日ヨリ三十分ホド遅イ。ソシテ彼女ハ全然顔モ出サナイ。午後三時過ギ、予ハソットドーアノ把手《とつて》ヲ廻シテ見ル。マダ締マッタママデアル。午後五時牽引《けんいん》ノ時、

「伯父サン、毎度ドウモ有難ウ存ジマス、オ蔭《かげ》デ毎日助カッテオリマス」

ト、春久ガ挨拶《あいさつ》シテ通リ過ギテ行クノガ聞エル。顔ハ見ルコトガ出来ナイ。ドンナ顔ヲシテアンナ口ヲ利《き》イテルカ見タイ気ガスル。

六時、庭ノ散歩ノ時、

「颯子ハイマセンカ」

ト、佐々木ニ聞イテ見ル。

「サア、先程ヒルマンガ出テッタヨウデゴザイマスガ」

ト、佐々木ガオ静ニ聞キニ行ッテ戻ッテ来ル。

「ヤッパリ若奥様ハオ出カケニナッタソウデゴザイマス」

……………………………………………………

十日。……午後一時ヨリ二時マデ午睡。ソレカラ先ハ八日ト同ジ事件ノ経過ヲ辿《たど》ル。

……………………………………………………

十一日。……鍼《はり》ハ休ミ。シカシ今日ハ九日ト工合《ぐあい》ガ違ウ。

「ココ締メルワヨ」

ト云ウ代リニ、

「ココ開イテルワヨ」

ト云ウ声ガシテ、珍シク彼女ガ朗カナ顔ヲ出シタ。シャワーノ音ガシテイル。

「今日ハ来ナイノカネ」

「エエ、這入《はい》ッテラッシャイ」

云ワレタノデ這入ッテ行ク。早クモ彼女ハバス・カーテンノ中ニ隠レテイタ。

「今日ハ接吻《せっぷん》サセタゲルワ」

シャワーノ音ガ止ンダ。カーテンノ蔭カラ脛《すね》ト足ガ出タ。

「何ダイ、又内診ノ恰好《かっこう》カイ」

「ソウヨ、膝《ひざ》カラ上ハ駄目。ソノ代リシャワーヲ止メテ上ゲタジャナイノ」

「何カノ報酬ノ積リカネ、ソレニシチャ安スギルナ」

「イヤナラオ止《よ》シナサイ、無理ニトハ申シマセン」

ソシテ附ケ加エタ。

「今日ハ唇ダケデナクッテモイイ、舌ヲ着ケテモイイ」

予ハ七月二十八日ト同ジ姿勢デ、彼女ノ脹脛《ふくらはぎ》ノ同ジ位置ヲ唇デ吸ッタ。舌デユックリト味ワウ。ヤヤ接吻ニ似タ味ガスル。ソノママズルズルト脹脛カラ踵《かかと》マデ下リテ行ク。意外ニモ何モ云ワナイ。スルママニサセテイル。舌ハ足ノ甲ニ及ビ、親趾《おやゆび》ノ突端ニ及ブ。予ハ跪《ひざまず》イテ足ヲ持チ上ゲ、親趾ト第二ノ趾ト第三ノ趾トヲ口一杯ニ頰張ル。予ハ土踏《ふ》マズニ唇ヲ着ケル。濡レタ足ノ裏ガ蠱惑《こわく》的ニ、顔ノヨウナ表情ヲ浮カベテイル。

「モウイイデショ」

急ニシャワーガ流レ始メタ。彼女ノ足ノ裏ト予ノ頭ダノ顔ダノヲ水ダラケニシテ。


………

五時、佐々木ガ牽引ノ時間ヲ知ラセニ来、

「オヤ、オ眼ガ赤《あこ》ウゴザイマスネ」

ト云ウ。コノ数年来、予ハ白眼《しろめ》ガシバシバ充血スルコトガアリ、普通ノ時デモ赤味ガ強クナッテイル。瞳孔《どうこう》ノ周囲ヲ注意シテ見ルト、角膜*ノ下ニ赤イ細イ血管ガ異様ニ幾筋モ走ッテイルノガ認メラレル。眼底出血*ノ恐レハナイカト、検査シテ貰ッタコトガアルガ、眼底ノ血圧ニモ格別ノコトハナク、予ノ年齢トシテハ相当デアルト云ウ。シカシ、眼ガ血走ッテイル時ハ脈搏《みゃくはく》モ早ク、血圧モ高イコトハ事実デアル。佐々木ハ直グ脈ヲ取ッテ見テ、

「プルスガ九十以上ゴザイマスネ、ドウカナサイマシタンデスカ」

「イイヤ別ニ」

「血圧ヲ測ラシテ戴《いただ》キマショウ」

否応《いやおう》ナシニ書斎ノソファニ寝カサレル。十分間ノ安静ノ後、右腕ヲゴムノ管《くだ》デ縛ラレル。血圧計ハ予ニハ見エナイガ、佐々木ノ顔ツキデ大凡《おおよ》ソ察シガツク。

「今オ気持ガオ悪イヨウナコトハゴザイマセンカ」

「気持ハドウモアリマセンガネ、血圧ガ高インデスカ」

「二百ホドゴザイマス」

彼女ガコンナ風ニ云ウ時ハ大概二百以上ナノデアル。二〇五カ六カ、一〇カ、或ハ二二〇以上アルニ決ッテイル。シカシ最高二四五ニモ達シタ経験ヲ過去ニ数回持ッテイル予

ハ、ソノクライナコトデハ医者ガ驚クホドニハ驚カナイ。何カノ拍子デソレッキリニナッテモ仕方ガナイト諦《あきら》メテモイル。

「今朝ホド測リマシタ時ハ上ガ一四五、下ガ八三デ、至極順調デゴザイマシタノニ、ドウシテ急ニコンナニ上ッタンデゴザイマショウ。ドウモ不思議デゴザイマスネ、無理ニ力《りき》ンデ堅イオ通ジデモナサイマシタカ」

「イイヤ」

「何カアッタンジャゴザイマセンカ、ドウモ不思議デゴザイマスネ」

佐々木ハ頻《しき》リニ首ヲ傾《かし》ゲテイル。予ハ口ニハ出サナイガ、原因ハ分リ過ギルホド分ッテイル。サッキノ土蹈マズノ感触ガ、マダ唇ニ残ッテイテ忘レヨウトシテモ忘レラレナイ。颯子ノ三本ノ足ノ趾ヲ口一杯ニ頬張ッタ時、恐ラクアノ時ニ血圧ガ最高ニ達シタニ違イナイ。カアット顔ガ火照《ほて》ッテ血ガ一遍ニ頭ニ騰《のぼ》ッテ来タノデ、コノ瞬間ニ脳卒中*デ死ヌンジャナイカ、今死ヌカ、今死ヌカ、ト云ウ気ガシタコトハ事実デアル。コンナ場合ノアルコトヲ、カネテ覚悟ハシテイタケレドモ矢張サスガニ「死ヌ」ト思ウト恐《こわ》クナッタ。ソシテ一生懸命ニ気ヲ静メヨウ、興奮シテハナラナイト自分デ自分ニ云イ聞カセタガ、オカシナコトニ、ソウ思イナガラ、彼女ノ足ヲシャブルコトハ一向ニ止《や》メナカッタ。止メラレナカッタ。イヤ、止メヨウト思エバ思ウホド、マスマス気狂《きちが》イノヨウニナッテシヤブッタ。死ヌ、死ヌ、ト思イナガラシャブッタ。恐怖ト、興奮ト、快感トガ、代ル代ル胸ニ突キ上ゲタ。狭心症*ノ発作《ほっさ》ニ似タ痛ミガ激シク胸ヲ窄《し》メツケタ。……アレカラ既ニ二時間以上経《た》ッテイル筈ダガ、マダ血圧ガ下ラナイト見エル。

「今日ハ牽引ヲオ止メニナッテ、安静ニナスッテイラシッタ方ガヨウゴザイマスネ」

ソウ云ッテ佐々木ハ予ヲ無理ヤリニ寝室ヘ運ビ、横臥《おうが》サセタ。

……………………………………………………

午後九時又佐々木ガ血圧計ヲ持ッテ這入《はい》ッテ来タ。

「モウ一度測ラセテ戴キマス」

結果ハ幸イニモ常態ニ戻ッテイタ。上一五〇余、下八七。

「ア、コレデヨカッタ、ホントニ安心イタシマシタ。サッキハ上ガ二二三、下ガ一五〇アッタンデゴサイマスヨ」

「ソンナコトモタマニハアルデショウナ」

「タマニダッテコンナコトガアッチャ大変デゴザイマス。デモマア、ホンノ一時的ノ現象ダッタンデゴザイマスネ」

ホットシタノハ佐々木バカリデハナイ。実ヲ云ウト佐々木以上ニ予ノ方ガ「マアヨカッタ」ト、ヒソカニ胸ヲ撫《な》デオロシタ。シカシ同時ニ、コノ調子ナラコレカラ後モ気狂イ的行為ヲ繰リ返シテモ差支《さしつか》エアルマイ、颯子ノ好キナピンキー・スリラー*デハナイガ、コノ程度ノ冒険ハ止メル訳ニ行カナイ、間違ッテ死ンダトシテモ構ウモンカ、ト云ウ気ニナル。………

十二日。………午後二時過ギ春久来《きた》リ、二三時間イタラシイ。夜ノ食事ヲ済マスト直グニ颯子外出スル。スカラ座デマルタン・ラサールノ「スリ」*ヲ見、ソレカラプリンスホテルノプール*ニ行クト云ウ。バックレスノ水着カラ抜ケ出シタ真ッ白ナ肩ヤ背中ガナイターノ光線ヲ浴ビル光景ヲ想像スル。………

十三日。………午後三時頃、今日モピンキー・スリラーヲ経験スル。但シ今日ハ眼ガ赤クナラナイ。血圧モ普通ラシイ。ヤヤ拍子抜ケガシタ感ジ。少シ眼ガ血走ッテ血圧ガ二〇〇ヲ越スクライニ興奮シナイト物足リナイ。

十四日。浄吉一人、夜軽井沢ヨリ帰宅、明日ノ月曜ヨリ出社ノ由《よし》。

十六日。颯子、昨日久シ振ニ葉山*デ泳イデ来タト云ウ。今年ノ夏ハオ爺チャンノオ守リデ海ヘ行クコトガ出来ナカッタ、ヤッパリ日ニ焦《や》ケテ来ナケレバ駄目ダト云ウ。颯子ノ肌ハ外人ナミニ白皙《はくせき》ナノデ日ニ焦ケタ部分ガ紅潮ヲ呈スル。頸《くび》カラ胸ヘカケテV型ニ真《しん》紅《く》ノ型ガ染マリ、水着デ隠サレタ腹ノ部分ノ白イコトト云ッタラナイ。今日ハ予ニソレヲ誇示スルタメニ浴室ヘ招イタラシイ。

……………………………………

十七日。今日モ春久ガ来テタラシイ。

十八日。……今日モピンキー・スリラーデアル。但シ十一日、十三日ト少シ違ウ。今日ハ彼女ガサンダルヒールヲ穿《は》イテ這入ッテ来、ソノママシャワーヲ浴ビテイル。

「何デソンナモノ穿イテルンダネ」

「ミュージックホール*ノヌウド・ショウナンカヘ行クト、ミンナ裸デコレヲ穿イテ出テ来ルワ。足気狂《きちが》イノオ爺チャンニハ、コレモ魅力ジャナイ? トキドキ足ノ裏ガ見エタリシテ」

ソレハヨカッタガ、ソノアトデ次ノ事件ガアッタ。

「今日ハオ爺チャン、ネッキング*サセタゲマショウカ」

「ネッキングッテ何ノコトダネ」

「ネッキングヲ知ラナイノ? コナイダオ爺チャンガシタジャナイノ」

「頸ニ接吻スルコトカ」

「ソウヨ、ペッティングノ一種ヨ」

「ペッティングッテ何ダネ、ソンナ英語ハ習ッタコトガナイ」

「オ年寄ハ手数ガカカッテ困ルワネ、体ジュウヲ可愛《かわい》ガルコトヨ、ヘビー・ペッティングッテ言葉モアルワ、オ爺チャンニハ現代語カラ教エナキャナラナイ」

「ジャア、ココニキスサセテクレルンダネ」

「有難イトオ思イナサイ」

「三拝九拝スルヨ。ドウ云ウ風ノ吹キ廻シカ、アトガ恐シイナ」

「イイ覚悟ダワ、ソノ積リデイタライイワ」

「ジャ、ソレカラ先ニ聞コウジャナイカ」

「マアトニカク、ネッキングヲナサイ」

結局予ノ方ガ誘惑ニ負ケタ。予ハ二十分以上モ所謂《いわゆる》ネッキングヲ 恣《ほしいまま》ニシタ。

「サア勝ッタ、モウイヤダナンテ云ワセヤシナイ」

「何ダネ、君ノ要求ハ」

「ビックリシテ腰ヲ抜カサナイヨウニ」

「何ダヨ一体」

「コノ間カラ欲シイト思ッテタモノガアルノ」

「ダカラ何ダヨ」

「キャッツ・アイ*」

「キャッツ・アイ？　猫眼石《ねこめいし》カ」

「エエソウ、ソレモ小サイノジャ駄目《だめ》、男ガ篏《は》メルヨウナ大キイノガ欲シイノ。実ハ帝国ホテル*ノアーケード*ノ店ニアルノヲ見付ケテアルノヨ、ドウシテモコレニシヨウト思ッテ」

「イクラダ」

「三百万円*」

「何ダッテ」

「三百万円」

「冗談ジャナイ」

「冗談ジャナイワヨ」

「差当リソンナ金ハナイ」

「知ッテルワヨアタシ。チョウドソノクライ都合ガツク筈ヨ。コレニ決メタカラ二三日ウチニ戴キニ上リマスッテ、チャントソウ云ッテ来チャッタ」

「ネッキングガソンナニ高クツクトハ思ワナカッタ」

「ソノ代リ今日ダケデナクッテモイイ、コレカライツデモサセタゲル」

「タカガネッキングダカラナ、本当ノ接吻ナラ価値ガアルケド」

「何ヨ、三拝九拝スルッテッタ癖ニ」

「エライコトニナッタナ、婆サンニ見ラレタラドウスル」

「ソンナヘマヲスルモンデスカ」

「ソレニシテモ痛イナ、アンマリ年寄ヲイジメナイデクレ」

「ソウ云イナガラ嬉《うれ》シソウナ顔ヲシテルワ」

事実予ハ嬉シソウナ顔ヲシタラシイ。


十九日。颱風《たいふう》近ヅクトノ報アリ。ソノセイカ手ノ痛ミガ激シク、足ノ運動ガ不自由サヲ増ス。颯子ガ買ッテ来タドルシンヲ三錠ズツ日ニ三回服用、オ蔭《かげ》デ痛ミハ軽クナル。コレハ経口剤デアルカラノブロンヨリハ気持ガイイ。シカシアスピリン*系統ノ薬ナノデ、

甚《はなは》ダシク発汗スルノニハ閉口スル。

午後怱々《そうそう》鈴木氏ヨリ電話、「颱風ガ来ルト困リマスカラ本日ノ鍼ハ休マセテ戴キマス」トノコト。「承知イタシマシタ」ト云ワセテ寝室カラ書斎ニ来ル。途端ニ颯子ガ這入ッテ来タ。

「オ約束ノモノヲ戴キニ来マシタ、コレカラ銀行ヘ行ッテ、ソノ足デホテルヘ廻リマス」

「颱風ガ来ルゼ、コンナ時ニ行カナイデモイイジャナイカ」

「気ガ変ラナイウチニ戴クモノヲ戴イテ、一刻モ早クアノ石ヲコノ指ニ嵌メテ見タイノ」

「僕ハ約束シタ以上、背《そむ》キャシナイヨ」

「明日ハ土曜日ダカラ寝坊スルト銀行ニ間ニ合ワナイ、善ハ急ゲッテ云イマスカラネ」

予ハコノ金ニハ別ノ用途ガアッタノデアル。

モト予ノ一家ハ本所割下水《わりげすい》ニ数代前カラ住ンデイタガ、父ノ代ノ時本所カラ日本橋区横山町一丁目*ニ移ッタ。ソレハ明治ノ何年頃デアッタカ幼少ノ時デ覚エガナイ。ソシテ大正十二年ノ大震災ノ後ニ今ノ麻布《あざぶ》狸穴《まみあな》*ニ新築シテ移ッタ。新築シタノハ予ノ父デアッタガ、父ハ大正十四年、予ガ四十一歳ノ時ニ死ンダ。母ハソレニ後《おく》レルコト数年、昭和三年ニ死ンダ。麻布ノ家ヲ新築シタト云ッタガ、タシカ明治年間政友会*ノ長谷場《はせば》純孝《すみたか》*ノ邸宅ガアッタ辺《あたり》ダトカ云イ、前カラ古イ屋敷ガ建ッテイタノデ、ソノ一部ヲ残シテ大部分ヲ改築シタノデアル。父ト母トハソノ古イ方ノ家ヲ隠居所ニシテ、土地ノ閑静ナノヲ愛シテイタ。戦災ノ時ニ又モウ一度改築シタガ、隠居所ダケハ奇蹟《きせき》的ニ火災ヲ免レタノデ、今モナオ父母アリシ日ノ姿ノママニ保存サレテイル。既ニボロボロデ使用ニ堪エズ、モハヤ誰モ住ンデイナイ。予ハソレヲ取リ壊《こわ》シテ近代建築ニ作リ直シ、ソコニ今度ハワレワレノ隠居所ヲ作リタイ考デアルガ、ソレニハ今日マデ婆サンガ反対シテイタ。亡キ父母ノ隠棲《いんせい》ノ跡ヲ妄《みだ》リニ毀《こぼ》チ去ルノハヨクナイ。少シデモ長ク保存シテ置キタイト云ウ。ソンナコトヲ云ッテイタラ際限ガナイカラ、予ハ近々ニ婆サンニ無理ニ承諾サセテ壊シ屋ヲ入レヨウト思ッテイタノデアッタ。今ノ母屋《おもや》デモ家族全部ヲ収容スルノニ狭過ギルト云ウコトハナイガ、予ガイロイロト企《たくら》ンデイル悪事ヲ実行スルノニハ少シ不便デアル。新シイ隠居所ヲ作ルト称シテ、予ノ寝室ヤ書斎ヲ出来ルダケ婆サンノ寝室カラ遠クニ切リ離シ、婆サン専用ノ便所ヲ彼女ノ寝室ノ隣ニ設ケル。浴室ハ「婆サンノ便利ノタメ」ト称シテ純日本式ノ木製ノモノヲ、コレモ別ニ婆サンノ寝室ニ隣接サセル。予ノ浴室ハ予専用ノタイル張リニシテ、シャワーノ設備ヲスル。

「隠居所ニ風呂場ヲ二ツ作ルナンテ無駄ナコッチャアリマセンカ、ヨゴザンスヨ、アタシハ母屋デ佐々木サンヤオ静ト一緒ニ這入リマスカラ」

「マアオ前サンモ、ソノクライナ贅沢《ぜいたく》ハ許サレテモイイサ、年ヲ取ッタラユックリ風呂ニデモ漬《つ》カルクライガ楽シミダカラネ」

予ハ婆サンガナルベク自分ノ部屋ニ閉ジ籠《こも》ッテイテ方々家ノ中ヲ歩キ廻ラナイヨウニ工夫シタ。ツイデニ母屋モ改造シテ二階屋ヲ平屋ニ直シタカッタガ、コレハ颯子ニ反対サレタノミナラズ、金ノ用意ガ不足シタ。デ、已《や》ムヲ得ズ、隠居所ダケヲ新築スル積リダッタ。颯子ノ狙《ねら》ッテイタ三百万円ハソノ金ノ一部ナノデアル。

「只今《ただいま》」

ト、颯子ガ早クモ帰ッテ来タ。凱旋《がいせん》将軍ノ如ク意気揚々トシテイル。

「モウ行ッテ来タノカ」

ソレニハ答エズ、黙ッテ掌《てのひら》ノ上ニ一箇ノ石ヲ載セテ見セル。ナルホド見事ナ猫眼デアル。予ハ新築ノ隠居所ノ空想ガコノ柔カイ掌ノ上ノ一点ト化シ去ッタコトヲ知ラサレル。

「コレ、何カラットダ」

予モ掌ニ載セテ見ル。

「十五カラット」*

例ニ依ッテ忽《たちま》チ左手ノ疾患部ガ甚シク痛ミ始メル。慌《あわ》テテドルシンヲ三錠呑《の》ム。勝チ誇ッタ颯子ノ顔ヲ見ルト、痛イコトガ溜《たま》ラナク楽シイ。隠居所ナンカ作ルヨリコノ方ガドンナニヨカッタカ。………

二十日。颱風十四号イヨイヨ接近、風雨強シ。ニモ拘《かかわ》ラズ、カネテノ予定ノ通リ朝軽井沢ニ立ツ。颯子ト佐々木同伴スル。但シ佐々木ハ二等車*デアル。佐々木ハ頻《しき》リニコノ天候ヲ気ヅカッテ、モウ一日オ延バシニナッタラト云ッタガ、予モ颯子モ承知シナカッタ。二人トモ妙ニ殺気ダッテ、颱風ナンカイクラデモ吹ケト思ッテイタ。猫眼石ノ魔力デアル。………

二十三日。本日颯子同伴帰京ノ積リデイタトコロ、子供達ノ学校モ始マルノデ、予定ヲ早メテ明二十四日皆々引キ揚ゲルコトニスルカラ、明日一緒ニ帰リマショウ、モウ一日オ延バシナサイト婆サンガ云ウ。颯子ト二人デ旅ヲスル楽シミガ消シ飛ンデシマッタ。

二十五日。今朝カラ又牽引ヲ始メルトコロデアッタガ、結局利キ目ガナイノデ中止ト決定。鍼《はり》モ今月一杯デ止メヨウト思ウ。………颯子ハ早速今夜後楽園ジムへ出カケル。

九月一日。本日ハ二百十日*デアルガ何事モナイ。浄吉今日ヨリ五日間ノ予定デ福岡ニ飛ブ。

三日。サスガニ秋ノ気色《けはい》ヲ感ジル。俄雨《にわかあめ》ガ去ッタ後空ガ快ク晴レル。颯子書斎ニ高粱《コーリヤン》*ト鶏頭《けいとう》、玄関ニ七草*ヲ活《い》ケル。ツイデニ書斎ノ軸ヲ代エル。荷風散人《かふうさんじん》ノ七絶*ノ色紙《しきし》ヲ表装シタモノ。

　卜二宅麻渓一七値レ秋
　霜余老樹擁二西楼一
　笑吾十日間中課
　掃レ葉曝レ書還曬レ裘

荷風ノ書ト漢詩ハサシテ巧ミデハナイケレドモ、彼ノ小説ハ予ノ愛読書ノ一ツデアル。コノ書ハ昔或ル美術商カラ手ニ入レタモノダガ、荷風ノ書ハ非常ニ偽筆ヲ上手ニ書ク男ガイタソウデアルカラ、コノ幅《ふく》モ真偽ハサダカデナイ。荷風ハ戦火ニ焼カレルマデココノツイ近クノ市兵衛町《いちべえちょう》ノペンキ塗リノ木造ノ洋館ニ住ミ、偏奇館《へんきかん》ト号シテイタ。「宅ヲ麻渓ニ卜《ぼく》シ七タビ秋ニ値《あ》ウ」ト云ウ所以《ゆえん》デアル。

四日。払暁、午前五時頃ト思ウ、ウトウトシナガラ聞イテイルト、何処《どこ》カデ蟋蟀《こおろぎ》ガピイピイト鳴イテイル。ピイピイ、ピイピイ、ト、カスカナ声デハアルガ、シキリニ聞エル。モウ蟋蟀ノ鳴ク季節デハアルケレドモ、コノ部屋デ聞エルノハオカシイ。コノ家ノ庭ニモ稀《まれ》ニ蟋蟀ガ鳴クコトハアルガ、コノ寝室ノベッドニ寝テイテ聞エルノハオカシイ。何処カラカ部屋ノ中ニ蟋蟀ガ紛レ込ンダノダロウカ。

予ハ図《はか》ラズモ幼年ノ頃ヲ思イ起シタ。割下水ノ家ニ住ンデイタ時分、六ツカ七ツノ頃ダッタダロウ、乳母《うば》ニ抱カレテ寝床ニ横ニナッテイルト、蟋蟀ガヨク縁側ノ外デ鳴イテイタ。庭ノ敷石ノ蔭カ縁ノ下カ何処カニ潜《ひそ》ンデイテ、アザヤカナ声デ鳴キ立テル。鈴虫ヤ松虫ノヨウニ沢山ハ集ッテ来ナイ、常ニ必ズ一匹デアル。ガ、ソノ一匹ガ実ニハッキリト、耳ノ奥ヘ沁《し》ミ入ルヨウニ鳴ク。スルト乳母ガ、

「ホラ、督《とく》チャン、モウ秋デゴザイマスヨ、蟋蟀ガ鳴イテオリマスヨ」

ト、ソウ云ッタモノデアッタ。

「ホラ、アノ声ヲ聞イテルト、『肩刺《さ》セ裾《すそ》刺セ、肩刺セ裾刺セ』ト云ッテルヨウニ聞エルデゴザイマショ、モウアノ声ガ聞エ出シタラ秋ナンデゴザイマスヨ」

ソウ云ワレルト、気ノセイカ寝間着ノ白地ノ単衣《ひとえ》ノ筒袖《つつそで》ヲ肌寒イ風ガ冷エ冷エト通リ抜ケルヨウナ気ガシタ。予ハ糊《のり》ノ硬《こわ》イゴワゴワシタ単衣ヲ着セラレルノガ嫌イデアッタガ、

寝間着ニハイツモ甘ッタルイ腐リカカッタヨウナ糊ノ匂《にお》イガシタ。ソノ匂イト蟋蟀ノ鳴キ声ト秋ノ朝ノ肌ザワリトガ、予ノオボロゲナ遠イ記憶ニハ一ツニナッテ残ッテイル。ソシテ七十七歳ノ今デモ明ケ方ニアノピイピイト云ウ蟋蟀ノ声ヲ思イ出スト、アノ糊ノ匂イ、アノ乳母ノ物ノ云イ振リ、アノゴワゴワシタ寝間着ノ肌ザワリガ蘇《よみがえ》ッテ来ル。半バ夢ノ中デ自分ガ今モ割下水ノ家ニイルヨウニ感ジ、寝床ノ中デ乳母ニ抱カレテイルヨウニ感ジル。

ガ、今朝ハ、ダンダン意識ガハッキリシテ来ルニ従イ、ソノピイピイト云ウ声ガ、現ニ佐々木看護婦トベッドヲ並ベテイルコノ部屋ノ中デ聞エテイルノニ違イナイコトニ心ヅク。ソレニシテモ不思議デアル。コノ室内デ蟋蟀ガ鳴ク筈ガナイ。窓モドーアモ締マッテイルノデ、外カラ聞エテ来ル訳モナイ。ケレド確ニピイピイト鳴イテイル。

「オヤ」

ト思ッテ、予ハモウ一遍耳ヲ澄マス。アアソウカ、ソウダッタノカト、漸《ようや》ク悟ル。何度モ何度モ聞キ直シテミル。ソウダ、確ニコレダ、コレダッタノダ。

予ガ蟋蟀ト聞イタノハ蟋蟀デハナク、予自身ノ呼吸音ダッタノデアル。今朝アタリハ空気ガ乾燥シ、老人ノ喉《のど》ガカラカラニ干涸《ひから》ビ、風邪《かぜ》ヒキ加減ニナッテイルセイデ、呼吸ガ喉ヲ入ッタリ出タリスル度毎ニピイピイト云ウ音ヲ発スル。喉デスルノカ、鼻ノ奥デスルノカ、何処《どこ》デスルノカハッキリ分ラナイガ、何処カソノ辺ヲ通リ過ギル時ニピイピイト鳴ルノラシイ。ソレガ自分ノ喉ガ鳴ッテイルノダトハ思エナイデ、自分ノ体以外ノトコロカラ鳴ッテ来ルヨウニ聞エル。アンナピイピイシタ可愛イ声ガ自分ノ体カラ出テイルトハ思エズ、ドウシテモ虫ガ鳴イテイルヨウニ聞エル。ダガ試ミニ息ヲ吸ッタリ吐イタリシテミルト、ヤッパリ間違イナクピイピイト鳴ル。面白クナッテ何度モ試シテミル。息ヲ強クスルト音モ強クナリ、マルデ笛デモ吹イテイルヨウニピイピイト鳴ル。

「オ眼覚メデイラッシャイマスカ」

ト、佐々木ガ上半身ヲ起シタ。

「君、コノ音ガ何ダカ分ルカネ」

ト、予ハ又喉ヲ鳴ラシテミセタ。

「旦那様《だんなさま》ノ呼吸ノ音デゴザイマショ」

「ヘエ、君ハ知ッテタノカネ」

「知ットリマスワ、毎朝聞イテオリマスモノ」

「ヘエ、毎朝コンナ音ヲサセテタノカネ」

「旦那様ハ御自分デアンナ音ヲサセナガラ、御存知ナカッタンデゴザイマスカ」

「イヤ、コノ間カラ朝ニナルト聞エテタヨウナ気ガスルケレド、寝惚《ねぼ》ケテタンデ蟋蟀ガ鳴クンダト思ッテタンダ」

「蟋蟀ジャゴザイマセン、旦那様ノ喉カラ出ルンデゴザイマスヨ。旦那様ニ限リマセン、オ歳《とし》ヲ召スト誰方《どなた》モ喉ガ干涸ラビテ、息ヲナサル度ニ笛ノヨウナ音ガ出ルンデゴザイマスネ。御老人ニハヨクアルコトデゴザイマス」

「ジャ、君ハ前カラ知ッテタノカ」

「ハア、近頃ハ毎朝伺ッテオリマシタ、ピイピイッテ、オ可愛ラシイオ声デ」

「婆サンニモコノ声ヲ聞カシテヤロウ」

「知ッテラッシャイマスヨ、ソンナコト」

「颯子ガ聞イタラ笑ウダロウナ」

「若奥様ダッテ御存知ナイコトガアルモンデスカ」


五日。今暁母ノ夢ヲ見ル。親不孝ノ予ニシテハ珍シイコトデアル。多分昨日ノ明ケ方ノ蟋蟀ノ夢ヤ乳母ノ夢ガ跡ヲ引イタノダト思ウ。夢ノ中ニ出テ来タ母ハ、予ノ記憶ニアル最モ美シイ最モ若イ時ノ姿ヲシテイタ。何処ト云ウコトハ明カデナイガ、多分割下水時代ノ彼女ニ違イナイ。外出ノ時ニイツモ着テイタ鼠小紋《ねずみこもん》*ニ黒縮緬《くろちりめん》ノ羽織ヲ着テイタ。コレカラ何処ヘ出カケヨウトスルノカ、何処ノ部屋ヲ歩イテイルノカヨク分ラナイ。帯ノ間カラ莨入《たばこい》レト煙管《きせる》ノ袋ヲ取リ出シテ一服吸ッタ様子デアルカラ、茶ノ間ニ坐ッテイタヨウデモアルガ、イツノ間ニカ門外へ出タラシク、素足ニ吾妻《あずま》下駄*ヲ穿《は》イテ歩イテイル。髪ハ銀杏返《いちょうがえ》シ、*珊瑚《さんご》ノ根掛《ねがけ》*、同ジ珊瑚ノ一ツ玉*ヲ挿シ、蝶貝*ヲ鏤《ちりば》メタ鼈甲《べっこう》*ノ櫛《くし》ヲサシテイル。髪ノ形ガソンナニ委《くわ》シク見エタノニ顔ハドウモハッキリ見エナイ。昔ノ人デ、母ハ身ノ丈《たけ》ガ低ク、五尺ソコソコダッタノデ、頭バカリ見エタノカモ知レナイ。ソレデモ母ニ違イナイコトハ分ッテイタ。残念ナコトニ予ノ方ヲ見テモクレナカッタシ、口ヲ利イテモクレナカッタ。予モマタ話シカケナカッタ。話シカケレバ叱《しか》ラレソウナ気ガシタノデ黙ッテイタノカモ知レナイ。横網《よこあみ》*ニ親戚ノ家ガアルノデ、ソコへ行ク途中ナンダロウト思ッタ。ホンノ一分間グライデ、ソレカラアトハ朦朧《もうろう》トナッテシマッタ。

眼覚メタ後モ、予ハ反芻《はんすう》スルヨウニ夢ノ中ノ母ノ姿ヲ思イ出シテイタ。明治ノ中期、二十七八年頃ノ或ル天気ノイイ日ニ、母ガ我ガ家ノ門前ヲ歩イテ行キ、幼童ノ予ヲ往来デ見カケタコトガアルノカモ知レナイ。ソシテソウ云ウ或ル一日ノ印象ガ、ココニ蘇ッタノカモ知レナイ。ダガオカシイノハ、母ダケガ若キ日ノ姿ヲシテイテ、予ハ現在ノ老人ノママデアル。予ハ母ヨリモ身ノ丈ガ高ク、母ヲ眼下ニ見オロシテイル。ソレデイテ矢張《やはり》自分ヲ幼童ダト思イ、母ヲ母ダト思ッテイル。ソシテ時ハ明治二十七八年頃ノ割下水ダト思ッテイル。コンナトコロガ夢ナノカモ知レナイ。

母ハ自分ノ忰《せがれ》ニ浄吉ト云ウ孫ガ生レタコトハ知ッテイタ。シカシ母ハ浄吉ガ五歳ノ時、昭和三年ニ死ンダノデ、孫ノトコロヘ嫁ニ来タ颯子ノコトハ知ル訳モナイ。颯子ト浄吉トノ結婚ヲ、予ノ妻デサエアンナニ激シク反対シタノデアルカラ、アノ時分マデ母ガ長生キシテイタラ、ドンナニ反対シタコトデアロウ。恐ラク二人ノ結婚ハ成立シナカッタニ違イナイ。イヤ始メカラ、ダンサー上リトノ結婚ナンテ考エラレモシナカッタ筈ダ。ソレガ成立シタバカリデナク、母ノ忰デアル予ガ孫ノ嫁ノ魅力ニ溺《おぼ》レ、彼女ニペッティングヲ許シテ貰イ、ソノ代償ニ三百万円ヲ投ジテ猫眼石ヲ買ッテヤルナンテ事件ガアッタラ、母ハ驚イテ気絶スルダロウ。万一父ガ生キテイタラ、予モ浄吉モ勘当《かんどう》サレルニ決ッテイル。イヤ、ソレヨリモ、颯子ノ容貌風姿《ようぼうふうし》ヲ見タラ母ハ何ト思ウダロウ。

母ハ若イ時美人ト云ワレタ。予モ美人ト云ワレタ時代ノ彼女ノ姿ヲ記憶シテイル。予ガ十五六歳ニナルマデハ、ナオ彼女ハ昔ノ俤《おもかげ》ヲ存シテイタ。ソノ俤ヲ心ニ浮カベテ、今ノ颯子ト比ベテ見ルト、実ニ何ト云ウ相違カ。颯子モ世間カラ美人ト云ワレテイル。浄吉ガ颯子ヲ妻ニシタ重《おも》ナ理由モソコニアッタ。ダガコノ二人ノ美人ノ間、明治二十七年ト昭和三十五年トノ間ニ、日本人ノ体格ニ何ト云ウ隔タリガ生ジタコトカ。母モ美シイ足ヲシテイタ。シカシ颯子ノ足ヲ見ルト、ソノ美シサガ全ク違ウ。殆《ほとん》ド同ジ種類ノ人間ノ足、同ジ日本人ノ女ノ足トハ思ワレナイ。母ノ足ハ予ノ掌《てのひら》ノ上ニ載ルクライニ小サク可愛イカッタ。ソシテソノ足ヲ畳表ノ下駄ノ上ニ載セテ、極端ナ内股《うちまた》デ歩イタ。（ソウ云エバ夢ノ中ノ母ハ黒縮緬《くろちりめん》ノ羽織ヲ着ナガラ足ダケハ足袋《たび》ヲ穿《は》イテイナカッタ。予ニコトサラニ素足ヲ見セルタメダッタロウカ）明治ノ女ハ美人ニ限ラズ、誰デモアンナ風ニ内股デ歩イタ。マルデ鵞鳥《がちよう》ガ歩クヨウナ歩キ方ダッタ。颯子ノ足ハ柳鰈《やなぎがれい》*ノヨウニ華奢《きやしや》デ細長イ。普通ノ日本人ノ靴ハ平ベッタクッテアタシノ足ニハ合ワナイト、颯子ハ自慢スル。反対ニ母ノ足ハ幅広デアル。奈良ノ三月堂ノ不空羂索観世音菩薩《ふくうけんじやくかんぜおんぼさつ》*ノ足ヲ見ルト、予ハイツモ母ノ足ヲ思イ出ス。背ノ低サモ皆母ト同ジダッタ。五尺ニ足ラヌ女モ珍シクナカッタ。予モ明治生レデアルカラ背ガ低ク、五尺二寸アルカナシダガ、颯子ハ予ヨリモ一寸三分高ク、一六一センチ五ミリアル。

顔ノ化粧ノ方法モ昔ハ甚シク違ッテモイタシ、簡単デモアッタ。既婚ノ女、大概数エ年十八九歳以上ハスベテ眉《まゆ》ヲ剃《そ》リ歯ヲ黒ク染メテイタ。明治モ中期以後ニナレバコノ習慣ハ次第ニ廃《すた》レタガ、予ノ幼少時代マデハソウデアッタ。歯ヲ染メル時ハ特有ナ鉄漿《かね》*ノ臭《にお》イガシタコトヲ予ハ今デモ覚エテイル。ソノ母ヲ今ノ颯子ガ見タラ何ト感ジルダロウ。髪ヲパーマネントニシ、耳ニイヤリングヲ下ゲ、唇ヲコーラル・ピンク*ダノパール・ピンク*ダノコーヒー・ブラウン*ダノニ塗リ、眉ニ黛《まゆずみ》、瞼《まぶた》ニアイ・シャドウ*ヲ着ケ、フォールス・アイラッシュデ附ケ睫《まつげ》ヲ着ケ、ソレデモ足リナイデマスカラーデ睫ヲ長ク見セヨウトスル。昼間ハダーク・ブラウンノ鉛筆デ、夜ハ墨ニアイ・シャドウヲ交ゼテ眼張リヲスル。爪ノ化粧モコノ伝デ、詳細ニ書イタラソノ煩《はん》ニ堪エナイ。同ジ日本人ノ女ガ六十余年ノ歳月ノ間ニカクモ変遷スルモノデアロウカ。思エバ予ハ随分長イ月日ヲ生キタモノヨ、数限リモナイ移リ変リヲ経験シタモノヨト、自ラ驚カザルヲ得ナイ。母ハ明治十六年ニ生ンダ我ガ子ノ督助《とくすけ》ガ、ナオモコノ世ニ生存シテイテ、コノ颯子ノヨウナ女、シカモ彼女ノ義理ノ孫、彼女ノ孫ノ正妻デアル女――ニ浅マシキ魅力ヲ感ジ、彼女ニイジメラレルコトヲ楽シミ、自分ノ妻、自分ノ子供達ヲ犠牲ニシテモ彼女ノ愛ヲ得ヨウトスルノヲ、何ト思ウデアロウカ。母ノ亡クナッタ昭和三年カラ数エテ三十三年後ニ、忰ガコノヨウナ狂人ニナリ、コノヨウナ嫁ガ我ガ家ニ入リ込ムニ至ッタコトヲ、夢ニモ考エタダロウカ。イヤ、予自身デスラ、コンナコトニナロウトハ思イモ寄ラナカッタ。

……………………………………………………

十二日。……午後四時頃、婆サント陸子《くがこ》ガ這入《はい》ッテ来ル。陸子ヲコノ部屋デ見ルノハ久シ振デアル。七月十九日ニ予ノ拒絶ニ会ッテカラ、彼女ハスッカリ予ニ愛想《あいそ》ヲ尽カシテイタ。婆サンヤ経助ト軽井沢ヘ立ツ時モ、ワザトココヘ寄ラナイデ上野駅デ落チ合ッタ。先日軽井沢デハ努メテ予ト顔ヲ合ワサナイヨウニシテイタ。ソレガ、婆サント連レ立ッテ這入ッテ来タノハ何カ仔細《しさい》ガアルノデアル。

「コノ間ジュウハ子供達ガ長イコト御厄介ニナリマシテ」

「何カ用カネ」

予ハイキナリ、ズバリト聞イタ。

「イイエ別ニ……」

「ソウカイ、子供達モ大層元気ラシカッタネ」

「有難ウゴザイマス、オ蔭様デ今年モ大喜ビデ」

「不断メッタニ見ナイセイカ、三人トモ見違エルホド大キクナッタネ」

ココデ婆サンガ口ヲ挟ンダ。

「ソレハソウト、陸子ガ面白イコトヲ聞イテ来マシタンデ、オ爺チャンニモオ耳ニ入レテ置キタイト思イマシテネ」

「アアソウ」

又何カイヤナコトヲ云イニ来ヤガッタト思ッテイルト、

「オ爺チャン油谷サンヲ覚エテラッシャルデショウ」

「ブラジルへ行ッタ油谷ノコトカ」

「アノ油谷サンノ息子サンヲ御存知？　浄吉ノ結婚ノ時父ノ代理ダト云ッテ御夫婦デ出

席シテ下スッタ——」

「ソンナコト覚エテイルモンカ。ソレガドウシタンダ」

「アタシモ覚エテナインダケレド、鉾田《ほこた》トハ仕事ノ関係カラ近頃懇意ニオナリニナッテ、時々オ目ニカカルコトガアルンデスッテ」

「ダカラサ、ソレガドウシタト云ウノサ」

「イイエネ、ソノ油谷サンガ先週ノ日曜ニ御近所マデ参リマシタカラッテ、御夫婦デ鉾田ノトコロヘオ寄リニナッタンデスッテ。今考エルトアノ奥サン大層オシャベリナ方ダッタカラ、ワザワザコレガ云イタクッテ寄ッタンジャナイカッテ、陸子ハ云ウンデスガネ」

「コレトハ何サ」

「マア、コレカラ先ハ陸子ニオ聞キニナッテ下サイ」

安楽椅子《いす》ニ腰カケテイル予ノ面前ニ並ンデ立ッテイタ二人ハ、ココデ「ドッコイショ」トソファニ腰ヲ据エタ。ソシテ、颯子ト四ツシカ違ワナイノニ、モウイイ加減中年婆サンニナッテイル陸子ガ、アトヲ引キ受ケテ続ケタ。油谷ノ嫁ノコトヲオシャベリダナンテ云ウガ、彼女モオシャベリデハ引ケヲ取ラナイ。

「コノ間、アタシ達ガ軽井沢カラ帰ッテ来タ明《あ》クル日ノ晩、先月ノ二十五日ノ晩ニ、後楽園ジムニ東洋フェザー級タイトル・マッチ*ガアッタデショウ?」

「ソンナコト知ルモンカ」

「マ、アッタンデスヨ。全日本バンタム一位ノ坂本春夫ガタイノバンタム一位ノシリノイ・ルクプラクリスヲノック・アウトシテ初代チャンピオンガ生レタアノ晩デスヨ、――」

ソノシリノイ・ルクプラクリスト云ウ名ヲ陸子ハ流暢《りゅうちょう》ニペラペラト云ッテ退《の》ケタ。予ナンカニハ到底一度デハ覚エキレナイシ、一ト息ニハ云イ切レナイ。舌ヲ嚙《か》ンデシマウ。サスガオシャベリハ違ッタモンダ。

「――油谷サン夫婦ハ少シ早メニ出カケテ行ッテ前座ノ試合カラ見テタンダソウデスガ、リングサイドノ奥サンノ右隣ノ席ガ二ツ、最初ハ空《あ》イテタンダソウデス。ト、タイトル・マッチガ始マロウトスル時大層スマートナ奥サンガ一人、片手ニベージュノハンドバッグヲ持ッテ、片手ニ自動車ノキーヲ振リ廻シナガラ這入ッテ来テ隣ニ腰カケタンダソウデス。ソレヲ誰ダト思イマス?」

「………」

「油谷サンノ奥サンハ結婚ノ時ニ颯チャンニオ目ニカカッタキリナンデ、アレカラモウ七八年ニナル、ダカラ先様《さきさま》ハアタシノ顔ナンカ忘レテラッシャルノモ無理ハナイ、アノ大勢ノ中デスカラ、アタシミタイナモン始メッカラ眼中ニオアリニナラナカッタロウ、ケレドアタシノ方ジャ決シテ忘レッコアリマセン、何シロアノ方ハ一度見タラ忘レラレナイ世ニモオ綺麗《きれい》ナオ方デスシ、アノ時分ヨリ又一倍オ美シクナッテラッシャルンデスモノッテ、ソウ云ウンデス。デモ黙ッテイチャ悪イト思ッテ、卯木《うつぎ》サンノ若奥様ジャイラッシャイマセンカッテ、声ヲカケヨウト思ッタラ、ソノ時モウ一人、知ラナイ男ノ方ガ割リ込ンデ来テ颯チャンノ隣ニ掛ケタンダソウデス、ソシテオ知リ合イト見エテ仲好ク颯チャント話シ出シタンデ、ツイ御挨拶《ごあいさつ》ヲ申シソビレタト云ウンデス」

「……」

「マアソレハイイ、——イイコトハアリマセンケレドモ、ソノ話ハオ婆チャンカラ仰《お》ッシャッテ戴クトシテ、——」

「イイコトナンカアルモンデスカ」

ト、ココデ又婆サンガ口ヲ挟ンダ。

「ソレハオ婆チャンカラ仰ッシャッテ下サイ、アタシハ遠慮イタシマス。ソレヨリ油谷サンノ奥サンガ何ヨリ先ニ眼ニ附イタノハ、颯チャンノ指ニ光ッテイタキャッツ・アイダト云ウンデス。チョウド自分ノ右隣ニイラシッタカラ、左ノ指ニ嵌《は》メテイラシッタノガハッキリ見エタ。奥サンノ見タトコロデハキャッツ・アイト云ッタッテアンナ大キナ立派ナ石ハ、ソンナニザラニアルモンジャナイ、恐ラク十五カラット以上アルコトハ確カダト云ウンデス。今マデ颯チャンガソンナ石ヲ持ッテタノヲ、オ婆チャンモ見タコトハナイト仰ッシャイマスシ、アタシモ知リマセンケレドモ、イツアンナモノヲ買ッタンデゴザイマショウネ」

「…………」

「ソウ云エバ岸サンガ総理大臣ダッタ時、*仏印カ何処カデキャッツ・アイヲ買ッテ問題ニナッタコトガアリマシタッケネ。新聞ニハアノ時ノ石ガ二百万円ト書イテマシタネ。仏印アタリハ宝石ノ値ガ安インデスカラ、仏印デ二百万円ダッタラ日本ヘ持ッテ来レバ倍以上ニナルデショウ。トスルト颯チャンノ石ダッテ余程ノモノデショウネ」

「ソンナモノヲ誰ガイツノ間ニ買ッテオヤリニナッタンデショウ」

ト、ココデ又婆サンガ一言シタ。

「何シロアマリ立派ナ石デ凄《すご》ク光ルモンデスカラ、油谷サンノ奥サンモ目ヲ円クシテ何度モジロジロ見タンデショウネ、ソレデ颯チャンモ気ガ差シタト見エテハンドバッグカラレースノ手袋ヲ取リ出シテ篏メタト云ウンデス、トコロガソレデ隠サレルドコロカレース越シニ却《かえっ》テ光ルノガ目立ッタ、ソレト云ウノガ、ソノ手袋ガ恐ラク仏蘭西《フランス》製ノ手編ミノレースデ、シカモ黒ノ手袋ナンデス、――黒ダト中ノ宝石ノ光ルノガ一層ヨク目立ツンデ、或ハ颯チャンハソノ効果ヲ考エテワザト嵌メタノカモ知レマセン。ソンナ細カイトコロマデ、ヨクマア観察ナサイマシタワネッテ云ッタラ、ソリャアアタシノ右隣ニイテ左ノ手ニ嵌メテラッシャルンダカラ、イクラデモ観察出来マシタ、アノ晩ハボクシングヨリアノレース越シノ指ノ方ニ気ヲ取ラレテ試合ヲ見損《みそこな》イマシタッテ、奥サンハ仰ッシャルンデス」

……………………………………………………………………

四

十三日。昨日ノ続キ。

「ネエオ爺チャン、颯子ガソンナモノヲ持ッテタ筈《はず》ハアリマセンガ、………」

婆サンノ追及ハココへ来テ俄《にわか》ニ急デアル。

「………」

「ネエ、イツ買ッテオヤリニナッタンデス」

「イツダッテイイジャナイカ」

「イイコトハアリマセンヨ、第一オ爺チャンニシタッテソンナオ金ヲドウシテ持ッテラシッタンデス、陸子ニハ出銭《でせん》ガ多クッテ困ルッテ仰ッシャッタ癖ニ」

「………」

「出銭ト云ウノハソンナコトダッタンデスカ」

「ソンナコトサ」

婆サンモ陸子モ呆《あき》レテ言葉モ出ナイト云ウ顔付。

「颯子ニ出シテヤル金ハアッテモ陸子ニ出ス金ハナイッテコトサ」

コウ先《ま》ズ度胆《どぎも》ヲ抜イテヤッタガ、咄嗟《とつさ》ニ巧《うま》イ口実ガ浮カンダ。

「オ婆チャンハ己《おれ》ガ隠居所ヲ取リ潰《つぶ》シテ建テ直スト云ッタラ、ソレニ反対シタジャナイカ」

「エエ反対シマシタトモ。アナタミタイナ親不孝ナ料簡《りようけん》ニ誰ガ賛成スルモンデスカ」

「サレバサ、全生院様モ止観院様モ*何ト云ウ孝行ナ嫁女《よめじよ》ダロウト、草葉ノ蔭デオ前サンノコトヲオ喜ビニナッテルダロウヨ。ソコデソノ用意ニ取ッテ置イタ金ガ浮イタ訳サ」

「浮イタニシタッテ何モ颯子ニアンナモノヲ買ッテオヤリニナルコトハナイデショウ」

「イイジャナイカ、ホカノ者ニ買ッテヤルンジャナイ、大事ナ嫁ニ宝石ヲ買ッテヤルンダ、仏様ダッテイイコトヲシテヤッタ、感心ナ忰《せがれ》ダッテオ褒メニナルサ」

「建テ直シノ費用ナラソレダケッテコトハナイデショウ、マダ余分ガアルデショウ」

「アアアルトモサ、宝石ノ金ハソノ一部サ」

「ジャアソノ余分ハ何ニナサルノ」

「何ニシヨウト己ノ勝手ダ、余計ナ干渉ハシテ貰イタクナイ」

「デモ何ニオ使イニナルオ積リカ、参考ノタメニ伺ッテ置キタイモンデスネ」

「サア、何カラ拵《こしら》エテヤロウカナ。庭ニプールガアッタライイナッテ云ッテタカラ、先ズプールヲ作ッテヤルカナ、ソウシタラドンナニ喜ブダロウナ」

婆サンハ何モ云ワナイ。黙ッテ眼ヲ円クシテイル。

「プールッテソンナニ早ク作レルンデショウカ、モウ秋ジャアリマセンカ」
ト、陸子ガ云ウ。
「コンクリートヲ乾カスマデニ時間ガカカルンデ、今カラ工事ヲ始メテモ完成スルノニ四カ月グライカカルソウダ。颯子ガスッカリ調ベテ来タンダ」

「出来上ルト冬ニナリマスネ」

「ダカラ格別急グコトハナイ、ユックリ取リカカッテ来年ノ三四月頃ニ完成スレバイインダガ、チットモ早ク完成サセテ喜ブ顔ガ見タインデネ」

コレデ陸子モ黙ッテシマウ。

「ソレニ颯子ハ普通ノ個人ノ家庭ニアルヨウナ狭インジャイヤダ、少クトモ縦二十メートル、幅十五六メートル欲シイ。デナイト得意ノシンクロナイズド・スウィミングガ演《や》リニクイ。一人デソレヲ演ッテ見セテ己ニ見セタイッテ云ウンダヨ、己ニソレヲ見セルノガ目的デプールヲ作ルヨウナモノナンダ」

「ソレデモソレハイイコトデゴザイマスワネ、自分ノ家ニプールガ出来タラ経チャンダッテ喜ブデショウシ、………」

陸子ガ云ウト婆サンガ云ッタ。

「経助ノコトナンゾ考エテヤルヨウナママジャナインダカラネ、学校ノ宿題ダッテアルバイトノ学生ニ任セッキリナンダカラ。オ爺チャンダッテソウナンダカラ、ウチノ子供ハ可哀《かわい》ソウダヨ」

「ダケドプールガ出来タ以上ハ経チャンダッテ飛ビ込ミマスヨ。辻堂《つじどう》ノ子供達モセイゼイ使ワシテ戴キマスワ」

「ソウダトモサ、イクラデモ這入リニ来ルガイイ」

飛ンダトコロデ敵《かたき》ヲ取ラレル。マサカ経助ヤ辻堂ノ河童《かっぱ》共ニ這入ルナト云ウ訳ニモ行カナイ。シカシ七月ハ下旬マデ学校ガアルシ、八月ニナレバ軽井沢へ追ッ払ッテシマウ。問題ハ寧《むし》ロ春久デアル。

「トコロデプールヲ作ル費用ハドノクライカカルンデス」

当然コノ質問ガ来ルコトヲ覚悟シテイタノダッタガ、大婆サンモ小婆サンモツイ取リ紛レテコノ大切ナ質問ヲスルコトヲ忘レテシマッタ。予ハホットシタ。ソレバカリデハナイ、婆サント陸子ノ意図スルトコロハ、コンナ工合ニジワジワト攻メ立テテ、先ズキャッツ・アイノ件ヲ白状サセテ予ヲグウノ音モ出ナイヨウニサセ、ソレカラ颯子ト春久トノ関係ニ言及スル積リダッタニ違イナイガ、ソウナルト事件ガ深刻過ギルノデ迂闊《うかつ》ナコトハ云イ出セズ、躊躇《ちゆうちよ》シテイルトコロへ持ッテ来テ予ノ高飛車ナ云イ方ガ尋常デナイタメニ、結局云イソビレテシマッタラシイ。シカシイズレハ問題ニセズニハ置カナイダロウガ。………

十三日ハ大安《たいあん》デアル。夕刻カラ浄吉夫婦ハ友人ノ結婚式ニ出カケル。夫婦揃《そろ》ッテ外出スルコトハ近頃珍シイ。浄吉ハタキシード、颯子ハ訪問着。* 九月ト云ッテモマダ暑イノデ洋装ニスレバイイノニ、ナゼカ颯子ハ和服デアル。コレモ近頃珍シイ。白ノ一越縮緬《ひとこしちりめん》*ノ裾模様ニ図案化シタ樹木ノ枝ヲ黒ノ濃淡デ現ワシ、周囲ヲ淡イブルーデ影ノヨウニ絵取ッタモノヲ着テイル。衽《おくみ》*ニモブルーノ裏ガチラツイテイル。

「ドウ、オ爺チャン、見テ戴《いただ》キニ来マシタノヨ」

「ソッチヲ向イテ御覧、グルット一ト廻リ廻ッテ御覧」

帯ハ絽綴《ろつづれ》*ノ袋帯。* 淡イコバルトニ少シ銀糸ヲアシラッタ地色ニ、黄ガカッタ糸ト金糸デ乾山風《けんざんふう》ノ陶画*ヲ織リ出シタモノ。ヤヤ小サイ目ニ締メテ、垂レ*ヲ普通ヨリ長イ目ニ垂ラシテイル。帯揚ゲ*ハ絽ノ生地《きじ》ニ白ト薄イピンクノ暈《ぼか》シ。帯締メ*ハ金ト銀トヲ縄ノヨウニ撚《よ》ッタモノ。指環ハ琅玕《ろうかん》ノ翡翠《ひすい》。*白ノビーズノハンドバッグ*ノ小サイノヲ左手ニ抱《かか》エテイル。

「和服モタマニハ悪クナイナ。イヤリングヤネックレスヲシテナイ*トコロガ気ガ利イテルネ」

「オ爺チャンナカナカ分ルノネ」

颯子ノ後カラオ静ガ草履《ぞうり》ノ箱ヲ持ッテ這入ッテ来、草履ヲ取リ出シテ彼女ノ前ニ揃エル。スリッパヲ穿《は》イテ来タ颯子ハ、ワザト予ノ眼ノ前デ草履ヲ穿イテ見セル。草履ハ銀ノ綴デ三段ノ高サ*ノモノ、鼻緒ノ裏ダケニピンクガ使ッテアル。草履ガ新調ナノデナカナカ趾《ゆび》ノ股《また》ニ喰イ込マナイ。オ静ガシャガンデ手伝イナガラ汗ヲ掻《か》ク。ヤット穿ケテ一ト足二タ足歩イテ見セル。彼女ハ足袋ヲ穿イタ時ニ踝《くるぶし》ノ突起ガ目立タナイノガ自慢ナノデアル。多分ソノタメニ和服ヲ着、ソレヲ見セルベク予ノ面前ニ現ワレタノデアル。………

十六日。コノトコロ毎日暑熱ガツヅク。九月モ中旬ダト云ウノニコノ暑サハ異常デアル。ソノセイカドウカ脚ガ非常ニ重クカツ浮腫《むく》ンデイル。浮腫《ふしゅ》ハ*脛《はぎ》ヨリモ足ノ甲ガ一層甚ダシク、趾ノ根モトニ近イ辺《あたり》ヲ指デ押シテ見ルト、恐ロシイホド深ク凹《へこ》ム。ソシテイツマデモ凹ミガ戻ラナイ。左足ノ第四趾《し》ト第五趾ガ全ク麻痺《まひ》シテイル。ソシテ裏側ガ葡萄《ぶどう》ノ実ノヨウニ腫《は》レ上ッテイル。重イノハ脹脛《ふくらはぎ》ヤ踝ノ上アタリモヒドイガ、足ノ裏ガ一番ヒドイ。何カ鉄板ノヨウナ重味ノアルモノガ足ノ裏ヘペッタリ貼《は》リ着イテイル感ジデアル。コレハ左足ダケデナク、左右両方デアル。歩クト両脚ノ脛ガ妙ナ工合ニ縺《もつ》レ合ッテ歩ケナイヨウニナル。下駄ヲ穿コウトシテ縁側カラ下リル時、一遍ニスラスラト下駄ガ穿ケタコトハナイ。必ズヨロケテ沓脱石《くつぬぎいし》ニ足ヲ落シ、時ニハ地ベタヲ蹈《ふ》ミ、足ノ裏ヲ汚《よご》ス。斯様《かよう》ナ各種ノ傾向ハ前々カラアッタケレドモ最近特ニ顕著デアル。佐々木ガ心配シテ毎日予ヲ仰向ケニ臥《ね》カセ、膝《ひざ》ヲ交互ニ組ミ合ワセテ脚気《かっけ》*ノ検査ヲシテイルガ、脚気デモナイラシイ。

「杉田先生ニ来テ戴イテ綿密ニ調ベテ戴カナケリャ。心電図モ暫《しばら》ク取リマセンカラ、取ッテ見ル必要ガゴザイマスネ。ドウモコノ浮腫ミ方ハ気ニナリマス」

ト云ッテイル。

今朝又一ツノ事件ガアッタ。佐々木ニ手ヲ曳《ひ》カレテ庭ヲ散歩シテイルト、囲イノ中ノ犬舎ニ入レテアル筈ノコリー*ガドウシタ間違イカ飛ビ出シテ来テ突然予ニ跳《おど》リカカッタ。――コリーノ方デハ戯レル積リナノダガ、思イモカケヌモノガ飛ビ着イテ来タノデ予ハ驚イタ。マルデ猛獣ガ現ワレタヨウナ気ガシタ。抵抗スル隙《ひま》モナク簡単ニ予ハ押シ倒サレテ芝生《しばふ》ニ仰向ケニナッタ。大シテ痛クハナカッタガ、後頭部ヲ打ッタノガズシント脳ニ響イタ。起キ上ロウトシタガ直グニハ起キ上レズ、杖《つえ》ヲ拾ッテ縋《すが》リナガラ立チ上ルマデニ数分ヲ要シタ。犬ハ予ヲ倒シテカラ次ニ佐々木ニ戯レカカッタ。佐々木ガキャアキャア云ウノヲ聞イテ、颯子ガネグリジェノママ駆ケ付ケテ来、

「レスリー、コレ!」

ト、チョット叱ッテ睨《にら》ミツケルト、コリーハ忽《たちま》チ柔順ニナリ、颯子ノアトカラ尾ヲ振ッテ犬舎ノ方へ行ッテシマッタ。

「ドコモオ怪我《けが》ハゴザイマセンデシタカ」

立チ上ッタ予ノ浴衣《ゆかた》ノ裾《すそ》ヲ払イナガラ佐々木ガ云ッタ。

「怪我ハナカッタガ、アンナ大キナモノニ飛ビ着カレルト、ヨボヨボノ老人ハドウニモナランネ」

「オ倒レニナッタノガ芝生ノ上ダッタノデ本当ニヨウゴザイマシタ」

予モ浄吉モ元来犬好キノ方ナノデ前ニモ犬ヲ飼ッタコトハアル。シカシエアデール*ダノダッチフンド*ダノスピッツダノ、主トシテ小柄ナ犬バカリ飼ッテイタ。大キナ犬ヲ飼ウヨウニナッタノハ浄吉ガ嫁ヲ迎エテカラデアル。何デモ結婚後半年バカリ過ギテカラ、

「ボルゾイ＊ヲ飼ッテ見タイ」

ト浄吉ガ云イ出シテ間モナク素晴ラシイノヲ一匹見付ケテ来タ。ソシテ訓練師ヲ雇ッテ毎日怠ラズ訓練シタ。食事ノ世話、入浴ノ世話、ブラッシングノ世話ナド手ガカカルコト夥《おびただ》シイノデ、婆サンカラ女中達マデ不平ガ絶エナカッタガ、何ト云ッテモ浄吉ガ実行サセタコトハ当時ノ日記ニ記シテアル。ガ、後カラ考エルト、ソレハ浄吉ノ意志デハナク、颯子ガ夫ニセビリツイタ結果ナノデアッタガ、最初ハソウト気ガ付カナカッタ。二年後ニソノボルゾイハテムパー＊デ脳症ニ罹《かか》ッテ死ンダガ、今度ハ颯子ガ正体ヲ現ワシテボルゾイノ代リニグレイハウンド＊ヲ飼ッテ見タイト自分カラ云イ出シ、犬屋ニ注文シテ捜シテ来サセタ。彼女ハソノ犬ヲクーパートト名付ケテ寵愛《ちょうあい》スルコト一方ナラズ、野村ニ運転サセテクーパート相乗リデ街ヲ乗リ廻シタリ、ソコラヲ曳《ひ》ッ張《ぱ》ッテ歩イタリシタノデ、若奥様ハ経助坊チャンヨリクーパーノ方ヲオ可愛ガリニナルナンテ云ワレタモノダガ、ソノグレイハウンドハ老犬ヲ摑《つか》マサレタモノラシク、間モナクフィラリア＊デ水ガ溜《たま》ッテ死ンダ。ソシテ三度目ニ求メタノガ今度ノコリーデアル。血統書ニ依ルトコノ犬ノ父ハロンドン生レデレスリート云ウ名ダッタノデ、ソノ仔《こ》モ同ジ名デ呼バレルコトニナッタ。コレラノコトモ当時ノ日記ニ委《くわ》シク書イタ筈デアル。レスリーモ颯子ノ寵愛ヲ蒙《こう》ムルコトクーパーニ劣ラナイノデアルガ、陸子アタリガ密《ひそ》カニ婆サンニ焚《た》キツケタト見エテ、コリーノヨウナ大キナ犬ハ飼ワナイ方ガイイト云ウ意見ガ、二三年前カラ家庭内ニポツポツ擡頭《たいとう》シ始メテイタ。

ソノ理由ハ外デモナイ。二三年前マデハオ爺チャンモマダ足腰ガイクラカ達者ダッタカラ、大キナ犬ニ飛ビ着カレテモ心配ナコトハナカッタガ、今日デハ事情ガ違ウ。犬ドコロカ猫ニ飛ビ着カレタッテ呆気《あっけ》ナクコケテシマウダロウ。ウチノ庭ダッテ芝生バカリデハナイ、少シハ坂道モアルシ段々ヤ飛石モアル。ソンナトコロデ押シ倒サレテ若《も》シ打チドコロガ悪カッタラドンナコトニナルカ。現ニ誰々サンノ所ノ老人ハ、チョットシェパードガ足元ニ絡《から》ミ着イタダケデ転ンデ大怪我《けが》ヲシ、三カ月モ入院シテ未《いま》ダニギプスヲ嵌メテイル。ダカラコリーハ止メルヨウニオ爺チャンカラ仰ッシャッテヨ、アタシモソレトナク云ウンダケレド、アタシガ云ッタンジャ颯子ハ聴イテクレナインデスカラト、婆サンハ訴エルノデアル。

「シカシアンナニ可愛ガッテルモノヲ、止《よ》セト云ウノモ可哀ソウダシ、………」

「ソンナコトヲ仰ッシャッテモ御自分ノ体ニハ代エラレマセンヨ」

「第一止サセルニシタッテ、アンナズウタイノモノヲドウ処分シタライインダ」

「誰カ犬好キノ人デ貰イ手ガアリマスヨ、キット」

「仔犬《こいぬ》ナラトニカク、アンナニ大キクナッタノハ飼イニクイモンダゼ、ソレニ己ダッテレスリーハ嫌イジャナインダ」

「オ爺チャンハ颯子ニグット睨《にら》マレルノガ恐インデショウ、今ニ大怪我ヲナスッテモイインデスカ」

「ジャアオ前サンガ云ッテヤッタライイジャナイカ、ソレデ颯子ガ承知スルモンナラ己ハ文句ヲ云ワナイカラ」

ダガ実ノトコロ、今トナッテハ婆サンモ云エナイノデアル。ソレデナクテモ「若奥様」ノ権力ガ日ニ日ニ「御隠居様」ヲ凌《しの》ギツツアルノニ、犬一匹ノ処置ノ問題ガ因《もと》ニナッテドンナ大喧嘩《おおげんか》ニナルカモ知レナイ、ソレヲ思ウトウッカリ戦端ヲ開ク訳ニ行カナイ。本当ノコトヲ云エバ、予モレスリーガ余リ好キデハナイノデアル。ヨク考エルト、颯子ノ手前好キヲ装ッテイルニ過ギナイノダト云ウコトニ、自分デモ気ガ付クコトガアル。彼女ガレスリート相乗リシナガラ出テ行ッタリスルノヲ見カケルト、何トナクイイ気持ハシナイ。浄吉トノ相乗リナラ当然ノコトダシ、春久トデモ仕方ガナイト諦《あきら》メルガ、犬デハ嫉妬《しっと》モ出来ナイダケニ腹立タシイ。ソノ癖コノ犬ハ顔立ガ貴族的デ、一種ノーブルナ感ジガスル。黒人臭イ春久ナンカヨリ容貌《ようぼう》秀麗ト云エルカモ知レナイ。颯子ハソレヲ自分ノ座席ノ隣ニスワラセ、ピッタリ体ヲ寄セ着ケテ乗ル。ソシテ首ッ玉ヘ齧《かじ》リ着キ、頬ヲ擦《す》リ寄セテ走ラセル。アレデハ往来ノ人ガ見テモ気ガ悪カロウ。

「外デハアンマリアンナ真似《まね》ハナサイマセン、旦那ガ御覧ニナッテイラッシャル時ニヨクアンナ真似ヲナサルンデス」

ト野村ハ云ウガ、ソウダトスレバ、コレモ予ヲ揶揄《やゆ》スル積リナノカモ知レナイ。ソウ云エバ予ハ颯子ニ媚《こ》ビル気持カラ、彼女ノ前デ心ニモナクレスリーニ優シイ言葉ヲカケテヤリ、囲イノ外カラ菓子ヲ投ゲテヤッタコトガアッタ。スルト颯子ハ真顔《まがお》ニナッテ予ヲ叱ッタ。

「何ナサルノヨオ爺チャン、勝手ニオ菓子ナンゾ遣《や》ラナイデ頂戴《ちょうだい》。――ホレ御覧ナサイ、チャント訓練ガ行キ届イテルカラ、オ爺チャンノオ遣リニナッタモノナンゾ食ベヤシナイワ」

ソウ云ッテ彼女ハ自分ダケ囲イノ中へ這入ッテ行ッテ、ワザトコレ見ヨガシニレスリーヲ愛撫《あいぶ》シテ見セ、接吻デモシカネマジク頬擦リヲシテ、

「妬《や》ケルデショ」

ト云ワンバカリニ、ニヤリト笑ッタコトガアッタノヲ思イ出ス。

彼女ノ喜ビヲ買ワンガタメニ負傷ヲシテモ惜シイトハ思ワナイ、ソノ負傷ガ原因デ死ヲ招イタトシテモ、ムシロ望ムトコロデアル。ダガ、彼女ニ蹈《ふ》ミ殺サレルノデハナク、彼女ノ犬ニ蹈ミ殺サレルノデハ遣リ切レナイ。……

午後二時杉田氏来診スル。今日デナクテモヨカッタノダガ、犬ノ事件ヲ早速佐々木ガ知ラセタノデアル。

「エライ目ニオ会イニナリマシタソウデ」

「ナアニ何デモアリマセンヨ」

「トニカク見セテ戴キマショウ」

臥《ね》カサレテ手ヤ足腰ヲ委《くわ》シク検査サレル。肩ヤ肘《ひじ》ヤ膝頭《ひざがしら》ガ僂麻質《りゅうまち》ノヨウニ痛ムノハ前カラノコトデレスリーノセイデハナイ。幸イニシテレスリーニハ何ノ被害モ受ケナカッタラシイ。杉田氏ハ心臓ヲ何度モ打診シテ見、背中ヲ調ベ、深呼吸ヲサセ、携帯用ノ心電計デ心電図ヲ取リ、

「格別御心配ナコトハナイト思イマスガ、帰リマシテカラ後程結果ヲ御報告申シマス」

ト云ッテ帰ッテ行ッタ。

夜ニナッテ報告ガアッタ。

「心電図ノ結果ハ矢張格別ノコトハアリマセン。御老人ノコトデスカラ多少ノ変化ハ已《や》ムヲ得マセンガ、コノ前測ッタ時ト比ベテ異状ハアリマセン。ソレヨリ一度腎臓《じんぞう》ノ検査ヲシテ見ル必要ガアリマスナ」

ト云ウ。

二十四日。佐々木ガ今日ノ夕方カラ子供ニ会イニ行カシテクレト云ウ。先月行カシタキリナノデ許サナイ訳ニ行カナイ。明日午前中ニハ戻ルノデアルガ、生憎《あいにく》明日ハ日曜デアル。土曜カラ日曜ニカケテノ方ガ、落チ着イテ子供ニ会エルノデ佐々木ニハ都合ガイイノダガ、コチラハ颯子ガ何ト云ウカ、聞イテ見ル必要ガアル。婆サンハ七月以来佐々木ノ代理ハ御免蒙《こう》ムルト云ッテイル。

「イイジャナイノ、折角楽シミニシテルンダカラ佐々木サンヲ行カシテオヤンナサイヨ」

「君ハソレデイイノカネ」

「何デソンナコトヲオ聞キニナルノ?」

「明日ハ日曜ダゼ」

「エエ分ッテルワ、ソレガ何ダッテ云ウノ?」

「君ハドウデモイイッテ云ウカモ知レナイケレド、浄吉ハコノトコロ旅行バカリシテタジャナイカ」

「ソレガ何ナノ?」

「タマノ土曜日曜ニ家ニイルンダカラネ」

「ダカラ何ナノヨ」

「タマニハユックリ自分ノ家デ女房ト一緒ニ朝寝坊ヲシタイダロウヨ」*

「不良爺サンデモ時ニハ忰《せがれ》ニ孝行スル気ガアルノネ」

「罪亡ボシニネ」

「余計ナオ世話ダワ、浄吉ノ方ジャ有難迷惑ダッテ云ウワ」

「ドウダカネ」

「イイワヨ、ソンナ心配ヲシテ下サラナイデモ。チャント今夜ハ佐々木サンノ代理ヲシテ上ゲルワ。オ爺チャンハ早起キナンダカラ、ソレカラ彼ノ所ヘ行クワ」

「寝込ミニ蹈《ふ》ン込《ご》ンデ眼ヲ覚マサセルノモ可哀ソウダナ」

「ナアニ寝ナイデ待ッテルデショウヨ」

「コイツハヤラレタ」

夜九時半入浴、十時就寝。例ニ依ッテ彼女ノタメニオ静ガ籐《とう》ノ寝椅子ヲ運ンデ来ル。

「又ソンナモノニ寝ルノカイ」

「何デモイイカラオ爺チャンハ黙ッテオ休ミナサイ」

「籐椅子ナンゾジャ風邪《かぜ》ヲ引クヨ」

「風邪ヲ引カナイヨウニ毛布ヲ沢山持ッテ来サセルノ。オ静ガ万事心得テルカラオ静ニ任シテ置ケバイイノ」

「風邪ヲ引カシチャ浄吉ニ済マナイカラナ。――イヤ、浄吉ニダケジャナイ」

「ウルサイワネ、又アダリンガ欲シイッテ顔ネ」

「二錠ジャ利《き》カナイカモ知レナイ」

「嘘仰《うそお》ッシャイ、先月モ二錠ガ直グ利イチャッテ、飲ンダト思ッタラモウ死ンダヨウニ寝テラシッタワ、口ヲアングリ開ケテ涎《よだれ》ヲ垂ラシテ」

「サゾダラシノナイ顔ツキヲシテタダロウナ」

「御想像ニ任セルワ、ダケドオ爺チャン、アタシト寝ル時ハナゼ入レ歯ヲオ外《はず》シニナラナイノ、イツモ外シテオ休ミニナルコトグライ知ッテルワヨ」

「夜寝ル時ハ外シテル方ガ楽ナンダガ、外スト余リ老醜ヲ極《きわ》メタ顔ニナルンデネ。婆サンヤ佐々木ニナラ見ラレテモイイケレド」

「アタシハ見タコトガナイト思ッテラッシャルノ」

「アルノカネ」

「去年痙攣《けいれん》ヲ起シタ時、半日モ昏睡《こんすい》シテラシッタジャナイノ」

「アノ時見タノカ」

「入レ歯ナンゾ、アッタッテナクッタッテ同ジコトダワ、隠スダケオカシイ」

「隠ス気ナンカナインダガ、人ニ不愉快ヲ与エタクナイト思ッテネ」

「外サナケレバ隠セルト思ウノガオカシイ」

「ジャア外ス。――ホラ、見テクレ、コンナ顔ダ。――」

予ハ寝台カラ立チ上ッテ彼女ノ前ニ行キ、面ト向ッテ先ズ顎附《あごつき》ノ総入レ歯ヲ上下共ニ外シ、ナイト・テーブルノ入レ歯ノ箱ノ中ニ入レタ。ソシテワザト上下ノ歯齦《はぐき》ヲ強ク噛ミ合ワセ、顔ノ寸法ヲ出来ルダケ縮メテ見セタ。鼻ガペシャンコニナッテ唇ノ上ニブラ下ッタ。チンパンジーデモコノ顔ニ比ベレバ優《ま》シダ。予ハ上下ノ歯齦ヲ何度モパクパクト離シタリ合ワシタリシテ黄色イ舌ヲ口腔《こうこう》デベロベロサセ、思イキリグロナザマヲシテ見セタ。颯子ハジットソノ顔ヲ見ツメテイタガ、ナイト・テーブルノ抽斗《ひきだし》カラ手鏡ヲ出シテソレヲ予ニ突キ付ケテ云ッタ。

「ソンナ顔、アタシニ見セタッテ何デモナイワ、ソレヨリ自分デ自分ノ顔ヲヨク見タコトガオアリニナルノ？　ナケレバ見セテ上ゲマショウ。――ホラ、コンナ顔ヨ」

ソウ云ッテ予ノ顔ノ前ニ鏡ヲ支エタ。

「ドウ？　コノ顔ハ？」

「何トモ云エナイ老醜ナ顔ダ」

予ハ鏡ノ中ノ顔ヲ見テカラ、次ニ颯子ノ容姿ヲ見ル。ドウシテモコレラノ二ツガ同ジ種類ノ生物ノモノトハ信ジラレナイ。鏡ノ中ノ顔ヲ醜悪ト思エバ思ウホド、イヨイヨ颯子ト云ウ生物ガ限リモナク優秀ニ見エル。予ハ鏡ノ中ノ顔ガモット醜悪デアッテクレタラ、颯子ガ尚《なお》コノ上ニモ優秀ニ見エタダロウニト残念ニ思ウ。

「サア寝マショウヨオ爺チャン、早クソッチヘ行ッテ頂戴」

「アダリンヲ持ッテ来テ貰イタイナ」

予ハ予ノ寝台ヘ戻リナガラ云ッタ。

「今夜モオ休ミニナレナイノ？」

「君ト一緒ダトイツモ興奮サセラレル」

「アンナ顔ヲ見テ興奮スルコトハナイデショウ」

「アノ顔ヲ見タ上デ君ノ顔ヲ見ルト、溜《たま》ラナク興奮スル。コノ心理ハ君ニハ分ルマイ」

「分ラナイワネ」

「ツマリ、僕ガ醜悪デアレバアルダケ、君ガ途方モナク美シク見エルッテコトサ」

予ノ言葉ヲ上《うわ》ノ空《そら》デ聞イテ彼女ハアダリンヲ取リニ行ッタ。ソシテアメリカ煙草ノクール*ヲ一本指ニ挟ンデ戻ッテ来タ。

「サ、口ヲアーント開《あ》イテ。習慣ニナルトイケナイカラ今夜モ二錠ヨ」

「口移シニシテクレナイカナ」

「ソノ顔ヲ考エテモノヲ仰《お》ッシャイ」

ソレデモ手デ摘《つ》マンデ入レテクレル。

「ヘエ、君ハイツカラ煙草ヲ吸ウンダ」

「近頃トキドキ二階デ内証デ吸ッテルノ」

手ノ中デライターガ光ル。

「吸イタクモナイケド、コレモアクセサリーノ一種ネ。今夜ハ今ノ口直シ」

……………………………………………………………………………

二十八日。……雨ノ日ハ手足ノ工合ノ悪サガ一層ヒドク、雨ガ降リ出ス前ノ日アタリカラ予感ガアルノダガ、今日ハ朝起キルトキカラ手ノ痺《しび》レ加減モ脚《あし》ノ浮腫《むく》ミ加減モ縺《もつ》レ加減モ甚《はなは》ダシイ。雨デ庭ニハ出ラレナイガ、廊下ヲ散歩スルダケデモ容易デナイ。直グヨチヨチシテ倒レソウニナルノデ、縁側カラ落チヤシナイカト心配デアル。手ノ痺レハ肘《ひじ》カラ肩ノ辺ニマデ及ビ、コノママ半身不随ニナリハシナイカト思ウ。夕刻、六時頃カラ手ノ冷エ方ガ一層激シクナル。マルデ氷ノ中ヘ漬ケタヨウニ無感覚ニナッテイル。イヤ、無感覚ト云ッタケレドモ、冷エ方モコレホドニナルト、痛ミト似タモノヲ覚エル。ソノ癖他人ガ触《さわ》ルトツメタクナイ、普通ノ温カイ手ヲシテイルト云ウ。当人ダケガ耐エ難クツメタク感ジルノデアル。前ニモ度々コンナツメタサノ経験ヲシタコトガアルガ、ソシテ大体真冬ノ寒中ニソウナルコトガ多イノダガ、必ズシモ冬トハ限ラナイ。デモ今日ノヨウニ、九月中ニコンナコトガアルノモ珍シイ。前ノ経験ニ従エバ、コウ冷エル時ハ大キナタオルヲ熱湯ニ浸シテ手ノ先カラ腕全体ヲ包ミ、又ソノ上カラ厚地ノ本ネル*デ包ミ、又ソノ上ニ白金懐炉《はっきんかいろ》ヲ二箇所グライ当テル。ソレデモ十分間グライデ冷エテシマウノデ、枕元《まくらもと》ニ熱湯ヲ運ンデ置イテタオルヲ熱シ直シテハ包ム。ソウ云ウ処置ヲ五六遍繰リ返ス。湯ガサメルノデ薬罐《やかん》ニ入レタ熱湯ヲ絶エズ運ビ入レテ洗面器ニ注グ。今日モコノ方法ヲ繰リ返シテ漸《ようや》クイクラカ冷エ込ミガ減ジル。

五

二十九日。昨夜ヤヤ長時間湯ニ漬カッタオ蔭デ手ノ痛ミ少シ和《やわら》ギ安眠スルコトヲ得タ。ガ、明ケ方眼ガ覚メテ見ルト又痛ミ出シテイルノニ心ヅク。雨ハ止ンデ空ハ綺麗《きれい》ニ晴レ上ッテイル。体ガ丈夫デサエアレバコンナ秋日和《あきびより》ノ日ハドンナニ爽快《そうかい》デアロウ、予モ四五年前マデハソノ爽快味ヲ満喫シテイタノニト思ウト、クヤシクモ忌マ忌マシイ。ドルシン三錠服用。

午前十時血圧ヲ測ル。上一〇五、下五八ニ降下。佐々木ニススメラレテクラッカー二個ニクラフトチーズ少量ヲ添エテ食べ、紅茶一杯飲ム。ソシテ約二十分後モ一度測ッテ見ル。上一五八、下九二ニ上ッテイル。短時間内ニ血圧ノ変動ガカヨウニ激シイノハヨロシクナイ。

「ソンナニ詰メテ書キ物ヲナサラナイ方ガヨクハゴザイマセンカ、又痛ミ出スト心配デゴザイマス」

予ガ日記ヲツケテイルノヲ見テ佐々木ガ云ウ。日記ノ内容ヲ読マセハシナイガ、コウ頻《ひん》繁《ぱん》ニ看護婦ノ必要ガ起ルト、佐々木ニハ或ル程度察知サレテモ仕方ガナイ。今ニ墨グライハ磨《す》ッテ貰ウヨウニナルカモ知レナイ。

「少シハ痛クッテモコンナコトヲシテイル方ガ気ガ紛レルヨ、痛クテ溜ラナクナッタラ止メル、今ノウチハ仕事シテイル方ガイイ、アッチへ行ッテテクレ給エ」

午後一時ヨリ午睡、一時間ホドトロトロトスル。覚メテ見タラ汗ヲビッショリ掻《か》イテイル。

「コレデハ風邪ヲオ引キニナリマス」

佐々木ガ又這入《はい》ッテ来テ汗デ濡《ぬ》レテイルガーゼノ肌着《はだぎ》ヲ着カエサセル。額モ頸《くび》ノ周《まわ》リモ気味悪クベトベトニナッテイル。

「ドルシンモイイガ、コウ汗ヲ掻イチャ遣リ切レナイ、何カ外ノ薬ハナイカナ」

午後五時杉田氏来診。薬ガ切レタセイカ又激痛ガ始マル。

「ドルシンハ汗ガ出テイヤダッテ仰《お》ッシャルンデス」

佐々木ガ杉田氏ニ訴エテイル。

「困リマシタナ、ドウモ。タビタビ申シ上ゲル通リ、コノオ痛ミハ脳中枢カラノ原因ガ二三分、他ノ六七分ハ頸椎《けいつい》ノ生理的変化ニ依ル神経痛ト云ウコトニ、レントゲン検査ノ結果診断ガツイテオリマス。コレヲ直スニハギプスベッドカ牽引法《けんいんほう》デ神経ノ圧迫ヲ取リ除クヨリ外ハナインデスガ、ソレニハ三四カ月ノ御辛抱ガ必要ナンデス。シカシ御老人ノコトデスカラソノ御辛抱ガ辛イト仰ッシャルノモ無理ハアリマセン。デスガソウナルト薬デ一時ヲ糊塗《こと》ナサルヨリ方法ハゴザイマセン。薬ハイロイロゴザイマスカラ、ドルシンモオイヤ、ノブロンモオイヤデシタラ、取リ敢《あ》エズパロチン*ノ注射デモシテ見マショウ、一時ノ苦痛ハ凌《しの》ゲルト存ジマス」

注射ノ結果ヤヤ軽快ニ赴《おもむ》ク。……

十月一日。引キ続キ手ノ痛ミ去ラズ、痛ミハ小指ト薬指トガ最モ激シク、親指ノ方ヘ行クホド軽カッタノデアルガ、漸次《ぜんじ》五本ノ指全体ニ及ビツツアル。掌ダケデナク、手《て》頸《くび》ノ方ニカケテ、小指ニツヅク尺骨《しゃっこつ》ノ茎状突起*、及ビ橈骨《とうこつ》ノ突起マデ痛ミ、手頸ヲグルリト廻ソウトスルト殊《こと》ニ痛ンデ巧ク廻ラナイ。麻痺《まひ》ハ手首ガ最モヒドク、手ノ廻ラナイ感ジモ何処《どこ》マデガ麻痺デ何処マデガ痛ミト云ッテイイカ区別ガツカナイ。午後ト夜間トパロチンヲ二回注射スル。………

二日。痛ミ止マズ、佐々木ガ杉田氏ト相談シテザルソブロカノン*ヲ注射。………

四日。ノブロンノ注射ハイヤナノデ座薬*ヲ試ミル、余リ効果ナシ。………

九日。四日以後本日マデ殆《ほとん》ド痛ミ続ケナノデ日記ヲツケル元気モナカッタ。寝室ニ横臥《おうが》シタキリデ佐々木ガ毎日附キキリデ看護シテイタ。今日ハソレデモヤヤ元気ナノデ少シ書ク気ニナル。過去五日間ニ実ニイロイロノ薬ヲ打ッタリ飲ンダリシタ。ピラビタール*、イルガピリン*、又シテモパロチン、イルガピリン座薬、ドリデン*、ブロバリン*、ノクターン*等々、服用シタ様々ノ薬ノ名ヲ佐々木ニ教エテ貰ッタガ、マダコノ外ニモアッタカ知レナイ。トテモ一度デハ覚エキレナイ。ドリデントブロバリントノクターントハ鎮痙剤《ちんけいざい》デハナク睡眠剤デアル。アンナニ寝ツキノヨカッタ予モ、コノトコロ痛苦ノタメニ寝ツカレズ、各種ノ睡眠剤ヲ用イテイル。婆サント浄吉ガトキドキ見舞ニ来タ。

五日ノ午後、最モ痛ミノ激シカッタ日デアッタ、婆サンガ始メテ病室ヲ覗《のぞ》イテ云ッタ。

「颯子ハ伺ッタモノカドウカ、ドウシタライイデショウッテ云ッテルンデスガ、……」

「………」

「伺ッタライイジャナイカ、コンナ時コソオ前サンノ顔ヲ御覧ニナッタラ、イクラカデモ痛ミヲオ忘レニナルヨッテ云ッテヤッタンデスガネ」

「馬鹿」

イキナリ予ハ怒鳴《どな》ッタ。ドウ云ウ訳デ怒鳴ル気ニナッタノカ、予自身ニモ分ラナカッタ。コンナ情《なさけ》ナイ姿ノトコロヲ彼女ニ見ラレテハ極《き》マリガ悪イ、ト、思ッタ途端ニコノ言葉ガ出タノデアルガ、正直ヲ云ウト来テ貰イタクナイコトモナカッタ。

「ヘー、颯子ガ伺ッテハ悪インデスカ」

「颯子バカリジャナイ、陸子《くがこ》ナンゾ見舞ニ来ヤガッタラ承知シナイゾ」

「ソリャ分ッテマスヨ、イクラ痛イト仰《お》ッシャッテモ手ノコトダカラ心配ハナイ、オ前サンハ遠慮シナサイッテ、コナイダモ陸子ヲ追イ返シタンデス。陸子ハ泣イテマシタガネ」

「何ヲ泣クコトガアルンダ」

「五子《いつこ》モ出テ来ルッテ云ッテマシタカラ固ク止メテアルンデス。デスガ颯子ハイイジャアリマセンカ、ドウシテ颯子ヲオ嫌イニナルンデス」

「馬鹿々々々、嫌イダナンテ誰ガ云ッタ、嫌イドコロカ好キ過ギルンダ、好キ過ギルカラコンナ時ニ会イタクナインダ」

「マア、ソウ云ウモンデゴザイマスカネエ、ソレハ気ガツカナイコトヲ申シマシタガ、ソンナニオ怒リニナラナイデ下サイ、怒ルノガ一番体ニ障リマスカラ」

婆サンハ赤ン坊ヲ宥《なだ》メルヨウナ口調デ云ッテ、這《ほ》ウ這《ほ》ウノ体《てい》デ出テ行ッテシマッタ。予ハ婆サンニ突然急所ヲ突カレタノデ、明カニ狼狽《ろうばい》シテ照レ隠シニ怒ッタノデアッタ。婆サンガ行ッテシマッテカラ一人デ静カニ考エテ見ルト、アンナニ怒ラナイデモヨカッタ、颯子ガ婆サンカラ聞イテドンナ風ニ取ッタカト、シキリニ気ニナッテ仕様ガナカッタ。予ノ腹ノ中ヲ隅カラ隅マデ見抜イテイル彼女デアルカラ、マサカ悪ク取リハシマイト思ウガ、………

「ソウダ、ヤッパリ会ッタ方ガイイカナ、二三日ウチニ機会ヲ窺《うかが》ッテ何トカ巧ク持チカケテ見タラ、………」

今日ノ午後、フト予ハ考エタ。手ハ又今夜アタリカラ痛ミ出スニ決マッテイル、——痛ミ出スノヲ期待シテイルヨウデアルガ、——ソノ最モ痛イ時ヲ狙《ねら》ッテ颯子ヲ呼ビ入レル。「颯子々々、痛イヨ、痛イヨ、助ケテオクレヨウ！」ト、予ハ子供ノヨウニ泣キ喚《わめ》ク。颯子ガ呆《あき》レテ這入ッテ来ル。「コノ爺サン、本気デコンナニ泣イテルノカシラ、何ヲタクランデルカ知レタモンジャナイ」ト用心シナガラ、ウワベハ驚イタ風ヲシテ空《そら》ットボケテ這入ッテ来ル。「己ハ颯子ニダケ用ガアルンダ、外ノ人間ニナンカ用ハナインダ！」ト、予ハ又喚イテ佐々木ヲ追ッ払ッテシマウ。二人キリニナッタトコロデ、サテドンナ風ニ切リ出シタモンカナ。

「痛インダヨウ、助ケテオクレヨウ！」

「ハイ、ハイ、オ爺チャン、アタシニドウシロッテ仰ッシャルノヨ、何デモスルカラ仰ッシャッテヨ」

ト、ソウ来テクレレバ締メタモンダガ、迂闊《うかつ》ニソウハ云イソウモナイ。ソコヲ何トカ口説キ落ス法ハナイカナ。

「接吻《せっぷん》シテクレレバ痛イノヲ忘レルヨウ」

「足ナンカジャ駄目ダヨウ」

「ネッキングデモ駄目ダヨウ」

「ホントノ接吻デナクチャイヤダヨウ」

コンナ工合ニ散々駄々《だだ》ヲ捏《こ》ネテ泣キ声ヲ立テ、悲鳴ヲ上ゲテ見タラドウカ。サシモノ彼女モ仕方ナク折レテ来ヤシナイカ。二三日ウチニ一ツ実行シテ見ルカナ。「最モ痛イ時ヲ狙ッテ」ト云ッタガ、本当ニ痛イ時デナクテモイイ、痛イ振リヲシテヤレバイイ、タダコノ髯《ひげ》ダケハ剃《そ》ッテ置キタイナ。四五日剃ッテイナイノデ顔ジュウ髯ダラケニナッテイル。コノ方ガ病人臭クテ却《かえ》ッテ効果的ナンダガ、接吻ノ場合ヲ考エルト、コンナニ髯ボウボウトシテイタンジャ都合ガ悪イ。入レ歯ハ矢張外シテ置コウ。ソシテ口中ハ目立タヌヨウニ清潔ニシテ置コウ。………

ナンカント云ッテルウチニ、今日モ夕方カラ痛ミ出シタ。モウ何モ書ケナイ。………筆ヲ放リ出シテ佐々木ヲ呼ブ。………

十日。イルガピリン一筒〇・五CC注射。久シ振ニ眩暈《めまい》ヲ覚ユ。天井ガグルグル廻リ一本ノ柱ガ二三本ニ入リ乱レテ見エル。五分間グライ続イテ平常ニ復スル。項部ニ重圧感ガアル。ルミナール〇・一ヲ三分服シテ眠ル。

十一日。苦痛昨日ト大差ナシ。本日ハノブロンノ座薬ヲ用イル。………

十二日。ドルシン三錠服用。例ニ依ッテ汗ガビッショリ出ル。………

十三日。今朝ハ少シ楽デアル。コノ間ニ急イデ昨夜ノ出来事ヲ書イテ置コウ。

夜八時浄吉ガ病室ヲ覗イタ。彼モコノトコロ努メテ宵ノウチニ帰ルヨウニシテイル。

「ドウデスカ、少シハイイ方デスカ」

「イイドコロカ、マスマス悪クナル一方ダ」

「ダッテ、髯ナンカ剃ッテサッパリシテルジャアリマセンカ」

予ハ実ノトコロ、手ガ痛ムノデ剃刀《かみそり》ヲ使ウノモ不自由ナンダガ、ソレヲ怺《こら》エテ今朝剃ッタバカリデアル。

「髯ヲ剃ルンダッテ容易ナコッチャナインダ。ソレデモアンマリ生ヤシテ置クト尚更《なおさら》病人ジミルンデネ」

「颯子ニ剃ラシタライイジャナイデスカ」

浄吉ノ奴、ドウ云ウ積リデコンナコトヲ云ッタノカ。予ガ髯ヲ剃ッタノニ心ヅイテ、早クモ何カヲ察シタノカ。一体彼ハ家庭内デ颯子ガ安ッポク取リ扱ワレルコトヲ好マナイ。ソレハ自分ノ女房ハ踊リ子上リダト云ウ負《ひ》ケ目ガアルタメニ、自然ソウナッタノデアルガ、ソレガ一層「若奥様」ヲ増長サセル結果ニナッタ。尤《もっと》モ彼女ヲソウサセタノニハ予ニモ責任ガナイコトハナイガ、浄吉ノ奴ハ亭主ノ癖ニ最初カラ彼女ニ一目置クヨウナ素振ヲ見セテイタ。二人キリノ時ハドウカ知ラナイガ、他人ノ前デハ殊更《ことさら》ソンナ風ニシテイタ。ソノ彼ガ、イクラ親父《おやじ》ノ髯ダカラト云ッテ、大事ナ女房ニ本気デ剃ラセル気ガアルンダロウカ。

「女ノ人ニコンナ所ヲ触《さわ》ラセルノハイヤダヨ」

予ハワザトソウ云ッテヤッタ。シカシ椅子《いす》ニ仰向ケニナッテ彼女ニ顔ヲ剃ッテ貰ッタラ、彼女ノアノ鼻ノ孔《あな》ガ奥ノ奥マデヨク見エルダロウナ、薄イ鼻ノ肉ガ紅《あか》ク透キ徹《とお》ッテ見エタリスルノハ悪クナイナト、ソンナコトモ考エタ。

「颯子ハ電気剃刀ヲ使ウノガ巧インデスヨ、僕モ病気ノ時ニヤラシタコトガアルンデス」

「ヘエ、オ前颯子ニソンナコトヲサセルノカ」

「サセマストモ、サセルノニ不思議ハナイジャアリマセンカ」

「颯子ガソンナコトヲ大人《おとな》シクサセラレテルトハ思ワナカッタ」

「髯剃リニ限ラズ、何デモイイカラ颯子ヲ使ッテ下サイヨ、何デモサセマスヨ」

「ドウダカナ、オ前己《おれ》ニハソンナコトヲ云ウケレド、面ト向ッテ颯子ニソンナ命令ヲ下スカネ？　何デモ親父ノ云ウ通リニシロッテ」

「ヨゴザンストモ、キット申シツケトキマスヨ」……

彼ガ彼女ニドンナコトヲドンナ風ニ云イツケタノカ知ラナイ、ソノ晩ノ十時過ギニ颯子ガヒョッコリ這入ッテ来タ。

「来テハイケナイッテ仰ッシャッタケレド、浄吉ガ行ケッテ云ウカラ来タワ」

「浄吉ハドウシタンダ」

「今又何処カへ出テッタワ、チョット飲ンデ来ルッテ」

「浄吉ガココへ君ヲ連レテ来テ、僕ノ眼ノ前デ君ニ命令スルトコロヲ見タイト思ッタンダガナ」

「命令ナンカ出来ヤシナイワ、工合ガ悪イカラ逃ゲチャッタノヨ。――ダケド話ハ伺イマシタ、アンタナンカイタラ邪魔ダカラ何処カへ行ッテラッシャイッテ、追イ出シタノヨ」

「ソレデモイイ、ダガモウ一人邪魔ナ人間ガイル」

「ハイ、ハイ、分ットリマス」

ソウ云ッテ佐々木モ早速気ヲ利《き》カシタ。

途端ニ合図シタミタイニ手ノ痛ミガ加ワッタ。尺骨ト橈骨ノ茎状突起カラ五本ノ指ノ尖《せん》端《たん》ヘカケテ手ガ一本ノ棒ノ塊《かたまり》ノヨウニ突ッ張リ、掌ノ内側ト外側トガチリチリトコキザミニ小サク細カク痛ミ出シタ。蟻走感《ぎそうかん》*ト云ウノニ似テイルガ、アンナ生《なま》ヤサシイモノデハナク、モット強ク激シイ痛ミデアル。ソシテチョウド糠味噌《ぬかみそ》ノ中へ突ッ込ンダヨウニ手ガツメタイ。ツメタクテシカモ痛イ。ツメタイ余リ無感覚ニナッテイテ、ソレデイテ痛イ。コノ辺ノ気持ハ当人デナケレバ分ラナイ。医者ニモドンナニ説明シテモ呑《の》ミ込メナイラシイ。

「颯チャン！　痛イヨウ！」

ト、覚エズ叫ビ声ガ出タ。ヤッパリコンナ声ハ本当ニ痛イノデナケレバ出ナイ。痛イ振リヲシタンデハカクノ如ク真ニ迫ッタ声ハ出ナイ。第一彼女ヲ「颯チャン」ナンテ呼ンダコトハ一度モナイノニ、ソレガ自然ニ出タ。ソウ呼ベタコトガ予ニハ嬉《うれ》シクッテ溜《たま》ラナカッタ。痛イナガラ嬉シカッタ。

「颯チャン、颯チャン、痛イヨウ！」

マルデ十三四ノ徒《いたずら》ッ子《こ》ノ声ニナッタ。ワザトデハナイ、ヒトリデニソンナ声ニナッタ。

「颯チャン、颯チャン、颯チャンタラヨウ！」

ソウ云ッテイルウチニ予ハワアワアト泣キ出シタ。眼カラハダラシナク涙ガ流レ出シ、鼻カラハ水ッ洟《ぱな》ガ、口カラハ涎《よだれ》ガダラダラト流レ出シタ。ワア、ワア、ワア、――予ハ芝居ヲシテルンジャナイ、「颯チャン」ト叫ンダ拍子ニ俄《にわか》ニ自分ガ腕白《わんぱく》盛リノ駄々ッ子ニ返ッテ止メドモナク泣キ喚《わめ》キ出シ、制シヨウトシテモ制シキレナクナッタノデアル。

ア、己ハ実際気ガ狂《ちが》ッタンジャナイカナ、コレガ気狂《きちが》イト云ウモンジャナイカナ？

「ワア、ワア、ワア」

気ガ狂ッタラ狂ッタデイイ、モウドウナッタッテ構ウモンカ、予ハソウ思ッタガ、困ッタコトニ、ソウ思ッタ瞬間ニ急ニハット自省心ガ湧《わ》キ、気狂イニナルノガ恐クナッタ。ソシテソレカラハ明カニ芝居ニナリ、故意ニ駄々ッ子ノ真似《まね》ヲシ出シタ。

「颯チャン、颯チャン、ワア、ワア、ワア、――」

「オ止シナサイヨ、オ爺チャン」

サッキカラ少シ薄気味悪ソウニ黙ッテジット予ノ表情ヲ見ツメテイタ颯子ハ、偶然眼ト眼ガ打《ぶ》ツカリアッタラ、咄嗟《とっさ》ニ予ノ心ノ変化ヲ看《み》テ取ッタラシイ。

「気狂イノ真似ナンカシテルト今ニホントノ気狂イニナルワヨ」

予ノ耳元ヘ口ヲ寄セテ、ヘンニ落チツイタ、冷笑ヲ含ンダ低イ声デ云ッタ。

「ソンナ馬鹿々々シイ真似ガ出来ルト云ウノガ、モウ気狂イニナリカケテル証拠ヨ」

声ノ調子ニ、頭カラ水ヲ浴ビセルヨウナ皮肉ナモノガアッタ。

「フフン、アタシニ何ヲサセヨウッテ仰ッシャルノヨ。ソンナ泣キ声ヲ出スウチハ何モシタゲナイワヨ」

「ジャア泣クノヲ止メル」

予ハイツモノ予ニナッテ、ケロリトシテ云ッタ。

「当リ前ヨ、アタシ強情ッ張リダカラ、ソンナ芝居ヲサレルト尚更依怙地《いこじ》ニナルワ」

モウコレ以上クダクダシク書クノハ止メル。接吻ニハ遂ニ逃ゲラレテシマッタ。口ト口ト合ワセナイデ、互ニ一センチホド離レテ、アーントロヲ開ケサセテ、予ノ口ノ中へ唾《だ》液《えき》ヲ一滴ポタリト垂ラシ込ンデクレタダケ。

「サ、コレデイイデショ、コレデイヤナラ勝手ニナサイ」

「痛イ、痛イ、痛イコトハ本当ナンダヨ」

「コレデイクラカ直ッタ筈ヨ」

「痛イ、痛イ」

「又ソンナ声ヲ出ス！　アタシ彼方《あっち》へ逃ゲテクカラ、一人デ勝手ニ泣イテラッシャイ」

「ネエ颯子、コレカラ時々『颯チャン』ト呼バシテオクレヨ」

「馬鹿ラシイ」

「颯チャン」

「甘ッタレ坊主ノ嘘《うそ》ツキ坊主、誰ガソノ手ニ載ルモンデスカ」

プリプリ怒ッテ行ッテシマッタ。

……………………………………………

十五日。……今夜ハバルビタール*〇・三、ブロムラール*〇・三服用。睡眠剤モ時々イロイロ取リ代エテ使ワナイト直グ利カナクナル。ルミナールハ予ニハサッパリ効果ガナイ。

十七日。杉田氏ノ意見デ東大梶浦《かじうら》内科ノ梶浦博士ニ来診ヲ乞ウタラト云ウコトニナリ、本日午後博士来ル。博士ニハ数年前脳溢血《のういっけつ》発作ノ時モ数回来診ヲ乞ウタコトガアリ顔見知リデアル。杉田氏ヨリソノ後ノ経過ニツキ詳細ナ説明ガアリ、頸椎《けいつい》ヤ腰椎《ようつい》ノレントゲン写真ヲ見テ貰ウ。博士曰《いわ》ク、私ハ専門ガ違ウノデ左手ノ痛ミノ原因ガソコニアルコトニ確信ハ持テナイガ、恐ラク虎ノ門病院ノ整形科ノ所見ガ正シイノダト思ウ、ツイテハ一応コノ写真ヲ大学ヘ持ッテ帰ッテ専門ノ人ニ見テ貰ッタ上デハッキリシタ御返事ヲシヨウ、シカシ専門デナイ私ガ見テモ、左手ノ神経ノ支配スルトコロニ変型ガアルコトハ確実デアルト思ワレル、故ニギプスモイヤ、ベッドモイヤ、牽引法モイヤ、ト云ウコトデアレバ、他ニ神経ノ圧迫ヲ除去スル方法ハナイノデアルカラ、大体杉田氏ノ取ッタヨウナ一時的処置ニ依ルヨリ仕方ガアルマイ、薬ハ矢張《やは》パロチンノ注射ガ一番イイデショウ、イルガピリンハ悪イ副作用ガアルカラ、コレハ止メテ下サイ、ナドト云ワレル。ソシテ頗《すこぶ》ル綿密ナル診察ノ後、レントゲン写真ヲ借リテ帰ラレル。

十九日。博士ヨリ杉田氏ニ電話アリ、大学ノ整形科ノ所見モ虎ノ門病院ト全ク同一ナル由《よし》ヲ知ラセテ来ル。

夜八時半頃、ノックヲセズニ恐ル恐ルドーアヲ開ケル者ガアル。

「誰?」

ト云ッテモ返事ガナイ。

「誰?」

二度云ウト、微《かす》カナ足音ガシテ寝間着ヲ着タ経助ガ這入《はい》ッテ来タ。

「何ダネ今時分、何シニ来タンダ」

「オ爺チャン、手ガ痛イノ?」

「ソンナコト、子供ガ心配シナイデモイイ、オ前モウ寝ル時間ジャナイカ」

「僕寝テタンダヨ、内証デソット見ニ来タンダヨ」

「オ休ミ、オ休ミ、子供ガ余計ナ……」

ココマデ云ッタト思ッタラ、ドウシタ加減カ声ガ鼻ノ奥デ詰マッテ不意ニ涙ガパラパラト落チタ。ツイ数日前コノ子ノ母ノ前デ泣イタ涙トハ性質ノ違ッタ涙デアル。アノ時ハワアワアト仰山ニ流レ出タガ、今日ノハポツリト、ホンノ一ト垂ラシ、眼ノ縁ニ落チタダケデアル。予ハソノ涙ヲゴマカスタメニ慌《あわ》テテ眼鏡ヲ取ッテカケタガ、忽《たちま》チ眼鏡ガ曇ッタノデ、一層工合《ぐあい》ガ悪カッタ。モウ子供ニモ隠シヨウガナカッタ。コノ間ノ涙ハ気ガ狂《ちが》ッタ証拠カト思ッタガ、今日ノコノ涙ハ何ノ証拠ダロウ。コノ間ノ涙ハ予期シナイデモナカッタ涙ダガ、今日ノ涙ハ少シモ予期シテイナカッタ涙デアル。予ハ瘋子ト同様ニ偽悪趣味ガアリ、男ノ癖ニ泣クナンテ見ットモナイト思ッテイルノダガ、ソノ実案外涙脆《もろ》クッテ、屁《へ》デモナイコトニ訳モナク涙ガ出ル。ソレヲ又何トカシテ人ニ知ラレマイトスル。若イ時カラ女房ナドニ始終意地悪ヲ云イツヅケテ悪党ガッテイタガ、ソノ女房ニ泣カレルト、カラッキシ意気地ガナク負ケテシマウ。ダカラ一生懸命ニソノ泣キドコロヲ女房ノ奴ニ知ラセナイヨウニシテ来タ。ト云ウト、イカニモ善人臭ク聞エルガ、涙脆ク、情ニ脆イ癖ニ、本心ハヒネクレテ薄情極マル人間ナノデアル。ソウ云ウ男ナノデアルガ、イタイケナ子供ガ突然現レテ、コンナ優シイ言葉ヲカケラレルト、モウ溜ラナイ、拭《ふ》イテモ拭イテモ眼鏡ガ濡レテ来ル。

「オ爺チャン、シッカリシトクレヨ、我慢シテレバ直《じ》キニナオルヨ」

予ハ涙ト泣キ声トヲ胡麻化《ごまか》スタメニ頭カラ掛布団ヲスッポリト被《かぶ》ッタ。佐々木ニ感ヅカレタデアロウト思ウト、何ヨリ癪《しゃく》ダッタ。

「アア、直キナオルヨ、……早ク二階へ行ッテオ寝、……」

予ハソウ云ッタ積リダッタガ、「早ク二階へ」アタリカラハ妙ナ濁声《だみごえ》ニナッテ何ヲ云ッテルノカ自分デモ分ラナカッタ。真ッ暗ナ布団ノ闇《やみ》ノ中デ涙ガ堰《せき》ヲ切ッタヨウニパラパラパラト頬《ほお》ヲ伝ワル。経助ノ奴、イツマデココニイヤガルンダ、サッサト二階へ行ッチマヤガレ、糞《くそ》忌マ忌マシイ！ト思ウ程ナオ涙ガ出ル。モウ経助三十分ホド経ッテ、スッカリ涙ガ乾キキッテカラ、予ハ布団カラ顔ヲ出シタ。ハイナクナッテイタ。

「経助坊チャンハイジラシイコトヲ仰《お》ッシャイマスノネ」
ト、佐々木ガ云ッタ。
「オ小《ちい》サクッテイラッシャルノニ、ヤッパリオ爺チャンノコトヲ心配ナスッテイラッシャルンデゴザイマスネ」

「子供ノ癖ニ変ニマセテイヤガッテ小生意気デイヤナ奴ダ。己《おれ》ハアンナノハ大嫌イダ」

「マア、ソンナコトヲ仰ッシャッテ」

「子供ハ病室へ寄越《よこ》スナッテ云ットイタノニ、勝手ニ這入ッテキヤガッテ。子供ハモット子供ラシクスルモンダ」

イイ歳《とし》ヲシテコンナ子供ニタワイモナク泣カサレタコトニ、予ハ腹ガ立ッテ溜《たま》ラナカッタ。ヒョットスルト、コンナコトニ涙ガ出ルノハ、イクラ涙脆イニシテモ尋常デナイ、モウ死期ガ近イセイジャナイノカト云ウ気ガスル。

…………………………………………

二十一日。本日佐々木カラ耳寄リノ話ヲ聞ク。佐々木ガ云ウノニ、自分ハ昔PQ病院ニ勤務シテイタコトガアッタガ、昨日午後一時間ノオ暇ヲ戴イテ歯ノ治療ノタメ品川マデ参リマシタラ、ソノ歯科医院デ偶然PQ病院時代ノ福島博士ト云ウ整形外科ノ先生ニ出会ッタ。ソシテ二十分バカリ待タサレテイル間ニ同博士ト談話ヲ交シタ。博士ガ君ハ今何シテイルカト問ウノデ、コレコレ云ウオ邸《やしき》デ御病人ノ看護ヲシテイマスト答エタラ、ソンナコトカラ旦那様ノ手ノオ痛ミノコトガ話ニ出タ。何カヨイ治療法ハナイモノデショウカ、御老人デイラッシャルノデ、牽引法ソノ他手数ノカカル面倒ナ方法ハオイヤナンデスガ、ト云ッタトコロ、ソレニハ方法ガナイコトハナイト、博士ガ云ワレタ。ソレハ危険ヲ伴ウ、頗《すこぶ》ルムズカシイ、技巧ヲ要スル方法ナノデ、普通ノ医師ニハ出来ナイシ、又シヨウトモシナイガ、僕ナラ出来ル、キット巧《うま》クヤッテ見セル、ソノ病気ハ多分病名ヲ頸肩腕症候群《けいけんわんしょうこうぐん》*ト称スルモノト考エラレル、第六番目ノ頸椎ニ故障ガアルモノトスレバ、ソコノ交感神経ヲ遮断《しゃだん》スルタメニ横突起*ノ周《まわ》リニキシロカイン*ヲ注射スル、ソウスレバ手ノ痛ミハ直チニ除去サレル、タダ頸部ノ神経ハ頸《くび》ノ大動脈ノ後部ヲ通ッテイルノデ、ソノ動脈ニ触レナイヨウニ注射針ヲ神経ニ射シ込ムコトガ至難ナノデアル、万一動脈ヲ傷ツケルヨウナコトガアッタラ大変デアル、動脈ノミナラズ、頸部ニハ無数ノ毛細血管ガ走ッテイルカラ、モシ過《あやま》ッテソレラノドレカ一ツノ血管内ニキシロカインガ這入《はい》ッタリスレバ、或ハ空気ガ這入ッタダケデモ、患者ハ忽チ呼吸困難ニ陥ル、左様ナ恐レガアル故ニ一般ノ医師ハコノ方法ヲ用イナイノデアルガ、シカシ私ハコノ冒険ヲ敢テシテ今日マデタビタビコノ治療法ヲ多数ノ患者ニ試ミ、一回ノ失敗モナク成功シテイルカラ、私ナラ大丈夫出来ルト云ウ確信ヲ持ッテイル、ト、博士ハ云ワレタ。ソレハ幾日モ日数ガカカルノデスカト云ウト、イヤ、タッタ一日、ソレモ一二分間デ済ム、尤《もっと》モソノ前ニ一応レントゲン写真ヲ取ル必要ガアルガ、ソレトテモ二三十分アレバ足リル、神経ヲ遮断スルノデアルカラ、成功スレバ苦痛ハソノ場デ即座ニ消エ、僅《わず》カ半日ノ辛抱デスッカリ軽快ナ気持ニナッテ帰ッテ行カレル、トソウ云ウ話ナンデスガ、一ト思イニヤッテオ貰イニナル気ハゴザイマセンカ、ト云ウノデアル。

「ソノ福島博士ト云ウ人ハ信用ノ置ケル人カネ」

「エエ勿論《もちろん》デゴザイマストモ、アノPQ病院ノ整形科ニ勤務シテイラッシャル先生デスカラ間違イハゴザイマセン。東大出身ノ医学博士デ、私モ随分古クカラ存ジ上ゲテオリマス」

「大丈夫カナア本当ニ、モシヤリ損《そこな》ッタラドンナコトニナルカナア」

「アノ先生ガアア仰ッシャルナラ間違イハナイト存ジマスガ、何ナラモウ一度オ目ニカカッテ委《くわ》シク聞イテ参リマショウカ」

「実際ソンナコトガ出来ルンナラ、コンナ巧イ話ハナイガ」

取リ敢エズ杉田氏ノ意見ヲ叩《たた》クト、「ヘーエ、ソンナ器用ナコトガ出来ルモンデスカナア、出来タラマルデ神業《かみわざ》ミタイナモンデスナア」ト、アブナガッテ余リ賛成ハシテクレナイ。

二十二日。佐々木ガPQ病院ヘ行キ、博士ニ会ッテ委シク聞イテ来テクレル。イロイロ専門的ナ説明ガアッタガ、詳細ナコトハ予ニハ分ラナイ。ガ、昨日モ申シ上ゲタヨウニ博士ハ今マデニ何十人トナクコノ患者ヲ扱イ、コノ方法デ簡単ニ成功シテイルノデ、ソンナ神業ナンテ云ワレル程ノムズカシイモノトハ思ッテイナイ、患者モ格別不安ガッタリ恐レタリシタ者ハナカッタ、皆気軽ニ注射シテ貰イ、直グ良クナッテ大喜ビデ帰ッテ行ク。ケレドモ不安ニオ思イニナルナラ、万々一ノ場合ニ備エテ麻酔ドクターニ附キ添ッテ貰イ、酸素吸入ノ用意ヲ整エテ置イテモイイ、ツマリ、過《あやま》ッテ薬液ヤ空気ガ血管ニ這入ッタラ、早速気管内ニチューブヲ入レテ酸素ヲ送ルヨウニスル、普通ノ患者ニハソンナ用意ヲシタコトハナイガ、ソレデモ間違イハナカッタノデアル、シカシ御老人ガ注射ヲオ受ケニナルト云ウナラ、今回ハソレダケノ準備ヲシテ取リカカルカラ御心配ハ御無用デアル、ト云ッテオラレルト云ウ。

「ドウナサイマスカ、博士モ決シテ無理ニススメテハオラレマセン、オ気ガ向カナケレバオ止メニナッタ方ガヨロシイト云ッテオラレマスカラ、マアヨクオ考エニナリマシテ、――」

コノ間ノ晩、子供ニ不意討チヲ喰ッテ泣カサレタコトガ未《いま》ダニ胸ニ残ッテイ、コンナ場合ニ何トナクアレガ不吉ノ前兆ノヨウニ思イ出サレル。アノ晩アンナ涙ガ出タノハ、ヤッパリ心ニ死ノ予感ガ萌《きざ》シテイタカラナノダ。無鉄砲ノヨウデ、実ハ甚《はなは》ダ臆病デ用心深イ筈ノ予ガ、佐々木ノ言葉ニソソノカサレテ頻《しき》リニ左様ナ危険ナ注射ヲシテ貰イタク感ジルノハ、ドウモタダゴトデナイヨウニ思エル。結局注射ガ原因デ、息ガ詰マッテ死ヌ運命ニアルノデハナイカ。

ダガ、予ハモトモトイツ死ンデモイイ積リデハナカッタノカ、疾《と》ウカラ死ノ覚悟ガ出来テイタ筈デハナカッタノカ、現ニコノ夏虎ノ門病院デ頸椎ノ癌《がん》カモ知レナイト云ワレタ時、附添イノ婆サンヤ佐々木ハ顔色ヲ変エタガ、予ハ全ク平気ダッタ、コンナニモ平気デイラレルモノカト我ナガラ意外ニ感ジタホドダッタ、予ノ人生モイヨイヨコレデ終ルノカナト、却《かえ》ッテホットシタクライダッタ、ダトスレバ、コレヲ機会ニ運試シヲシテ見テモヨクハナイカ、万一運ガナカッタトコロデ何ヲ惜シガルコトガアルンダ、コンナニ手ガ痛ンデ朝晩苦シガッテイタンジャ、颯子ノ顔ヲ見タトコロデ何ノ楽シイコトモナイシ、颯子モ病人扱イニシテ真面目《まじめ》ニ相手ニシテクレナイ、コンナ有様デ生キテイタッテ何ノ甲斐《かい》ガアロウ、颯子ノコトヲ考エルト、運ヲ天ニ任シテドウシテデモ生キタイ、ソレデナカッタラ生キテイタッテ仕様ガナイ。………

二十三日。痛ミハ相変ラズデアル。ドリデンヲ飲ンデ見タガ寝タト思ウト直キニ覚メル。ザルブロ（ザルソブロカノン）ヲ注射シテ貰ウ。

六時頃眼覚メテ昨日ノ問題ヲ又考エル。

死ハ一向恐クナイ、ダガ、予ハ今コノ瞬間ニ死ニ直面シテイルノダト思ウト、――死ガコノ刹那《せつな》ニ予ノ眼前ニ迫ッテイルノダト思ウト、――ソウ思ウソノコトガ恐イ。出来レバイツモノコノ部屋デ、コノ寝台ニ安ラカニ横タワッテ、親類縁者ニ取リマカレテ、（イヤ、親類縁者ナドイテクレナイ方ガイイカナ、取リ分ケ颯子ハイナイ方ガイイカナ、「颯チャン、長イ間世話ニナッタネ」ナンテ別レノ挨拶《あいさつ》ヲスルノハ悲シイダロウナ、又涙ガ出ルダロウシ、ソウシタラ颯子ダッテ義理ニモ泣イテ見セナケリャナルマイ、何ダカ極《きま》リガ悪クッテ死ヌニモ死ニ憎イ、予ガ死ヌ時ハイッソ彼女ハ薄情ニ予ノコトナンゾ忘レチマッテ、夢中ニナッテボクシングデモ見テテクレルカ、プールヘ飛ビ込ンデシンクロナイズド・スウィミングデモシテテクレタ方ガイイ、アアソノスウィミングノ姿モ来年ノ夏マデ生キラレナケレバ、トウトウ見ラレナイノカナ）イツ死ンダトモ分ラナイヨウニ、眠ルガ如ク死ンデ行キタイ。知リモシナイＰＱ病院ノベッドナンカニ運バレテ、ドンナニ偉イ博士タチカハ知ラナイガ、会ッタコトモナイ整形外科ノ先生ダノ麻酔ドクターダノレントゲン科ノ先生ダノニ囲マレテ、サモ大層ラシク取リ扱ワレテ、息ガ詰マッテ死ニカカッタリスルノハイヤダナ。モウソノ緊迫シタ雰囲気ニ包マレルダケデモ死ニハシナイカナ。呼吸困難ニ陥ッテ息ガハアハア云イ出シ、次第ニ人事不省ニナリ、気管内ニチューブヲ差シ入レラレル時ノ心持ハドンナダロウナ。死ハ恐レナイガ死ニ伴ウ苦痛ト緊迫感ト恐怖感トハ御免ダナ。定メシソノ刹那ニハ七十年来ノ生涯ニ積ミ重ネタ悪事ノ数々ガ走馬燈ノヨウニ次々ト現レルダロウナ、アア貴様ハアンナコトモシタ、コンナコトモシタ、ソレデテ楽ニ死ノウナンテ虫ガヨスギル、今苦シムノハ当リ前ダ、ザマア見ヤガレ、――ドコカデソンナ声モ聞エル。ヤッパリＰＱ病院ハ止メタ方ガイイカナ。……

今日ハ日曜デアル。曇ッテ雨ガ降ッテイル。考エアグネテ又佐々木ニ相談スル。ソレデハトニカク、私ガ明日ノ月曜ニ東大梶浦内科ニ梶浦先生ヲオ訪ネシテ先生ガ何ト仰ッシヤルカ伺ッテ見マショウカ、福島博士ノ仰ッシャッタコトヲ私カラ詳細ニ申シ上ゲテ、先生ガ何ト仰ッシャルカ伺ッテ参リマショウ、ソシテ先生ガソノ注射ヲシテオ貰イナサイト仰ッシャッタラシテ貰ウ、ソンナコトハ絶対ニオ止メナサイト仰ッシャッタラ止メル、ソウナスッタラ如何《いかが》デスト云ウ。デハマアソウシヨウト云ウコトニナル。

二十四日。夕刻佐々木帰ッテ来ル。報告ニ曰《いわ》ク、プロフェッサー梶浦ノ仰ッシャルニハ、私ハPQ病院ノ福島ナル人ヲ知ラナイ、カツ私ハ専門外デアルカラソノ可否ニツイテ立チ入ッタ意見ヲ述ベル資格ハナイ、シカシソノ人ガ東大出身ノ博士デアリ、PQ病院ニ勤務シテオラレル人物デアルナラ、先《ま》ズ信用シテ差支《さしつか》エナイ、決シテ出鱈目《でたらめ》ヤインチキデハアルマイ、モシ成功シナカッタ場合ニモ必ズ間違イガ起ラナイヨウニ万全ノ策ヲ講ジタ上デ取リカカルニ違イナイ、ダカラ同博士ヲ信頼シテヤッテオ貰イニナッタラドウカト。予ハ内々プロフェッサーガ不賛成ヲ唱エテクレタライイ、ソウシタラ却ッテ気ガ楽ニナルト思ッテイタノダガ、コウナッタラ仕方ガナイ、ヤッパリ危険ニ晒《さら》サレル運命ニアルノカナ、ドウシテモソレヲ免カレル訳ニ行カナイノカナ、ソウ思イナガラ、マダ何トカシテ止メル口実ガアルモノナラト云ウ気ガシテイタガ、ツイグズグズニ決マッテシマッタ。

二十五日。

「佐々木サンカラ伺イマシタガ、大丈夫デスカオ爺チャン、オ痛イコトハオ痛イデショウガ、ソンナコトヲナサラナイデモ今ニキット直リマスヨ」

婆サンハ気ガ気デナイラシイ。

「ヤリ損ッタッテ死ニハシナイヨ」

「死ニハシナイデモ、気絶シテ今ニモ死ニソウニオナリニナッタリシタラ、ソレヲ見テルダケデモイヤダワ」

「コンナ思イヲシテ生キテルクライナラ死ンダッテイイサ」

予ハ殊更ニ悲壮ラシク云ウ。

「イツナサルノ」

「病院ノ方ハイツデモイラッシャイト云ッテルンダ、ソウ決マッタラ早イ方ガイイ、明日行ク」

「マアオ待チナサイ、アナタハイツモ性急《せっかち》ナンダカラ」

婆サンハ出テ行ッタト思ウト、高島易断ノ暦*ヲ持ッテ戻ッテ来タ。

「明日ハ先負《せんぶ》*、明後日ハ仏滅《ぶつめつ》、二十八日ガ大安《たいあん》デ『たいら』*デス、二十八日ニオ決メナサイヨ」

「暦ナンゾ当テニナルモンカ、仏滅デモ何デモ早イ方ガイイ」

無論婆サンガ反対スルコトヲ承知デ云ウ。

「イイエイケマセン、二十八日ニ決メテ下サイ、アタシモソノ日ハツイテ行キマス」

「婆サンナンゾ来ナイデモイイ」

「イイエ参リマス」

「ソウシテ戴《いただ》キマシタ方ガ、私モ安心デゴザイマス」
ト、佐々木マデガ云ウ。

…………

二十七日。仏滅ノ日デアル。「この日移転開店其他何事にも凶」トアル。明日ハ婆サン、佐々木、杉田医師等ガ附添イ午後二時PQ病院ニ行キ、三時ニ注射ガアル筈。生憎《あいにく》本日モ早朝カラ激痛アリピラビタール注射。夕刻又激痛。座薬ノブロンヲ用イ、夜ニ及ビオスピタン*ヲ注射。コノ薬ハ始メテデアル。モヒ*デハナイガコレモ一種ノ麻薬デアルト云ウ。幸イニ痛ミガ和《やわら》ギ安眠スル。コレヨリ以後数日間ハ執筆ニ堪エズ、数日後佐々木ノ病床日誌ニ依ッテ記入スル。

二十八日。午前六時眼覚メル。イヨイヨ運命ノ日。シキリニ胸騒ギガシ、興奮ヲ覚エル。ナルベク安静ニト云ウノデ、寝室ニ横臥《おうが》シタキリデアル。朝モ昼モ食事ヲココヘ運ンデ貰ウ。中華料理ノ東坡肉《トンポウニヨ》*ガ喰イタイト云ッテ笑ワレル。

「ソンナ食慾ガオアリニナレバ安心デゴザイマスネ」

ト、佐々木ガ云ウ。勿論《もちろん》本気デ食ウ気ハナイ、ツケ景気ニ云ッタダケデアル。昼食ハ濃厚ミルク一杯、トースト一片、スパニッシュオムレツ一個、デリシャス*一個、紅茶一杯。食堂へ出レバ颯子ノ顔ガ見ラレルカモ知レナイト思ッタノダガ、

「出テハイケマセン」

ト止メラレテ、オトナシク云ウコトヲ聴ク。食後三十分午睡、サスガニウマク寝ラレナカッタ。一時半杉田氏来ル。簡単ニ血圧ヲ測リ、診察スル。二時出発。杉田氏ノ左隣ニ予、ソノ隣ニ婆サン、運転手ノ隣ニ佐々木ガ乗ル。車ガ軋《きし》リ出ソウトスル時颯子ノヒルマンモ軋リ出シテ来ル。

「オヤ、オ爺チャン何処へオ出カケ?」

ト、車ヲ止メテ颯子ガ云ウ。
「ウン、チョットPQ病院マデ注射シテ貰イニ。一時間グライデ直グ帰ル」

「オ婆チャンモ御一緒?」

「オ婆チャンハ胃《い》癌《がん》カモ知レナイカラ、ツイデニ行ッテ見テ貰ウッテ云ッテルノサ、オ婆チャンノハ神経ダヨ」

「ドウセソウニ決マッテマスワ」

「君」

ト云イカケテ予ハ云イ直ス。

「オ前ハ何処へ?」

「有楽座へ行キマスノ、失礼シチャウワネ*」

ソウ云エバシャワーノ季節ガ過ギテカラ、長イコト春久ノ奴姿ヲ見セナイガト、チラト思ウ。

「今月ハ何ダネ」

「チャプリンノ『独裁者*』」

一ト足先ニヒルマンガ走リ出シテ消エテ行ッタ。

今日ノコトハ何モ云ウナト云ッテアルノデ、颯子ハ知ラナイ筈ニナッテイル。ダケド恐ラクハ婆サンカ佐々木ガ知ラシタニ違イナイ。彼女ハワザト空ットボケテイルノダロウ。ソシテソレトナク予ヲ力ヅケルタメニコノ時期ヲ待ッテ出テ来タノダロウ。或《あるい》ハ婆サンノ云イ付ケカモ知レナイ。マア何ニシテモ彼女ノ顔ガ見ラレタノハ悪クナイ。空ットボケルノガ名人デアルカラ、彼女ハ例ノ如ク得々トシテ有楽座ヘ出カケテ行ッタ。――ココイラガ婆サンノ心ヅカイカト思ウト、胸ガ一杯ニナル。

約束ノ時刻ニ到着。直チニ×××号室ニ運バレル。「卯木督助《うつぎとくすけ》殿」ト記シタ名札ガ掛ケテアル。今日一日ダケココニ入院シタ形式ニシテアルラシイ。病人用ノ運搬車ニ乗セラレテコンクリートノ長イ廊下ヲレントゲン室ニ連レテ行カレル。杉田氏、佐々木看護婦、婆サンマデ附イテ来ル。婆サンハ足ガ鈍《のろ》イノデ運搬車ニ追イ付コウトハアハア云ッテイル、斯様《かよう》ノ場合ヲ考エテ予ハ和服デ来タ。婆サンガ手伝ッテ衣類ヲ脱ガセ素ッ裸ニスル。堅イツルツルシタ板ノ上ニ臥《ね》カサレテイロイロノ形ニ体ヲ彎曲《わんきょく》サセルベク命ゼラレル。ソノ上ニ大型ノ写真ノ暗箱《あんばこ》ノヨウナ機械ガ天井カラ降リテ来テ予ノ姿勢ノ上ニ巧ク出会ウヨウニ加減スル。大キナ複雑ナ部分ヲ持ッタ機械ヲ遠クカラ操作スルノデ、一ミリ違ッテモ工合ガ悪ク、ナカナカ注文ノ対象ノ上ニ持ッテ来ラレナイデ調節ニ時間ガカカル。十月末ナノデ、冷メタイ板ガ少シ寒イシ、手ノ痛ミモ続イテイルノダガ、不思議ト緊張シテイルセイカ、寒クモ痛クモ感ジナイ。最初ニ左腕ヲ下ニシテ臥《ね》、次ニ右腕ヲ下ニシテ臥、横向キ、背中、頸ト、各種類撮《と》ラレル。ソノタビゴトニ暗箱ノ調節ガアリ、可ナリ面倒デアル。レントゲン線ガ通過スル刹那《せつな》ノ一瞬間ハ呼吸ヲ止メテ下サイト云ワレル。大体虎ノ門病院ノ時ト同ジデアッタ。

又×××号室ニ戻ッテベッドニ横タワル。レントゲン写真ノ現像ガ濡《ぬ》レタフィルムノママ直グ持ッテ来ラレル。福島博士ガソレヲ仔細《しさい》ニ観察シタ上デ、

「ソレデハ注射イタシマス」

ト云ウ。博士ハ既ニキシロカインヲ注入シタ注射針ヲ手ニ持ッテイル。

「起キテコチラヘ来テ立ッテ戴キマショウ、ソノ方ガ注射シ易《やす》ウゴザイマス」

「承知シマシタ」

予ハ寝台ヲ下リ、特ニ勇マシク、シッカリシタ足ドリデ博士ノ立ッテイル明ルイ窓際ノ方へ歩ヲ運ビ、博士ト向イアッテ立ツ。

「デハコレカライタシマス、別ニ痛クモ何トモゴザイマセンカラ御心配ナク」

「心配ハシテオリマセン、ドウゾ御遠慮ナク」

「ヨロシュウゴザイマスナ」

針ガ頸部ニ射シ込マレルノガ感ジラレタ。何ダ、コンナコトカ、痛クモ痒《かゆ》クモナイ、ト云ウ気ガシタ。多分顔色モ変ッテイナカッタロウシ、体モ顫《ふる》エテイナカッタ。平然トシ

テイルノガ自分ニモ分ッタ。「死ンダッテ何ダ」ト思ッテイタガ、死ニソウナ気ハシナカッタ。博士ハ一遍注射針ヲ局部ニ射シ入レテ試ミニ針ヲ引イテ見ル。コレハキシロカインノ場合ニ限ラズ、何ノ注射デモ、タトエバヴィタミンノ注射ノ場合デモ、薬液ヲ血管ノ中ニ注入シナイヨウニ、一応注射ニ先立ッテ注射針ヲ外ヘ引イテ見、血液ガ混入シタカドウカヲ念ノタメニ慥《たしか》メテ見ルノガ常識ニナッテイル。用心深イ医師ハ必ズソレダケノ注意ヲ怠ラナイ。福島博士モ殊《こと》ニ重大ナ場合デアルカラ当然ソレダケノ手順ヲ蹈《ふ》ンダ訳デアル。ト、途端ニ博士ハ、

「ア、コレハイケナイ」

ト、俄《にわか》ニガッカリシタヨウニ云ッタ。

「今マデ患者ニ何回トナクコノ注射ヲシテルンデスガ、血管ニ触レタコトハ一度モナイノニ、今日ハドウカシテルンデスナ。御覧下サイ、コノ通リ血ガ交ッテイマス、何処カノ毛細血管ヲ突イタンデショウナ」

「スルト、ドウシマスカ、モウ一度ヤリ直スンデスカ」

「イヤ、コンナ失敗シタ時ハ止メタ方ガイイト思イマス、誠ニオ気ノ毒デスガ、明日モウ一度出直シテ戴キマショウ、明日コソ失敗シナイヨウニシマス、失敗ナンゾ一度モシタコトハナインダケレド」

予ハ何カシラ安心シ、マア今日ハ助カッタト胸ヲ撫《な》デオロシタ。運命ガ一日延ビタ。ダガ明日ノコトヲ考エルト、イッソ今直グヤリ直シテ貰ッテ伸《の》ルカ反《そ》ルカヲ一挙ニ決シテシマイタクモアッタ。

「アンマリ大事ヲ取リ過ギルンダワ、アノクライ血ガ出タッテ、何モソンナニ恐《こわ》ガラナイデヤッテ下サル訳ニ行カナイノカシラ」

ト、佐々木ガヒソヒソ声デ云ッタ。

「イヤ、ソコガアノ方ノ偉イトコロデスヨ、麻酔ドクターマデ呼ンデ十分ノ用意ヲシテカカッタンダカラ、誰デモヤッテシマイタクナルトコロダガ、僅カ一滴ノ血ヲ見タダケデモ大事ヲ取ッテ中止スルト云ウコトハ、ナカナカ出来憎イコトデス。ソコヲ止メタノハ医師トシテ実ニ立派ナ心ガケト云ワナケレバナラナイ。医師ハ皆アレダケノ心ガケガナケレバイケナイ。僕ハ大イニ教エラレマシタヨ」

ト、杉田氏ハ云ッタ。

明日ヲ約シテ怱々《そうそう》ニ引キ上ゲ帰宅スル。車ノ中デモ杉田氏ハ頻《しき》ニ博士ノ態度ヲ賞讃《しょうさん》シテ已《や》マナイ、佐々木ハ「思イ切ッテヤッテシマエバヨカッタンジャナイデショウカ」ヲ繰リ返ス。要スルニ余リ大事ヲ取リ過ギタノガ失敗ノ原因ダッタ、万々一ノ場合ニ備エテ仰山ナ準備ナドヲセズ、イツモノヨウニ手軽ニ考エテスレバヨカッタ、博士自身ガ神経過敏ニナッテイタノガイケナカッタノダ、ト云ウ点デハ二人ノ意見ガ一致スル。

「頸動脈ノ傍《そば》ヲ突クナンテ危イコッテスヨ、アタシハ始メカラ不賛成ダッタンデス、明日モイッソオ止メニナッタラ」
ト、婆サンハ云ッタ。
帰宅シテ見ルト、颯子ハマダ帰ッテイナイラシイ。経助ガ犬小屋ノ前デレスリーニ戯《たわむ》レテイル。予ハ又寝室デ夜食ヲ取リ、安静ニスベク命ゼラレル。手ガ又痛ミ出ス。

二十九日。本日モ昨日ノ時刻ニ出カケル。同行者モ全部同ジ。不幸ニシテ経過モ昨日ト同様。今日モ過《あやま》ッテ血管ヲ突キ、注射器ニ血ガ混入スル。周到ナ用意ヲシタダケニ、博士ノ落胆ハ甚《はなは》ダシイ。却《かえ》ッテ予等ガ気ノ毒ニナル。皆デ相談ノ結果、コウケチガ附イタ以上、誠ニ残念デアルケレドモ、トニカクコノ注射ハ一ト先ズ打チ切リニシタ方ガヨクハナイカト云ウコトニナル。明日来テ又モ失敗ト云ウヨウナコトガアッテハ困ルノデ、博士モモウ一度ト云ウ気ハナイラシイ。予モ今度コソ本当ニ安堵《あんど》シ、ホットスル。

午後四時帰宅スル。床ノ活《い》ケ花《ばな》ガ変エテアル。雁来紅《はげいとう》*ニ貴船菊《きぶね》*ガ琅玕斎《ろうかんさい》*ノ籠《かご》ニ挿《さ》シテアル。今日ハ京都ノ花ノ先生ガ来タノデアロウ。ソシテ颯子ガコノ老人ノタメニ心ヅクシヲ示シタノデアロウカ。ソレトモコノ花ガ、ヒョットスルト枕花《まくらばな》*ニナルカモ知レナイト考エテ特ニ念ヲ入レテ活ケタノデモアロウカ。長イコト掛ケッパナシニシテアッタ荷風《かふう》ノ色紙モ掛ケ変エテアル。図ハ浪華《なにわ》逸民《いつみん》菅楯彦《すがたてひこ》*ノ作デアル。非常ニ細長イ画面デ、燈台ニ燈明ガ点《とも》ッテイル図デアル。楯彦ハヨク漢詩ヤ和歌ヲ書キ添エル癖ガアルガ、コレニモ万葉ノ和歌*ガ一首縦ニ一行ニ添エテアル。

吾か勢子《せこ》はいつく遊《ゆ》くらんおき津ものなはりのやまを気布《けふ》か古《こ》ゆらん

六

九日。PQ病院以来十日ニナル。ソノウチニヨクナリマスヨト婆サンハ云ッタガ、ドウヤラコウヤラ少シ楽ニナリカケテ来タ。専《もっぱ》ラシングレラント*セデスト*デ凌《しの》イデ来タガ、自然ソノ時期ガ来タノカ、売薬デモイクラカ利《き》キ目ガアッタノガ不思議ダ。現金ナモノデ、コノ程度ナラ墓地ヲ見ツケニ行ケソウナ気ガシテ来タ。コノ春以来気ニナッテイタノダガ、イッソコノ際京都行キヲ決行シヨウカト思ウ。………

十日。………

「少シヨクナルト直グソレダカラオ爺チャンハ困リマスヨ、モウ暫《しばら》ク様子ヲ見テカラニナスッタラドウ？　汽車ノ中ナンゾデ痛ミ出シタラドウナサルンデス」

「モウ大概大丈夫ダヨ、十一月モ今日デ十日ダ、グズグズシテルト京都ノ冬ハ早イカラネ」

「何モ今年ニ限ッタコトハナイジャアリマセンカ、来年ノ春マデオ待チニナッタラ」

「ホカノコトト違ウカラネ、ソンナ悠長ナコトヲ云ッチャイラレナイヨ、今度行ッタラコレガ京都ノ見納メニナルカモ知レン」

「又ソンナイヤナコトヲ仰ッシャル。――誰ヲ連レテイラッシャルオ積リ？」

「佐々木ト二人ジャ心細イカラ、颯子《さつこ》ニ附キ合ッテ貰オウカ」

予ノ京都行キノ主タル目的ハ実ハココニアル。墓地捜シハ寧《むし》ロ口実デアル。

「南禅寺ヘハオ泊リニナラナイノ？」

「看護婦附キデ泊ッタリスルト手数ヲカケルコトニナルカラナ。ソレニ颯子モイルコトダシ、――颯子ハ南禅寺ヘ泊ルノハ懲リ懲リダカラ、ソレダケハ堪《かに》忍シテクレト云ッテルンダ」

「ドッチニシタッテ颯子ガ行ッタラ又喧嘩《けんか》デスヨ」

「摑《つか》ミ合イデモ始メテクレタラ面白イサ」

婆サントソンナ遣《や》リ取リヲスル。

「南禅寺ッテ云エバ永観堂ノ紅葉《もみじ》ガ綺麗《きれい》デショウネ、アタシガアレヲ見テカラモウ何年ニナルカシラ」

「永観堂ハマダ早イヨ、高尾ヤ槇《まき》ノ尾《お》＊ガチョウド見頃ダガ、己モコノ脚《あし》ジャ行ケソウモナイ」

……………………………………………………

十二日。……第二こだま＊デ午後二時三十分出発。婆サントオ静ト野村ガ見送ル。窓際《まどぎわ》ニ予、ソノ隣ニ颯子、通路ヲ隔テテ佐々木、ト云ウ目算デアッタガ、動キ出シテ見ルト窓際ハ風ガスウスウスルカラト云ワレテ颯子ト入レ代リ、通路ニ寄ッタ方ノ席ニ掛ケサセラレル。生憎《あいにく》手ノ痛ミガ少シ強イ。喉《のど》ガ渇《かわ》クカラトボーイニ茶ヲ持ッテ来サセ、コンナ時ノ用意ニポケットニ忍バセテ来タセデスヲ二錠、颯子ニモ佐々木ニモ見ラレヌヨウニ、ソット口へ放リ込ム。二人ニ知ラレルト、アトガウルサイカラデアル。血圧ハ出発直前ニ測ッタ時ハ上ガ一五四、下ガ九三デアッタガ、乗車後予ハ明ラカニ興奮シテイルコトヲ密《ひそ》カニ感ジル。傍《そば》ニ邪魔者ガイルコトハイルガ、何カ月ブリカデ颯子ト席ヲ並ベルコトガ出来タコト、颯子ノ服装ガ今日ハ妙ニ挑発的ニ見エルコト、ナドガ原因カモ知レナイ。（地味ナスーツヲ着テイルガ、ブラウスガ派手ナノト、フランス製ラシイ模造宝石ノ五聯《れん》ノネックレスヲ頸カラ胸へ垂ラシテイル。コノ種類ノネックレスハ国産品ニモシバシバ見受ケルガ、背後ノ後頭部ニ附イテイル留金《とめがね》ニイロイロナ宝石ガ鏤《ちりば》メテアッテ、コノ真似《まね》ガ国産品デハ出来ナイノデアル）血圧ノ高イ時ハ頻尿《ひんにょう》ニナル癖ガアルガ、頻尿ニナッタト思ウト、逆ニソノタメニ一層血圧ガ上ル。ドッチガ原因デ、ドッチガ結果トモ云エナイ。横浜ヲ通過スルマデニ一回、熱海《あたみ》ヲ通過スルマデニ又一回便所ニ通ウ。席カラ便所ガ遠イノデ辿《たど》リ着クマデニ度々ヨロケテ倒レソウニナル。佐々木ガ附イテ来テハラハラスル。排尿ニ手間ガカカルノデ、二回目ノ時ハ丹那《たんな》トンネル*ヲ通リ抜ケテモマダ用ガ済マナイ。ヤットノコトデ出テ見タラ三島ニ近クナッテイタ。席ニ戻ル時危ク転ビソウニナリ、居合セタ人ノ肩ニ摑《つか》マッテ助ケラレル。

「オ高インジャナイデショウカ」

席ニ着クト佐々木ガ云ウ。ソシテ早速近寄ッテ来、脈ヲ取ッテ見ヨウトスル。予ガ腹立タシソウニ払イ退《の》ケル。

コンナコトヲ繰リ返シツツ午後八時三十分京都着。五子《いつこ》、菊太郎、京二郎、ホームニ出迎エテイル。

「オ姉サン、皆サンオ揃《そろ》イデ恐レ入リマス」

颯子ガ柄ニナクオ世辞ヲ云ウ。

「ナアニ、明日日曜ナンデミンナ遊ンデイルンデスヨ」

京都駅ハ下リノ時ハブリッジヲ沢山登ラナケレバナラナイノデ、コレガ甚ダ億劫《おつくう》デアル。

「オ爺チャン、階段ハ僕ガ負《おぶ》ッテアゲマスヨ」

菊太郎ガ予ノ前ニシャガンデ背中ヲ向ケル。

「冗談云ウナヨ、マダソンナヨボヨボジャナイヨ」

ソウハ云ッタガ、佐々木ガ腰ヲ押シテクレル。瘦《や》セ我慢ヲシテ踊リ場デ休マズ、一気ニ上ッタノデ、苦シソウニ息ガハズム。皆気遣《きづか》ワシゲニ予ノ顔ヲ見テイル。

「今度ハ幾日グライイラッシャルノ？」

「サア、ドウシテモ一週間ハカカルダロウナ。オ前ノ所ヘモイズレ一晩ハ厄介ニナルガネ、今日ハ取《と》リ敢《あ》エズ京都ホテルニ泊ルヨ」

余計ナオシャベリガ始マラヌウチニト、急イデ車ニ乗ル。城山一家ハ別ノ車デ後《あと》カラホテルヘ附イテ来ル。

シングルベッド二台ノ部屋ト一台ノ部屋トガ隣リ合ッテイル。コレハ予ガ予《あらかじ》メ左様ニ注文シテ置イタノデアル。

「佐々木サン、君ハ隣ニ寝テクレ給エ、僕ハ颯チャント此方《こっち》デ寝ルヨ」

「颯チャン」ト云ウ呼ビ方ヲ殊更五子達ノイル前デ使ッテ見ル。五子ガ異様ナ顔ツキヲシテイル。

「アタシ一人デ寝カシテ戴クワ、オ爺チャンハ佐々木サントオ休ミナサイヨ」

「ナゼサ、一緒ニ寝テクレタッテイイジャナイカ、東京デモ時々ソウシテクレテルジャナイカ」

五子ニ聞カセルタメニ予ハワザト云ウ。

「隣ニ佐々木サンガ寝テテクレレバ何カアッタッテ安心ジャナイカ、ネエ、颯チャンハコッチデ寝テオクレヨ」

「煙草《たばこ》ガ吸エナイノガ困ルワ」

「吸ッタライイサ、イクラデモ吸ッテオクレ」

「ソンナコトヲシタラ佐々木サンニ叱《しか》ラレチャウワ」

「オ咳《せき》ガヒドクッテイラッシャイマスカラネ」
ト、佐々木ガアトヲ引キ受ケル。
「ソバデ煙草ヲオ吸イニナッタラ、ゴホンゴホンオ咳ガ止マラナクナリマスヨ」

「ボーイサン、ソノトランクヲコッチノ部屋へ運ンデ頂戴《ちょうだい》」

颯子ハ構ワズサッサト隣室へ這入ッテ行ッテシマウ。

「手ハモウスッカリオ直リニナッタンデスカ」

来ルトイキナリ気ヲ呑《の》マレタ形デ眼ヲ白黒サセテイタ五子ハ、ココデ辛《かろ》ウジテ嘴《くちばし》ヲ入レル。

「直ッテナンゾイルモンカ、今デモ始終痛ムンダ」

「マア、ソウナンデスカ、オ婆チャンノオ手紙ニハ、オ直リニナッタト書イテアリマシタノニ」

「オ婆チャンニハソウ云ッテアルノサ、ソウシナイト出シテクレナイカラネ」

颯子ハダスターコート*ヲ脱ギ、手早クブラウスヲ改メテネックレスヲ三聯《れん》ノ真珠ニ取リ換エ、顔ヲ直シテ出テ来ル。

「アタシオ腹《なか》ガ減ッテルノヨオ爺チャン、早ク食堂ヘ行キマショウヨ」

五子達ハ済ンデイルト云ウノデ三人デテーブルニ就《つ》ク。颯子ノタメニライン・ワインヲ抜ク。生牡蠣《なまがき》ノ好キナ彼女ハココノハ的矢湾《まとやわん》*ノ牡蠣ダカラ安全ダト称シテ相当ニ貪《むさぼ》ル。

食後ロビーデ五子達ト一時間ホド雑談ヲ交エル。

「食事ノ後ダカラ一本グライイイデショ佐々木サン、ココナラソンナニ籠《こも》リヤシナイワ」

颯子ハハンドバッグカラ愛用ノクールヲ一本取リ出シテ吸ウ。イツモハ直《じ》カニ口ニ銜《くわ》エルノニ今日ハ珍シクホールダーヲ用イテイル。細長イ真紅《しんく》ノ色ヲシタホールダーデアル。

予メホールダーノ色ト調和スルヨウニマニキュアモ常ヨリ紅ク染メテイル。唇ノルージュモ同様デアル。指ガ際立《きわだ》ッテ真ッ白イ。紅ト白トノコノ対照ヲ五子ノ前デ見セビラカスノガ目的ダッタノデアロウカ。

十三日。午前十時南禅寺下河原町《しもかわらまち》ニ城山家ヲ訪《おとな》ウ。颯子ト佐々木同伴スル。予ガコノ家ヲ訪ウノハコレデ二回目デアルト云ウガ、最初ニ訪ウタノハイツノコトデアッタカ殆《ほとん》ド記憶ガナイ。城山家ハモト吉田山*ニ住ンデオリ、当時ハシバシバ来往シタ覚エガアルガ、主人桑造ノ死後遺族ガココニ移ッテカラハメッタニ訪《たず》ネナイヨウニナッタ。今日ハ日曜デ、百貨店勤務中ノ菊太郎ハ不在ダケレドモ、京大工科ニ通学中ノ京二郎ハ家ニイタ。颯子ハオ爺チャンノ墓地捜シノオ供ヲシテモツマラナイカラ、アタシハ御免蒙《こうむ》リタイ、コレカラ四条通リヘ出カケテ「キリハタ」*ヤ高島屋*デ買物ヲシ、午後ハ高雄《たかお》方面ヘ紅葉《もみじ》見物ニ行キタイノダガ一人ボッチデハ仕様ガナイ、誰カ案内ヲシテクレナイカシラト云ウ。墓地捜シヨリハソノ方ガ優《ま》シダ、私ガ御案内シマショウト京二郎ガ云ウ。ソコデ相談一決シテ颯子ト京二郎ガ先《ま》ズ出発。予、五子、佐々木ノ三人ハ瓢亭《ひょうてい》*ノ半月弁当《はんげつべんとう》デ昼食ノ後、鹿ヶ谷《ししがだに》ノ法然院《ほうねんいん》カラ始メテ黒谷《くろだに》ノ真如堂《しんにょどう》、一乗寺ノ曼殊院《まんじゅいん》*辺《あたり》ヲドライブスルコトニ決メル。夜ハ嵯峨《さが》ノ吉兆《きっちょう》*ニ颯子達ノ一行モ菊太郎モ参加シテ、晩餐《ばんさん》ヲ共ニスル手筈《てはず》デアル。

予ノ先祖ハ遠イ昔ハ江州《ごうしゅう》商人*ノ出ラシイガ、四五代前カラ江戸ニ住ミ、予モ本所割下水《わりげすい》ニ生レタノデ、生粋《きっすい》ノ江戸ッ子デアルニ違イナイ、ガ、ニモ拘《かかわ》ラズ予ハ近頃ノ東京ガ面白クナイ。京都ノ方ガ昔ノ東京ヲ思イ出サセル趣ガアッテ却テナツカシイ。今ノ東京ヲコンナ浅マシイ乱脈ナ都会ニシタノハ誰ノ所業《しわざ》ダ、ミンナ田舎者《いなかもの》ノ、ポット出ノ、百姓上リノ、昔ノ東京ノ好サヲ知ラナイ政治家ト称スル人間共ノシタコトデハナイカ。日本橋ヤ、鎧橋《よろいばし》ヤ、築地橋ヤ、柳橋*ノ、アノ綺麗ダッタ河ヲ、オ歯黒溝《どぶ》*ノヨウニシチマッタノハミンナ奴等デハナイカ。隅田川ニ白魚《しらうお》*ガ泳イデタ時代ノアルコトヲ知ラナイ奴等ノ仕種《しぐさ》デハナイカ。死ンデシマエバ何処《どこ》ニ埋メラレタッテ構ワナイヨウナモノダケレドモ、今ノ東京ノヨウナ不愉快ナ、自分ニ何ノ因縁モナクナッテシマッタ土地ニ埋メラレルノハイヤダ。出来レバ父ヤ母ヤ祖父ヤ祖母タチノ墓モ、何処カ東京デナイ所ヘ持ッテ来チマイタイクライダ。祖父母ヤ父母ニシタトコロデ、昔最初ニ埋メラレタ場所ニ埋メラレテイル訳デハナイ。祖父母ノ墓ハ深川ノ小名木《おなぎ》川*近クノ或ル法華寺《ほっけじ》*ニアッタノダガ、ソノ後間モナクアノ辺一帯ガ工場地帯ニナッタタメニ寺ハ浅草ノ竜泉寺町《りゅうせんじまち》ニ移リ、ソコモ大地震デ焼カレタノデ、今デハ多磨《たま》墓地ニ移ッテイル。ダカラ仏様達ハ東京ニ置イトカレルト、骨ニナッテカラモ始終アッチコッチヘ逃ゲ廻ラナケレバナラナイ。ソウ云ウ点デハ何ト云ッテモ京都ガ一番安全デアル。先祖代々江戸ッ子ダト云ッテモ、五六代先ノコトハ分リハシナイ。予ノ家モ遠イ遠イ先祖ハイズレ京都アタリカラ出タモノト思ウ。トニカク京都ニ埋メテ貰エバ東京ノ人モ始終遊ビニ来ル。「ア、ココニアノ爺サンノ墓ガアッタッケナ」ト、通リスガリニ立チ寄ッテ線香ノ一本モ手向《たむ》ケテクレル。江戸ッ子ニ一向由縁《ゆかり》ノナイ北多摩郡*ノ多磨墓地ナンゾニ葬ムラレルヨリ遥《はる》カニ優《ま》シダ。

「ソウ云ウ意味カラハ法然院ガ一番適当ジャナイデショウカ」

ト、曼殊院ノ階段ヲ下リナガラ五子ガ云ウ。

「曼殊院トナルト散歩ノツイデニ立チ寄ルニハ遠過ギマスシ、黒谷ニシタッテワザワザデナケレバアノ坂ノ上マデオ詣リニ行キハシマセンカラネ」

「己《おれ》モソンナ気ガスルンダガネ」

「法然院ナラ今デハ街ノ真ン中デ、市電*ガ直グ傍《そば》ヲ通ッテマスシ、疏《そ》水《すい》ノ桜ガ咲ク時分ニハ一層賑《にぎや》カデスシ、ソレデイテ一歩寺ノ境内へ這入ルトアノ通リ森閑トシテ心ガ自然静マリマスシ、アスコニ限ルト思イマスワ」

「己モ法華ハ嫌《きら》イダカラ浄土宗ニ変エテモイインダガ、墓地ハ分ケテ貰エルダロウカ」

「アタシモ時々法然院へ散歩ニ行クンデ、和尚《おしょう》サント懇意ダモンデスカラ、コナイダ聞イテ見タンデスガ、オ望ミナラ墓地ヲオ分ケ致シマス、浄土宗ト限ッタコトハアリマセン、日蓮宗《にちれんしゆう》デモ結構デスッテ云ッテマシタガネ」
墓地捜シハソレデ中止シテ大徳寺*カラ北野*へ出、御室《おむろ》*カラ釈迦堂《しやかどう》*前、天竜寺前ヲ経テ吉兆ニ到着、マダ時刻ガ早過ギルノデ颯子達モ菊太郎モ来テイナイ。暫《しば》ク別室ニ寝間ヲ取ッテ貰ッテ休息スル。ソウコウスルウチ菊太郎ガ先ズ到着。次イデ六時半過ギ颯子等到着。一旦京都ホテルへ戻ッテ出直シテ来タノダト云ウ。

「大分オ待チニナッテ？」

「待ッタヨ大分。ホテルへ戻ッテ何シテタンダ」

「寒クナリソウダカラ着換エテ来タノヨ、オ爺チャンモ気ヲオ付ケニナラナイト風邪《かぜ》ヲ引クワヨ」

四条通リデ買ッテ来タノヲ早速着テ見タカッタノダロウ、白ノブラウスニ、ブリューニ銀ノラメガ繡《ぬ》イ込ンデアルセーターヲ着テイル。指環モ取リ換エテ、何ト思ッタカ問題ノキャッツアイヲ篏《は》メテ来テイル。

「墓地ハ決ッタンデスカ」

「大体法然院ト決ッタ、オ寺ノ方デモ承知ダソウダ」

「ソレハヨカッタワネ、ジャ、イツ東京へオ帰リニナル？」

「馬鹿云イナサイ、コレカラオ寺ノ石屋ヲ呼ンデ、墓ノ様式ニツイテイロイロ相談シナケリャナラナイ、ソウ簡単ニ決メラレヤシナイヨ」

「オ爺チャン川勝《かわかつ》サンノ石造美術ノ本*ヲ開イテ頻《しき》リニ調ベテラシッタジャナイノ、墓ハヤッパリ五輪ノ塔*ニ限ルッテ仰《お》ッシャッテタワネ」

「又少シ考エガ変ッテネ、五輪デナクッテモイイヨウナ気ガシテ来タ」

「アタシナンカニハ何ガイインダカ分ラナイワ、ドウセアタシニハ関係ノナイコトダケレド」

「ソウデナイヨ、君――」

ト云イカケテ云イ直ス、

「オ前サンニモ大イニ関係ノアルコトダヨ」

「アタシニドンナ関係ガアルノヨ」

「今ニ関係ノアルコトガ分ルヨ」

「何シロ早ク決メテ貰ッテ早ク東京へ帰リタイワ」

「何デ帰リヲ急グンダネ、ボクシングカネ」

「マアソンナトコロネ」

五子、菊太郎、京二郎、佐々木、四人ノ眼ガ期セズシテ颯子ノ左ノ薬指ニ集マル。颯子ハ平然トシテ悪ビレタ様子モナイ。膝《ひざ》ノ上ニキャッツアイヲ煌《きらめ》カシツツ座布団ノ上ニ横ッ坐リニ坐ッタママデアル。

「叔母サン、ソレガキャッツアイッテ云ウ石デスカ」

座ガ白ケルトデモ思ッタノカ、菊太郎ガ突然云ッタ。

「エエソウヨ」

「ソンナ石ガ何百万円モスルンデスカ」

「ソンナ石トハ失礼ネ、コレガ三百万円ヨ」

「オ爺チャンニ三百万円出サセルナンテ、叔母サンハ凄腕《すごうで》ダナア」

「チョット菊太郎サン、オ願イダカラソノ『叔母サン』ハ止シテ頂戴。菊チャンダッテモウ子供ジャアナインダカラ、アタシヲ叔母サン扱イニスル資格ハナイワ、アタシト二ツカ三ツシカ違ワナイ癖ニ」

「ジャア何テッタライインデス、三ツ違イデモ叔母サンハ叔母サンダカラナ」

「『叔母サン』ヲ止メテ『颯チャン』ト仰ッシャイ、菊チャンモ京チャンモソウ呼ンデヨ、ソウシナケレバ返事シナイカラ」

「叔母サンハ――アレ又『叔母サン』ガ出チマッタ、――叔母サンハソレデイイカモ知レナイケレド、浄吉叔父サンニ怒ラレヤシナイカナ」

「浄吉ガ怒ルモンデスカ、怒ッタラアタシガ怒ッテヤルワ」

「オ爺チャンハ『颯チャン』デモイイケレド、ウチノ子供達ニソウ呼バセルノハドウデショウカネ、中ヲ取ッテ『颯子サン』ニシマショウヨ、ソレガイイワ」

ト、五子ガ苦イ顔ヲスル。

酒ヲ厳シク禁ジラレテイル予、下戸《げこ》ノ五子、少シハ行ケル筈ナノニ慎ンデイル佐々木ヲ除イテ、颯子、菊太郎兄弟ノ三人デ調子ガ弾《はず》ミ、九時近ク食事ガ終ル。颯子一人五子達ヲ南禅寺ヘ送リ届ケテホテルヘ帰リ、予ト佐々木トハ夜ガ晩《おそ》イカラト云ウノデ、吉兆ニ泊ル。

十四日。午前八時頃起床。釈迦堂《しやかどう》傍ノ嵯峨《さが》豆腐《どうふ》*ヲ取リ寄セテ朝食ヲ喫スル。別ニビニール袋ニ包ンダ豆腐ヲ土産《みやげ》ニ持チ、十時頃五子ヲ誘ッテ法然院ヲ訪問。颯子ハ今日ハ花見小路*ノオ茶屋ヘ電話シテ、コノ夏春久ト一緒ノ時ニ友達ニナッタ祇園《ぎおん》ノ芸者ヲ二三人招キ、昼食ヲ共ニシテカラ京極ノS・Y・京映*ヘ行キ、夜ハキャバレヘ引ッ張ッテ行ッテ皆デ踊ルノダト云ウ。予ハ五子ノ紹介デ法然院ノ住職ニ面会、直チニ墓地ノ候補地ヲ見セテ貰ウ。境内ノ幽邃《ゆうすい》ナコトハ真ニ五子ノ言ニ背《そむ》カズ、前ニモ二三度杖《つえ》ヲ曳《ひ》イタコトハアルガ、コレデモ大都会ノ市内カト驚クバカリ。コノ景観ニ接シタダケデモ、五味溜《ごみた》メヲ引ックリ返シタヨウナ東京トハ比較ニナラナイ。ココニ決メテヨカッタト思ウ。帰途五子同伴たんくまノカウンターニ腰掛ケテ食事シ、二時頃ホテルニ帰ル。三時ニ住職カラ連絡ガアッタト見エテ石屋ノ主人ガ面会ニ来ル。ロビーデ面接。五子ト佐々木同席スル。

墓石ノ様式ニツイテハ、予ニサマザマノ案ガアルノデ、未《いま》ダニ孰《いず》レニシテイイカ迷イ抜イテイル。死ンデカラ後ドンナ形ノ石ノ下ニ葬ムラレヨウト差支エナイヨウナモノダガ、予ハ矢張気ニナル。ドンナ石ノ下デモイイト云ウ訳ニ行カナイ。少クトモ今日一般ニ行ワレテイル長方形ノノッペラボウノ石ノ表面ニ戒名又ハ俗名ヲ記シ、ソノ下ニ台石ヲ据エテ、ソノ前ニ線香立テノ穴ト手向《たむ》ケノ水ヲ供エル穴トヲ穿《うが》ッテアルアノ形式、アレハイカニモ平凡デ、俗ッポクッテ、何事ニモ旋毛曲《つむじまが》リノ予ニハ気ニ入ラナイ。父母ヤ祖父母ノ墓石ノ形式ニ反スルノハ申シ訳ナイガ、予ハドウシテモ五輪塔ニシタイ。ソレモソンナニ古イ形ノモノデナクテモイイ。鎌倉後期グライノ形デ満足スル。タトエバ伏見区竹田《たけだ》内畑町《うちはたまち》ニアル安楽寿院五輪塔、水輪《すいりん》ガ下ノ方デ細マッテ壺形ニナッテオリ、火輪ノ軒ノ反《そ》リガ厚ク、ヤダルミノ工合ガ風輪空輪ノ形ト共ニ鎌倉中期カラ後期ニ移ル頃ノ代表的ナ遺品デアルト、川勝政太郎氏ガ述ベテイルアノ作品、アレナドハドウデアロウカ。デナケレバ綴喜《つづき》郡宇治田原《うじたわら》村禅定寺《ぜんじようじ》ノ五輪塔、コレハ吉野時代ノ典型的ナ遺品ダソウデ、コノ式ハ南方ノ大和《やまと》文化圏ニ流行シタモノダソウダガ、コレモ悪クナイ。

トコロデ、ココニ又一ツ別ナ考エガ予ノ胸ニアッタ。川勝氏ノ著書ヲ見ルト、上京区千《せん》本上立売上《ぼんかみだちゆうりあが》ルニ石像寺《しやくぞうじ》ノ阿弥陀三尊石仏《あみださんぞんせきぶつ》ト云ウモノガアッテ、中尊《ちゆうそん》*ニ定印弥陀《じよういんみだ》坐像、*ソノ向ッテ右ニ観音《かんのん》、左ニ勢至《せいし》ノ二脇侍《きようじ》立像ガ侍立シテイテ、ソレラ三尊ノ写真ガ各別々ニ載ッテイル。弥陀ノ坐像ヲ始メトシテ、観世音菩薩《かんぜおんぼさつ》ト勢至菩薩ノ立像ハ頗《すこぶ》ル美シイ。観世音ニハ多少ノ破損ガアルケレドモ勢至像ハ全ク完全ニ保存サレテイル。勢至ハ観世音ト同様ノ装身具ヲ着ケ、正面ノ宝冠*カラ瓔珞《ようらく》*、天衣《てんえ》*、光背《こうはい》*等ニ至ルマデ丁寧ニ刻ミ出サレテイ、宝冠正面ニハ宝瓶《ほうびよう》*ヲ現ワシ、両手ヲ合掌シテ立ッテイル。「花崗岩《かこうがん》の石仏の美しさをこの石仏程に示しているものは稀《まれ》である。〔中略〕元仁《げんにん》二年（一二二五）に造《ぞう》立開眼《りゆうかいげん》せられたことが、中尊背後に刻まれている。このように一尊を台座・光背共に一石で作り出した石仏としては全国的に最も古い年号をもつ像で、また鎌倉時代石仏の様式の基準をこれによって求め得る点で貴重な遺品である」ト記《しる》サレテイルガ、予ハコノ写真ヲ見テ、フト思イ付イタ。出来レバ颯子ノ容貌《ようぼう》姿体ヲコノヨウナ菩薩像ニ刻マセテ密《ひそ》カニ観音カ勢至ニ擬シ、ソレヲ予ノ墓石ニスル訳ニハ行カナイモノカト。ドウセ予ハ神仏ヲ信ジナイ、宗旨ナドハ何デモイイ、予ニ神様カ仏様ガアルトスレバ颯子ヲ措《お》イテ他ニハナイ。颯子ノ立像ノ下ニ埋メラレレバ予ハ本望ダ。

タダ困ルノハコレヲ実行ニ移ス方法如何《いかん》デアル。モデルニスル颯子ニモ、浄吉ニモ、婆サンニモ、誰ヲモデルニシテイルカヲ悟ラセヌヨウニスルコトハ出来ル。ソウスルタメニハ、アマリニ颯子ノ容貌ニ露骨ニ酷似スルヨウニシナイコトダ、ボンヤリト彼女ノ感ジヲ匂《にお》ワセルヨウニスルコトダ。予ハ石材ニ花崗岩ヲ用イルコトヲ避ケ、軟質ノ松香石《しょうこうせき》ヲ用イルヨウニスル。ソウシテ線条ガ鮮明ニナリ過ギヌヨウニ、ナルベク朦朧《もうろう》ト表現サレルヨウニスル。出来得レバ他ノ何者ニモ気付カレズ、予一人ニダケ、全ク予一人ニダケハッキリト感ジ取ラレルヨウニスル。ソレハ必ズシモ不可能トハ思エナイ。シカシ厄介ナノハ、立像ヲ製作スル彫刻家ニハモデルガ何者デアルカヲ知ラセナイ訳ニ行カナイ。トスルト、誰ニコノ製作ヲ依頼シタライイカ。一体誰ガコノムズカシイ仕事ヲ引キ受ケテクレルカ。凡庸ノ作家ノ技術デハ容易ニ出来ル仕事デハナイガ、予ハ不幸ニシテ彫刻家ニ一人ノ友人モ持ッテイナイ。仮リニ友人ガアッタトシテ、ソノ友人ガ優秀ナ技術ヲ具《そな》エテイタトシテモ、予ガ何ノ目的デ左様ナ製作ヲ依頼スルカヲ知ッタトシタラ、果シテ快クソレニ応ジテクレルデアロウカ。ソンナ、仏ヲ冒瀆《ぼうとく》スルヨウナ気狂《きちが》イジミタ考案ノ実現ニ、ソノ人ハ喜ンデ手ヲ藉《か》スデアロウカ。ソノ人ガ優《すぐ》レタ芸術家デアレバアルホド、断乎《だんこ》トシテ刎《は》ネツケハシナイデアロウカ。（又予トシテモ、ソンナ厚カマシイ恥《はず》カシイコトヲ臆面《おくめん》モナク頼ム勇気ハナイ。アノ爺サンハ発狂シテルノデハナイカト、思ワレルダケデモ極《き》マリガ悪イ）

予ハココマデ思イ詰メテ、ココニ一ツノ可能ナ方法ガアルカモ知レナイコトニ気ヅイタ。ソレハホカデモナイ、石ノ表面ニ菩薩ノ像ヲ深彫リニ彫ルコトハ専門家ノ技術ヲ要スルガ、浅イ線彫リニスルコトナラバ普通ノ職人デモ或ル程度可能デハナイカ。コレモ川勝氏ノ著書ニ上京区紫野今宮《むらさきのいまみや》町ノ今宮神社ノ線彫四面石仏ト云ウモノヲ載セテイル。「凡《およ》そ二尺角の加茂川のヌケ石*とよばれる緻密《ちみつ》な硬砂岩の四面に四方仏を線彫したもので、彫り方はタガネ彫云々《うんぬん》」トアリ、「平安後期天治二年（一一二五）の造立《ぞうりゅう》にかかり、我国石仏中屈指の古い紀年銘をもつ遺品」デアルトシテ、四面ニ一ツズツ刻ンデアル四方仏、阿弥陀如来、釈迦《しゃか》如来、薬師如来、弥勒菩薩《みろくぼさつ》等々ノ坐像ノ拓本《たくほん》*ガ示サレテイル。又ソノ外ニ蜻蛉石《かげろういし》線彫阿弥陀三尊石仏ノ一ツトシテ勢至菩薩坐像ノ拓本ヲ載セテイル。「背の高い硬砂岩の自然石の三面に線彫されたこの三尊は来迎《らいごう》*の形式になっていること本文の挿図《そうず》の如くであるが、その内最もよく保存され仏容の比較的明瞭な勢至像の面をここに掲げた。来迎の弥陀像の脇侍《きょうじ》として、雲にのり天上から下界へと斜《なな》めに向う姿は美しい。跪《ひざまず》いて合掌し、天衣を風にひるがえしている様は、来迎芸術の盛行した平安末期の雰囲気をかもし出している」トアル。如来ノ坐像ハイズレモ男性的に結跏趺坐《けっかふざ》*シテイルガ、コノ勢至菩薩ハ女性《にょしょう》ラシク両膝ヲ揃《そろ》エテ坐ッテイル。予ハ殊《こと》ニコノ菩薩像ニ惹《ひ》キツケラレタ。……………

十五日。昨日ノツヅキ。

予ハ四面仏ハ必要デナイ。勢至菩薩ノ一面仏デ沢山デアル。従ッテ正四角形ノ石ハ必要デナイ。正面ニ菩薩ヲ刻ムダケノ、適当ナ厚ミヲ持ツ石ヲ用イレバ足リル。裏面ニハ予ノ俗名ト、モシ必要ナラ戒名モ加エテ、享年ヲ刻ンデ置ケバイイ。予ハ鏨《たがね》彫リト云ウ彫リ方ヲ委《くわ》シクハ知ラナイ。子供ノ時分縁日ニ行クト、ヨク大道ニ守リ札ヲ売ル店ガ出テイタ。ソシテ真鍮《しんちゅう》ノ守リ札ノ表面ニキイキイト云ウ音ヲサセテ子供ノ住所年齢姓名等ヲ鏨《のみ》ノヨウナ刃物デ彫リ付ケテイタ。彫ルト極メテ繊細ナ線デ字ガ書ケテ行ッタ。鏨ト云ウノハアノコトデアロウ。アレナラソンナニムズカシクハナサソウダ。ノミナラズ、モデルガ誰デアルカト云ウコトヲ彫リ手ニ知ラセズニ彫ラセルコトガ出来ル。予ハ先ズ奈良アタリノ絵心《えごころ》ノアル仏工ニ命ジテ、今宮神社ノ四面仏ニ倣《なら》ッテ線彫リニシタ勢至菩薩ノ像ニ似タモノヲ描カセル。ソシテ颯子ノサマザマナポーズノ容貌ト姿体ノ写真ヲ示シ、菩薩ノ顔ト胴ト四肢トヲソレトナク彼女ノソレラニ似ルヨウニ画《えが》カセル。サテ鏨師ニハソノ図ヲ示シテ、ソノ図ノヨウニ線彫リサセル。コレナラ誰ニモ心中ノ秘密ヲ見スカサレル心配ナシニ、望ンダ石仏ヲ作リ得ル。カクテ予ハソノ颯子菩薩ノ像ノ下ニ、頭ノ上ニ宝冠ヲ戴《いただ》イテ胸ニ瓔珞《ようらく》ヲカケ、天衣ヲ風ニヒルガエシタ颯子ノ石像ノ下ニ永久ニ眠ルコトガ出来ル。

予ト石屋トハ五子ト佐々木ヲ傍《そば》ニ置イテ三時カラ五時頃マデ、ホテルノロビーデアレカコレカト話シ合ッタ。予ハ勿論《もちろん》颯子ヲモデルニスル〻《こと》ヲ石屋ヤ五子等ニ悟ラセハシナカッタ。川勝氏ノ著書ニ依ッテ仕込マレタ石像美術ノ知識ダケヲ物識《ものし》リ顔ニ披露《ひろう》シタニ過ギナカッタ。平安朝ヤ鎌倉期ノ五輪塔ニ関スル知識、今宮神社ノ四面仏ノ如来像ヤ菩薩像ノ線彫リニ関スル知識、両膝《りようひざ》ヲ揃エテ坐ッテイル蜻蛉石線彫勢至菩薩ニ関スル知識、等々デ彼ヤ彼女等ヲ驚カシハシタモノノ、颯子菩薩ノ計画ハ心ノ奥深クシマイ込ンデ、誰ニモ洩《も》ラサナイヨウニシタ。

「ソレデ結局墓石ノ形式ハドレニオ決メナサイマスカナ、実ニイロイロト専門家モ及バヌホド御存知デイラッシャイマスノデ、私ナゾハ何トモ申シ上ゲヨウガゴザイマセンガ」

「僕自身モドウシテイイカ分ラナイノデ迷ッテルンデスヨ。今又チョット新タニ思イツイタコトモアルンデ、マアモウ二三日考エサシテ貰イマショウカナ。イズレ考エガ決ッタラモウ一度来テ貰イマス。ドウモオ忙シイトコロヲ長々トオ引キ留メシテ——」

石屋ガ退去シタ後、五子モ帰ル。予ハ部屋ニ戻ッテ按摩《あんま》ヲ呼ブ。

予ハ夕食後、俄《にわか》ニ一念発起《ほっき》シテ外出スベク自動車ヲ命ズル。

「今頃ドチラヘオ出掛ケニナリマスノ？　夜ハオ寒ウゴザイマスカラ明日ニナサイマシタラ」

佐々木ガ驚イテ制シヨウトスル。

「イヤ、ツイソコマデ。歩イタッテ行ケルトコロダ」

「歩イテナンテ飛ンデモナイ、京都ノ夜ハ冷エルカラクレグレモ気ヲ付ケルヨウニッテ、御隠居様ニサンザン云ワレテ参リマシタノニ」

「是非共必要ナ買物ガアルンダ、君モ一緒ニ附イテ来給エ、五分カ十分デ直グニ済ムンダ」

委細構ワズ予ガ出掛ケルノデ、オロオロシナガラ佐々木ガアトヲ追ッテ来ル。予ノ行ク先ハ河原町二条東入ル筆墨商竹翠軒《ちくすいけん》*デアル。ホテルヲ出テ五分トハカカラナイ所。店先ニ腰掛ケテ旧知ノ主人ト挨拶《あいさつ》ヲ交シ、中国製ノ最良ノ朱墨一挺《ちょう》、小指大ノモノヲ金二千円デ購《あがな》ウ。外ニ一万円ヲ投ジテ故桑野鉄城氏*ガ所有シテイタト云ウ紫斑文《しはんもん》ノアル端渓《たんけい》ノ硯《すずり》*一面、金デ縁ヲ取ッタ白唐紙《はくとうし》*ノ大型ノ色紙二十枚。

「久シュウオ目ニカカリマセンデシタガ、相変ラズオ元気デイラッシャイマスナ」

「ナアニ、チットモ元気ナコトナンカナイヨ、今度ハ京都へ自分ノ墓地ヲ捜シニ来マシタ、イツ死ンデモイイヨウニネ」

「御冗談デショウ、ソノ勢イジャアマダマダ大丈夫デイラッシャイマスヨ。——トコロデ何ゾ外ニ御用ハゴザイマセンカ、鄭板橋《ていはんきょう》*ノ書ガゴザイマスガ御覧ニナッテ下サイマスカ」

「ソレヨリ君、突然妙ナオ願イヲスルヨウダガ、アッタラ売ッテ貰イタイモノガアルンダ」

「何デゴザイマス」

「紅絹《もみ》ノ裂《きれ》ヲ二尺バカリト布団綿ヲ一ト塊《かたまり》、分ケテ戴《いただ》キタインダガネ」

「変ッタ御用ヲ承《うけたまわ》リマスナ、一体何ニナサルンデ?」

「実ハ急ニ拓本ヲ作ル必要ガ出来テネ、ソレニ使ウタンポガ入用ナンダ」

「ハハア、分リマシタ、タンポヲオ作リニナルンデスカ。ソンナモノナラ何カゴザイマス、今直グ家内ニ捜サセマス」

二三分デ奥カラ主婦ガ紅絹ノ裂ハシト布団綿ヲ持ッテ出テ来ル。

「コンナモノデ宜《よろ》シュウゴザイマショウカ」

「結構々々、コレデ早速間ニ合イマス。コノ代金ハ?」

「ソンナモノハ戴キマセンヨ、コレデ宜《よろ》シケレバマダゴザイマスカラ、イクラデモ仰《お》ッシャッテ下サイ」

佐々木ハ何ニ使ウノカ全ク見当ガツカナイラシク、呆気《あっけ》ニ取ラレテイル。

「サ、コレデ済ンダンダ、サア帰ロウ」

予ハサッサト自動車ニ乗リ込ム。

颯子ハマダホテルニ帰ッテイナカッタ。

十六日。今日ハ終日ホテルデ休養スルコトニナッテイル。出発以来四日間、近頃ニナク活動シ、ソノ間ニ面倒ナ日記ヲツケタリシタノデ、予自身休養ノ必要ガアルニハアッタガ、今日一日ダケ佐々木ニモ暇ヲ与エル約束ガシテアッタ。佐々木ハ埼玉県ノ生レデ関西方面ヘハ一度モ旅行シタコトガナイ。ソレデ今度ノ京都行ヲカネテカラ楽シミニシテイタガ、京都滞在中ニ一日オ暇ヲ戴イテ奈良見物ヲサセテクレト云ッテイタノデアル。予ハ思ウトコロガアッテ、ソノ日ヲ特ニ今日ニ選ンダ。ソシテ五子ヲ佐々木ノ案内役ニ附ケテ行カセルコトニシテイタ。ト云ウノハ、五子モ暫《しばら》ク奈良ヘ行ッタコトガナイノデ、コノ機会ニ行ッタラドウカト予ガ勧メタノデアル。五子ハトカク引ッ込ミ思案デ、アマリ外ヘ出タガラナイ。故桑造在世中モ夫婦デ旅行シタコトナドハメッタニナイ。セメテ奈良ノ寺々グライハ見テ置イタ方ガイイシ、殊《こと》ニ今度ハ予ノ菩提所《ぼだいしょ》ヲ定メルニツイテモ、必ズ参考ニナルコトガアロウ、ト、ソウ云ッテヤッタノデアル。予ハ五子ノタメニ自動車ヲ一日買イ切リニサセ、途中宇治ノ平等院《びょうどういん》*ヲ見テ奈良ニ行キ、東大寺、*新薬師寺、*西ノ京*ノ法華寺《ほっけじ》*、薬師寺*グライハ見落サナイヨウニセヨ、日帰リスルニハ日程ガ少シ無理ダカラ、強行軍ニナルケレドモ、いづうノ鱧《はも》ノ鮨《すし》*デモ持ッテ朝早ク立チ、午《ひる》マデニ東大寺見物ヲ終エテ大仏前ノ掛茶屋デ弁当ヲ使イ、ソレカラ新薬師寺、法華寺、薬師寺等ヲ見テ廻ル。日ガ短イカラ暗クナラナイウチニ見テシマッテ、奈良ホテル*デ夜ノ食事ヲシタタメテ帰ッテ来ル。夜オソクテモ今日中ニ帰ッテ来レバイイ。コチラハ心配スルニ及バヌ。今日ハ颯子ガ留守番シテ、終日外出セズ、予ノ部屋ニ附キ切リデイテクレルソウダ、ト、予ハ彼女等ニ云イ渡シテアル。

午前七時ニ五子自動車デ佐々木ヲ誘イニ来ル。

「オ早ウゴザイマス、オ爺チャンハ朝ハイツモオ早イノネ」

ソウ云ッテ、竹ノ皮ニ包ンダモノヲ二本、風呂敷ヲ解イテナイトテーブルノ上ニ置ク。

「いづうノ鱧鮨ヲ昨日ノウチニ買ッテ置キマシタカラ、ツイデニ持ッテ参リマシタ。颯チャント二人デ朝御飯ニ召シ上レ」

「ソレハ有難《ありがと》ウ」

「外ニ何カ、奈良デオ買物ハアリマセンカ、蕨餅《わらびもち》*ハイカガ？」

「ソンナモノハ要ラナイガ、薬師寺ヘ行ッタラ仏足石《ぶっそくせき》*ヲ拝ンデ来ルコトヲ忘レルナヨ」

「ブッソクセキ？」

「ウン、ソウ。仏様ノ足ヲ石ニ刻ンダモノダ。オ釈迦様ノ足ハ霊験《れいげん》アラタカナモノデ、仏様ガ歩行スル時ハ足ハ地ヲ離レルコト四寸、足ノ裏ニ千輻輪《せんぷくりん》＊ノ相《そう》ガアッテソレガ地ニ現レル。足ノ下ノモロモロノ虫ドモハ七日間危害ヲ蒙《こう》ムラナイトシテアル。ソノ足ノ形ヲ石ニ刻ンダモノガ支那《しな》ニモ朝鮮ニモ保存サレテイルガ、日本ニハ奈良ノ薬師寺ニアル。ソレヲ必ズ拝ンデ来ナサイ」

「畏《かしこ》マリマシタ。デハ行ッテ参リマス。今日一日ダケ確カニ佐々木サンヲオ預リシマス、オ爺チャンモドウゾ御無理ヲナサラナイヨウニ」

「オ早ウ」
ト、颯子ガ睡ソウナ眼ヲコスリコスリ隣室カラ這入《はい》ッテ来ル。
「今日ハ若奥様マコトニ恐レ入リマシタ、折角オ寝《やす》ミノトコロヲオ起シ申シ上ゲタリシマシテ、勿体《もったい》ナクテ罰ガ当リマス」

佐々木ガ頻《しき》リニクドクドト特別ナ言葉デ礼ヲ云イナガラ五子ト共ニ出テ行ク。

颯子ハネグリジェノ上ニキルチングシタブリューノナイトガウンヲ着、共色ノ繻子《しゅす》ニピンクノ花模様ノアルスリッパヲ穿《は》イテイルガ、佐々木ノ寝タベッドニハ寝ヨウトシナイ、ソファニ寝コロンデ予ガ外出ノ時ニ用イルイェーガー＊ノ膝掛《ひざかけ》、白地ニ黒ト紅トブリューノタータンチェックノモノヲ足ニ纏《まと》イ、自分ノ部屋カラ枕ヲ持ッテ来テ寝直シニカカル。仰向ケニ寝テ、ツント鼻ヲ天井ニ向ケテ、眼ヲツブッタママ何モ予ニ話シカケヨウトシナイ。昨夜ノキャバレノ帰リガ遅カッタノデ寝足リナイノカ、話シカケラレルノガウルサイノデ寝タ振リヲシテイルノカ、ドッチダカ分ラナイ。

予ハ起キ上ッテ洗面ヲ済マセ、部屋ニ日本茶ヲ取リ寄セテ體ノ鮨ヲパクツク。三ツモ食ベレバ朝飯ニハ沢山デアル。颯子ノ眠リヲ破ラナイヨウニ注意シテ食ベル。食べ終ッテモ颯子ハマダ寝テイル。

予ハ竹翠軒デ求メテ来タ硯ヲ取リ出シテデスクニ置キ、ユックリユックリト朱墨ヲ磨《す》ル。一挺ノ朱墨ヲ先ズ半分程磨リオロス。次ニ布団綿ヲチギッテ大キイノハ六七センチ、小サイノハ二センチグライノ丸ニ円《まる》メ、紅絹ノ裂デ包ンデタンポヲ作ル。大小ノタンポヲ二個ズツ、都合四個作ル。

「オ爺チャン、アタシ三十分ホド出テ来テモイイ？　チョット食堂へ行ッテ来タイノ」

イツノ間ニカ颯子ガ眼ヲ覚マシタラシイ。ソファニ坐ッテガウンノ間カラ両方ノ膝頭ヲ現ワシテイル。勢至菩薩《せいしぼさつ》ノアノ姿ヲ思イ出ス。

「食堂へ行カナイデモイイジャナイカ、ココニ鮨ガコンナニ残ッテル、ココデコレヲ食ベナサイ」

「ソウ、デハソウスルワ」

「君ト鱧ヲ食ベルノハ浜作《はまさく》以来ダナ」

「ソウダッタワネ。――オ爺チャン、サッキカラ何シテルノヨ?」

「ナニ、チョット」

「朱墨ヲ磨ッテ何ナサルノ?」

「ソンナコトハ聞カナイデモイイ、マア鱧ヲ食イナサイ」

ソンナツモリモナク若イ時分ニ何気ナク見テ置イタコトガ、ドンナ時ニ役ニ立ツカ分ラナイモノダ。予ハ二三回支那ヲ漫遊シタコトガアルガ、支那ノミナラズ、日本ノ何処《どこ》カヲ旅シタ折ニモ、偶然人ガ野外ニ立ッテ拓本ヲ製作シテイルトコロヲ見タコトガアル。支那人ハコノ技《わざ》ニ甚《はなは》ダ熟達シテイテ、風ノ吹ク中デモ平気デブラシニ水ヲ含マセ、碑面《ひめん》ニ白イ紙ヲ伸バシテ傍カラパタパタ叩《たた》イタリシテイル。ソレデモ見事ナ拓本ガ出来上ル。日本人ハ綿密ニ、神経質ニ、大事ヲ取ッテ、大小サマザマノタンポニ墨又ハ墨ノ肉ヲ含マセ、細カイ線ヲ一ツ一ツ丹念ニ擦リ取ッテ行ク。黒イ墨、又ハ黒イ肉ノ場合モアルガ、朱墨ヤ朱肉ノ場合モアル。予ハコノ朱ノ拓本ヲ極《きわ》メテ美シイト感ジタ。

「御馳走《ごちそう》サマ、久シ振ニオイシカッタワ」

茶ヲ飲ンデイル颯子ヲ摑《つか》マエテ予ハオモムロニ話シカケタ。

「ココニアルコノ綿ノ丸ネ、コレハタンポト云ウモノナンダヨ」

「何スルモノナノ?」

「コレニ墨ヤ朱ヲ滲《し》マセテ、石ノ表面ヲパタパタ叩イテ拓本ヲ作ルノサ、僕ハ朱色デ拓本ヲ作ルノガトテモ好キナンダ」

「石ナンカナイジャナイノ」

「今日ハ石ハ使ワナイ、石ノ代リニ或ル物ヲ使ウ」

「何ヲ使ウノ?」

「君ノ足ノ裏ヲ叩カセテ貰ウ。ソウシテコノ白唐紙ノ色紙ノ上ニ朱デ足ノ裏ノ拓本ヲ作ル」

「ソンナモノガ何ニナルノ」

「ソノ拓本ニモトヅイテ、颯チャンノ足ノ仏足石ヲ作ル。僕ガ死ンダラ骨ヲソノ石ノ下ニ埋メテ貰ウ。コレガホントノ大往生ダ」

七

十七日。昨日ノ続キ。

予《よ》ハ最初、予ガ何ノ目的デ颯子《さつこ》ノ足ノ裏ヲ拓本ニ取ルカヲ、彼女ニハ秘スル積リデアッタ。彼女ノ足ノ裏ヲ仏足石ニ彫ラセ、死後ソノ石ノ下ニ予ノ骨ヲ埋メテ、ソレヲ以《もっ》テ予ト云ウ人間、卯木《うつぎ》督助《とくすけ》ノ墓ニ代エルト云ウ案ハ、颯子ニモ知ラセナイ方ガイイト考エテイタ。然《しか》ルニ昨日急ニ気ガ変リ、彼女ニ打チ明ケタ方ガイイト思ウヨウニナッタ。ソレハ何故《なぜ》デアルカ。何ノタメニ颯子ニ心ヲ明カシタカ。

一ツニハ、ソレヲ打チ明ケタラ彼女ガドンナ顔付ヲシ、ドンナ心理状態ニ陥ルカ、ソノ反応ヲ見タイト思ッタ。次ニハ彼女ガ、ソレヲ知ッタ上デ、自分ノ朱色ノ足ノ裏ノ形ガ白唐紙ノ色紙ノ上ニ印セラレルノヲ見タ時ノ彼女ノ心持、ソレヲ知リタイト思ッタ。足ガ自慢ノ彼女ハ、自分ノ足ガ仏陀《ぶつだ》ノ足ニ比セラレテ朱印ヲ紙ノ上ニ落スノヲ見テ、必ズヤ心ニ喜悦ヲ禁ジ得ナイデアロウ。予ハソノ時ノ彼女ノ喜ブ顔ガ見タカッタ。「気狂《きちが》イ沙汰《ざた》ダワ」ト、口デハ云ウニ決ッテイルガ、心デハドンナニ喜ブデアロウカ。次ニ彼女ハ、遠カラズ予ガ死ンデシマッタ後モ、「アノ馬鹿ナ老人ハ私ノコノ美シイ足ノ下ニ眠ッテイル、私ハアノ可哀想《かわいそう》ナ老人ノ骨ヲ今モナオ地下デ踏《ふ》ミツケテイル」ト思ウコトヲ禁ジ得ナイ。ソシテ幾分カハ痛快ニ感ジルデアロウガ、ムシロ気味悪ク感ジル方ガ強イデアロウ。ガ、気味ガ悪イカラ忘レヨウト思ッテモ、容易ニ、恐ラクハ一生涯、ソノ記憶ヲ拭《ぬぐ》イ去ルコトハ出来ナイデアロウ。生前ノ予ハ彼女ヲ盲愛シテイタ、ダガ若《も》シ死後ニ於《お》イテ多少デモ意趣返シヲシテヤル気ガアルトスレバ、コンナ方法ヨリ外ニナイ。死ンデシマエバソンナコトヲ考エル意志ハナクナルデアロウカ。ドウモ予ニハソウ思エナイ。肉体ガナクナレバ意志モナクナル道理ダケレドモ、ソウトハ限ルマイ。タトエバ彼女ノ意志ノ中ニ予ノ意志ノ一部モ乗リ移ッテ生キ残ル。彼女ガ石ヲ蹈ミ着ケテ、「アタシハ今アノ老耄《おいぼ》レ爺《じじい》ノ骨ヲコノ地面ノ下デ蹈ンデイル」ト感ジル時、予ノ魂モ何処《どこ》カシラニ生キテイテ、彼女ノ全身ノ重ミヲ感ジ、痛サヲ感ジ、足ノ裏ノ肌理《きめ》ノツルツルシタ滑《なめ》ラカサヲ感ジル。死ンデモ予ハ感ジテ見セル。感ジナイ筈ガナイ。同様ニ颯子モ、地下デ喜ンデ重ミニ堪エテイル予ノ魂ノ存在ヲ感ジル。或ハ土中デ骨ト骨トガカタカタト鳴リ、絡《から》ミ合イ、笑イ合イ、謡《うた》イ合イ、軋《きし》ミ合ウ音サエモ聞ク。何モ彼女ガ実際ニ石ヲ蹈ンデイル時トハ限ラナイ。自分ノ足ヲモデルニシタ仏足石ノ存在ヲ考エタダケデ、ソノ石ノ下ノ骨ガ泣クノヲ聞ク。泣キナガラ予ハ「痛イ、痛イ」ト叫ビ、「痛イケレド楽シイ、コノ上ナク楽シイ、生キテイタ時ヨリ遥《はる》カニ楽シイ」ト叫ビ、「モット蹈ンデクレ、モット蹈ンデクレ」ト叫ブ。……

「今日ハ石ハ使ワナイ、石ノ代リニ或ル物ヲ使ウ」

ト、先刻予ガ云ッタ時、

「何ヲ使ウノ?」

ト、彼女ハ聞イタ。ソレニ対シテ予ハ答エタ。
「君ノ足ノ裏ヲ叩カセテ貰ウ。ソウシテコノ白唐紙ノ色紙ノ上ニ朱デ足ノ裏ノ拓本ヲ作ル」
然ルニ彼女ハ、
彼女ガ若《も》シ真ニソレヲ忌マワシク感ジテイルナラ、今少シ違ッタ表情ヲ示ス筈デアル。
「ソンナモノガ何ニナルノ」
ト、云ッタダケダッタ。ソノ拓本ニモトヅイテ彼女ノ足ノ仏足石ヲ作ルノデアルコト、予ガ死ンデカラ骨ヲソノ石ノ下ニ埋メテ貰ウノデアルコト、ヲ知ッタ時ニモ、彼女ハ格別ノ意見ヲ述ベハシナカッタ。ココニ於《お》イテ予ハ、颯子ニ異存ガナイバカリカ、少クトモソレヲ面白ガル気持ガアルコトヲ認メタ。幸イニ予ノ部屋ニハ別室ノ設ケガアリ、ソコハ八畳ノ畳敷ニナッテイタ。予ハ座敷ヲ汚サヌヨウニ、ボーイニ命ジテ大型ノシーツヲ二枚持ッテ来サセタ。ソシテソノ二枚ヲ二重ニ重ネテ畳ノ上ニ敷イタ。朱墨ノ硯《すずり》ト毛筆トヲ盆ニ載セテソノ上ニ運ンダ。次ニソファニ置イテアッタ颯子ノ枕ヲ持ッテ来テ適当ナ位置ニ置イタ。
「サア颯チャン、何モ面倒ナコトハナインダ。ソノママココヘ来テ、コノシーツノ上ニ仰向ケニ寝テクレレバイイ。アトノ仕事ハ僕ガスル」

「コノママデイイノ？　着物ニ朱墨ガ附キハシナイ？」

「絶対ニ着物ニハ附ケナイ、朱墨ヲ塗ルノハ君ノ足ノ裏ダケダ」

彼女ハ云ワレル通リニシタ。仰向ケニ、両足ヲ行儀ヨク揃《そろ》エテ寝タ、足ヲ少シ反《そ》ラシ加減ニ、予ニ足ノ裏ガ明瞭ニ見エルヨウニ。

コレダケノ準備ガ整ッタ時、予ハ先ズ第一ノタンポニ朱ヲ含マセタ。ソレカラ更ニソレヲ以《もっ》テ第二ノタンポヲ叩キ、朱ヲ薄クシタ。予ハ彼女ノ二ツノ足ヲ二三寸ノ間隔ニ開イテ置キ、右ノ足ノ裏カラ第二ノタンポデ注意深ク叩イテ行ッタ。肌理《きめ》ノ一ツ一ツガハッキリト分離サレテ印《しる》サレルヨウニ。盛リ上ッテイル部分カラ土踏《つちふ》マズニ移ル部分ノ、継ギ目ガナカナカムズカシカッタ。予ハ左手ノ運動ガ不自由ノタメ、手ヲ思ウヨウニ使ウコトガ出来ナイノデ一層困難ヲ極メタ。「絶対ニ着物ニハ附ケナイ、足ノ裏ダケニ塗ル」ト云ッタガ、シバシバ失敗シテ足ノ甲ヤネグリジェノ裾《すそ》ヲ汚シタ。シカシシバシバ失敗シ、足ノ甲ヤ足ノ裏ヲタオルデ拭イタリ、塗リ直シタリスルコトガ、又タマラナク楽シカッタ。興奮シタ。何度モ何度モヤリ直シヲシテ倦《う》ムコトヲ知ラナカッタ。

漸《ようや》ク両足ヲ満足ニ塗リ終ッタ。右足カラ先ニ少シ高ク擡《もた》ゲテ、下カラソレニ色紙ヲ当テ、足ノ裏デ印ヲ捺《お》スヨウニサセタ。何度モ何度モ試ミテ巧《うま》ク行カズ、希望スル拓本ガ作レナカッタ。二十枚ノ色紙ハ凡《す》ベテ徒労ニ帰シタ。予ハ竹翠軒《ちくすいけん》ニ電話ヲカケ、直チニ色紙ヲモウ四十枚届ケサセタ。今度ハ方法ヲ改メテ、足ノ裏ノ朱ヲ一遍キレイニ洗イ落シ、足ノ趾《ゆび》ノ股《また》マデモ一本々々拭イ取リ、立ッテ椅子《いす》ニ掛ケサセテ、予ハソノ下ニ仰向イテ臥《ね》、窮屈ナ姿勢ニ堪エナガラ足ノ裏ヲ叩キ、色紙ノ上ヲ両足デ蹈マセテ捺印《なついん》サセタ。……

……………………………………

最初ノ予定ハ、五子《いっこ》ト佐々木ガ戻ルマデニ仕事ヲ済マセ、汚レタシーツヲボーイニ渡シ、数十枚ノ足ノ裏ノ色紙ヲ取リ敢エズ竹翠軒ニ預ケ、部屋ヲ何事モナカッタヨウニ掃除シテ、何喰ワヌ顔ヲシテイルツモリデアッタガ、ソウ都合ヨクハ行カナカッタ。五子達ハ思イノ外早ク九時前ニ戻ッテ来タ。予ハノックノ音ヲ耳ニシタガ、返事スル隙《すき》モナクドーアガ開《あ》イテ彼女等ガ這入《はい》ッテ来タ。颯子ハイチ早ク浴室ニ隠レタ。日本座敷ニハ朱ヤ白ノ斑文《はんもん》ガ無数ニ点々ト散乱シテイタ。彼女等ハ茫然《ぼうぜん》トシテ無言デ顔ヲ見合ワセテイタ。

佐々木ハ黙ッテ血圧ダケヲ測ッタ。

「二百三十二ゴザイマスネ」

ト、容易ナラヌ表情デ云ッタ。

……………………………………

十七日ノ朝、颯子ガ何ノ断リモナシニ勝手ニ東京へ立ッタコトヲ知ッタノハ、午前十一時頃デアッタ。朝食ノ時ニ食堂ニ見エナカッタノハ、朝寝坊ノ彼女ノ常デアルカラ、予ハマダ颯子ハ寝テイルモノト思ッテイタ。豈図《あにはか》ランヤ彼女ハソノ頃ハイヤヲ走ラシテ伊《い》丹《たみ》*ニ向ッテイタノデアル。

十一時前後ニ五子ガ部屋ヲ訪レテ、

「困ッタコトガ出来タワヨ」

ト教エタ。

「オ前ガソレヲ知ッタノハイツダ」

「タッタ今デス。今日ハドチラへオ供シタライイノカ、伺オウト思ッテ来タラ、『卯木サンノ奥様ハ先程オ一人デ伊丹へオ立チニナリマシタ』ッテ、突然フロントデ云ワレタンデス」

「馬鹿ヲ云エ、オ前ハ前カラ知ッテタンダロウ」

「飛ンデモナイ、アタシガ何ヲ知ルモンデスカ」

「何云ッテヤガル、狸奴《たぬきめ》、馴《な》レ合《あ》イニ決ッテルンダ」

「イイエ違イマス、今コノホテルデ聞イタンデス、『実ハ先程、アタシハ父ニ内証デ一ト足先ニ日航デ帰ル、アタシガ伊丹へ着ク時分マデハ決シテ誰ニモシャベッチャイケナイッテ仰《お》ッシャラレマシタンデ、申シ上ゲズニオリマシタ』ッテ、フロントデ云ワレテ、ビックリシタンデス」

「嘘《うそ》ヲツキヤガレ、古狸、キット貴様ガ颯子ヲ怒ラシテ立タセルヨウニ仕向ケタンダ。貴様モ陸子《くがこ》モ人ヲ煽《おだ》テタリ騙《だま》シタリスルコトニカケチャア昔カラ大シタ腕前ダカラナ。己《おれ》ハツイソレヲ忘レテタノガ残念ダ」

「マア非道《ひど》イ！　何テコトヲ仰ッシャルンデス」

「佐々木サン」

「ハイ」

「ハイジャアナイ、君ダッテ五子カラ聞イテ知ッテタンダロウ、ミンナデ寄ッテ集《たか》ッテコノ老人ヲ騙シニカカッテタンダ、ミンナデ颯子ヲ邪魔ニシテヤガル」

「ソンナ風ニ思ッテラシッチャ佐々木サンコソイイ迷惑ダワ。佐々木サンハ暫クロビーニデモ行ッテラシッテ下サイヨ、イイ機会ダカラ、アタシオ爺チャンニ聞イトイテ戴キタイコトガアルンデス、ドウセ古狸ト云ワレタ以上、アタシモ云ウダケハ云ワセテ貰イマス」

「血圧ガオ高《たこ》ウゴザイマスカラ、イイ加減ニ遊バシテ下サイマセント――」

「エエ、エエ、分ッテマス」

五子ノ話ハ次ノヨウナコトダッタ。――

アタシガ颯チャンヲ立タセルヨウニ仕向ケタト云ウノハ、全ク根モ葉モナイ冤罪《えんざい》デアル。コレハアタシノ想像ダケレドモ、颯チャンガ立ッテ行ッタノハ外ニ何カ、早ク東京ニ帰リタイ理由ガアッタノデハナカロウカ。ソノ理由ハアタシニハヨク分ラナイガ、オ爺チャンコソ何カシラ感ヅイテイラッシャルノデハナイデショウカト、乙ニ絡《から》ンデ云ウ。予ハソレニ答エテ云ッタ、彼女ト春久ト仲ガイイコトハ予ガ知ッテイルバカリデナク、自分デモ公然ト云ッテイルシ、亭主ノ浄吉モ承知デアル。今デハ誰知ラヌ者ハナイト云ッテイイ。ガ、ダカラト云ッテ、二人ノ間ニ不倫ナ関係ガ成リ立ッテイルト云ウ証拠ハナイシ、ソンナコトヲ信ジル者ハ一人モイナイヨト、ソウ云ウト、本当ニ一人モイナイデショウカ、ト、五子ハ妙ナ笑イ方ヲシタ。ソシテ又云ッタ。コンナコトヲ云ッテイイカ悪イカ分リマセンケレド、アタシハ浄吉ツァンノ気持ガ少シ変ダト思ウ、仮リニ颯チャント春久サントノ間ニ何カアッタトシテモ、浄吉ツァンハ見テ見ヌ振リデ、許ス積リデハナインデショウカ、ドウモアタシハ、浄吉ツァンハ浄吉ツァンデ颯チャン以外ニ誰カアルノダト思イマス、無論ソレハ颯チャンモ春久サンモ暗黙ノウチニ、イヤ、暗黙ドコロデハナイ、オ互ニ諒解《りようかい》ガ出来テイルノデハナイデショウカ、――五子ガココマデ語ッタ瞬間、コノ女ニ対スル云イヨウノナイ忿懣《ふんまん》ト憎悪《ぞうお》ガ予ノ胸ノ中ニ渦ヲ巻イテ沸キ上ッタ。予ハモウ少シデ怒号スルトコロデアッタガ、怒号シタラ動脈ガ破裂スルノヲ怖《おそ》レテ、辛ウジテ怺《こら》エタ。椅子ニ掛ケテイテモ予ハ眼ガ晦《くら》ンデ倒レソウニナッタ。予ノ血相ガ変ッタノヲ見テ五子モ青クナッタ。

「止《や》メテクレ、ソンナ話。止メテ帰ッテクレ」

予ハ出来得ル限リ声ヲ低メテ顫《ふる》エテ云ッタ。何故ニ予ハアンナニマデ怒ッタノカ。思イモ寄ラヌ秘密ヲ不意ニ彼女ニ発《あば》カレタタメカ、自分デモ疾《と》ウカラ内々ハ気ヅイテイテ、強《し》イテ気ヅカヌ振リヲシテイタノニ、コノ古狸ニ突如素《す》ッ破《ぱ》抜カレタタメカ。

五子ハモウ部屋ニイナカッタ。予ハ昨日一日ノ無理ナ活動ガ祟《たた》ッテ、頸《くび》ノ周《まわ》リ、肩、腰、等々ノ痛ミガ激シク、昨夜モ夜ッピテ安眠出来ナカッタノデ、再ビアダリン三錠トアトラキシン三錠ヲ飲ミ、佐々木ニ命ジテ背中ヤ肩ヤ腰ニサロンパスヲペタペタ貼ラセテベッドニ這入ッタ。シカシヤッパリ寝ラレナイノデルミナールノ注射ヲシテ貰オウトシタガ、寝過ギルト困ルト思ッテ止メタ。ソレヨリ午後ノ列車ヲ捉《とら》エテ颯子ノ跡ヲ追ウコトニ決メ、毎日新聞支局ノ友人ニ依頼シテ無理ニ切符ヲ手ニ入レテ貰ウ。(予ハ飛行機ニハ乗ッタコトガナイ) 佐々木ハ激シク反対シ、コンナ高血圧ノ際ニ旅行ハ思イモ寄リマセン、セメテ三四日安静ヲ保チ、血圧ノ安定ヲ見定メテカラニシテ下サイト、泣クヨウニシテ頼ンダガ、予ハ聴キ入レナカッタ。五子ガ詫《わ》ビヲ入レニ来テ、デハ東京マデアタシモオ供サセテ戴キマスト云ウ。貴様ノ顔ハ見ルノモ癪《しゃく》ダカラ、附イテ来ルナラ別ノ箱ニ乗レト云ッテヤル。………

十八日。

昨日午後三時二分京都発第二こだまニ乗ル。予ト佐々木トハ一等、五子ハ二等デアル。九時東京着。婆サン、陸子、浄吉、颯子、四人ガホームニ迎イニ出テイル。予ヲ歩行困難ト思ッタノカ、歩カセテハナラヌト考エタノカ、運搬車ガ来テ待ッテイル。五子ノ奴ガ電話デ万事云イ附ケテ置イタノニ違イナイ。

「何ダ、馬鹿々々シイ！ 鳩山サンジャアルマイシ」*

予ハサンザン駄々ヲ捏《こ》ネテ皆ヲ手古摺《てこず》ラシタガ、突然右ノ掌《てのひら》ニモウ一ツノ柔イ掌ヲ感ジタ。颯子ガ手ヲ取ッテイルノダッタ。

「マアオ爺チャン、アタシノ云ウコトヲ聴クモノヨ」

忽《たちま》チ予ハ鳴リヲ静メテ云ウナリニナッタ。直グ運搬車ガ動キ出シテエレベーターデ地下道ニ下リ、長イ暗イ路《みち》ヲガラガラト走リ出シタ。一同ゾロゾロト後ニ附イテ来タガ、走リ方ガ速イノデ追イ着クノニ骨ガ折レタ。婆サンガトウトウハグレテシマイ、浄吉ガ捜シニ戻ッタ。予ハ東京駅ノ地下道ノ宏大《こうだい》ナノト岐路《えだみち》ノ多イノニ驚カサレタ。出タノハ丸ノ内側ノ、中央口ニ近イ特別通路ノ外ノ御車寄《みくるまよせ》デアッタ。自動車ガ二台待ッテイタ。先頭ノ一台ニ三人、予ヲ囲ンデ颯子ト佐々木。次ノ一台ニ四人、婆サン、五子、陸子、浄吉ノ四人ガ乗ッタ。

「オ爺チャン、御免ナサイネ、黙ッテ帰ッテ来チマッテ」

「誰カト約束デモアッタノカネ」

「ソウジャナイノヨ、正直ヲ云ウト、昨日一日オ爺チャンノ相手ヲサセラレタンデ、スッカリ参ッチマッタノヨ。朝カラ晩マデ足ノ裏ヲアンナニ弄《いじく》リ廻サレタンジャ、何ボ何デモ溜《たま》ラナイワ。タッタ一日デ、アタシヘトヘトニナッチャッタカラ逃ゲ出シタノヨ。御免ナサイネ」

声ノ調子ニイツモノ彼女ラシクナイ、ワザトラシイトコロガアッタ。

「オ爺チャンオ疲レニナッタデショウ。アタシ十二時二十分ニ伊丹ヲ立ッテ、二時ニハ羽田ニ着イタノヨ。飛行機ダト速イワネ」……………………………………………………………………

佐々木看護婦看護記録抜萃《ばっすい》

……………十七日の夜帰京した患者は、京都での連日の疲労が一度に発したのであろう、十八十九の両日は大部分寝て暮していたが、それでも折々書斎に出て来て前日の日記の残りを書き足していた。然《しか》るに二十日《はつか》の午前一〇時五五分、これから述べるような事件がおこった。

その前に、颯子《さつこ》夫人は十七日の午後三時頃羽田から狸穴《まみあな》の宅へ帰った。夫人は直ちに電話口へ浄吉氏を呼び出して、老人の精神状態がいよいよ奇異であるために、もはや自分は一日も行動を共にするに堪えなくなり、勝手に自分だけ先に帰って来た由を告げた。夫婦は相談の結果、老夫人には内密にして、友人の精神科医井上教授を二人で訪《おとな》い、いかに処置したらいいかを尋ねた。教授の意見としては、老人の病気は異常性慾と云うべきもので、目下の状態では精神病とは云えない、ただこの患者には情慾が常に必要であって、それがこの老人の命の支えとなっていることを考えると、それに適応する取り扱いをしてあげなければいけない、颯子夫人はその点によく注意して患者をみだりに興奮させたり、患者の意に逆らったりしないようにし、つとめてやさしく看護してあげて欲しい、それが唯一《ゆいいつ》の治療法であるとのこと。依って浄吉氏夫婦は、老人の帰京に接して以来出来るだけ教授の意見に従って老人を遇していた。

二十日　火曜日　晴
午前八時、体温三五・五度、脈搏《みゃくはく》七八、呼吸一五、血圧一三二——八〇。一般状態は特に変化を認めない。言葉や動作は不機嫌の模様。

朝食後患者書斎に入る。日記を書くつもりらしい。

午前一〇時五五分、異常な興奮状態で書斎から寝室に現われる。何か云うらしいが私には理解出来ない。ベッドに運び入れて安臥《あんが》させる。脈搏一三六、緊張していて不整*も結滞*もない。呼吸二三。心悸《しんき》亢進《こうしん》*を訴える。血圧一五八——九二。手まねで強い頭痛を訴える。顔の表情は恐怖で歪《ゆが》んでいる。杉田医師に電話で連絡するけれども、特別の指示がない。毎度のことだが、この医師は看護婦の観察を無視する癖がある。

午前一一時一五分、脈搏一四三、呼吸三八、血圧一七六——一〇〇。杉田医師に再度電話連絡するけれども指示がない。室温、採光、換気を点検。家族は老夫人のみ病室にいる。酸素吸入の必要を感じ虎ノ門病院に連絡、病状報告の上配慮を依頼する。

午前一一時四〇分、杉田医師来診、病状経過を報告する。診察後、杉田氏往診カバンより注射液を出し、自ら注射する。アンプルはビタミンK、コントミン*、ネオフィリン、であった。注射を終って杉田氏がまだ玄関にいる時、患者は突然高声を発し、意識不明となる。全身痙攣《けいれん》が激しく起り、チアノーゼ*が口唇《こうしん》や指先に著明となる。痙攣がやがておさまると、強い運動不安が起り、制止を排して跳《は》ね起きようとする。大小便の失禁がある。全発作は約十二三分、深い睡眠に入る。

午後一二時一五分、附添中の老夫人が急に眩暈《めまい》を訴えたので、別室に運んで静かに寝かせる。一〇分ほどで恢復《かいふく》。老夫人の看護は五子《いつこ》夫人が引き受ける。

一二時五〇分、患者安眠。脈搏八〇、呼吸一六。颯子夫人入室する。

一三時一五分、杉田医師帰宅、面会謝絶の指示がある。

一三時三五分、体温三七・〇度、脈搏九八、呼吸一八。時々咳嗽《がいそう》*あり、全身冷汗強度、寝衣を交換する。

一四時一〇分、親戚の小泉医師来訪。病状経過を報告する。

一四時四〇分、覚醒。意識明瞭。言語障害なし。顔面、頭部、項部にわたり打撲《だぼく》様の疼《とう》痛《つう》を訴える。発作前の左上肢の疼痛は消失している。小泉医師の指示によりサリドン*一錠、アダリン二錠投与。颯子夫人を認めたるも静かに眼を閉じている。同五五分、自然排尿あり。一一〇cc、溷濁《こんだく》なし。二〇時四五分、強い口渇《こうかつ》を訴える。颯子夫人の手からミルク一五〇cc、野菜スープ二五〇ccを与える。

二三時五分、浅眠状態。老人は既に完全に覚醒し、危険状態を脱したようではあるが、再発の怖《おそ》れがないとは云えないので、なお念のため東大梶浦《かじうら》教授の診察を乞うた方がよいと云うことになり、夜おそくではあったけれども浄吉氏が教授をつかまえて伴って来る。診察後、これは脳溢血《のういっけつ》の発作ではない、脳血管の痙攣であるから、今どうと云う心配はないと云われる。そして一日二回、朝夕二〇%ブドウ糖二〇cc、ビタミンB_1一〇〇ミリ、ビタミンC五〇〇ミリの注射と、就寝前三〇分アダリン二錠ソルベン*四分の一錠、投与の指示がある。今後当分約二週間は安静を旨とし、面会謝絶を続けている方がいいこと、入浴は暫く見合わせ、余程気分のいい時を見計らって入浴すること、床を離れるようになっても最初は先ず室内を歩く程度にすること、体の調子を見て天候のうららかな日を選びポツポツ庭を散歩するくらいはいいが、外出は厳禁、出来るだけ精神をぼんやりさせるようにして物事を深く考え込んだり思い詰めたりしないこと、日記をつけることは絶対不可であること、等綿密な注意がある。……

……………………………………………………………

勝海《かつみ》医師病床日記抜萃《ばっすい》

十二月十五日　晴一時濃煙霧後晴

主訴。胸内苦悶《くもん》の発作。既往歴。三十年来血圧が高く、最高血圧一五〇——二〇〇、最低血圧七〇——九五。時として最高二四〇ぐらいに達したこともある。六年前に卒中発作に罹《かか》り、以後軽い歩行の障害がある。最近数年来左上肢特に手首から先に神経痛様の疼痛《とうつう》があり、寒さに当ると増強する。若い頃性病をわずらったことがあり、酒も一升近く嗜《たしな》んだが、最近では飲んでも猪口《ちょこ》に一二杯程度。煙草は昭和十一年以来廃している。

現病歴。約一年前から既に心電図上ST*の降下、T波の平低化等、心筋傷害を疑わせる所見が見られたが、最近まで特に心臓についての訴えはなかった。十一月二十日、激しい頭痛、痙攣《けいれん》、及び意識障害の発作があり、梶浦教授に脳血管の痙攣と診断され、その指示に従い経過は順調であったが、同三十日、患者の嫌《きら》いな娘と論争したことがあり、その時左前胸部に軽い苦悶感を十数分間感じ、以来同様の発作が頻発《ひんぱつ》するようになった。当時の心電図には一年前に比べ著変が見られない。十二月二日夜、排便時に力《りき》んだところ、心臓部に五十分以上にわたって激しい締めつけるような疼痛がおこり、最寄《もよ》りの医師の往診を受けたが翌日の心電図検査に依り、胸部誘導*に前壁中隔梗《こう》塞《そく》*を疑わせる所見が見られた。同五日の夜にも同様の強い発作が十数分にわたっておこった外、毎日小さい発作が頻発している。元来便秘がちで、排便した後《あと》で発作がおこり易《やす》い。発作に対しては今まで医師からP剤Q剤の服用、酸素吸入、鎮静剤、パパベリン*の注射等を受けている。十二月十五日当科（東大内科）A号室に入院。主治医S氏及び若夫人より病気の経過を聞き、軽い診察をする。患者はやや肥満し、貧血、黄疸《おうだん》*はなく、下腿《かたい》に軽度の浮腫《ふしゅ》が見られる。血圧一五〇——七五、脈搏九〇で速く、整。頸部《けいぶ》に静脈怒張*を認めず。胸部では両側肺下野に軽い湿性ラッセル音*を認め、心臓は肥大せず、大動脈弁口*で軽い収縮期性雑音*を聴取する。腹部で肝、脾《ひ》を触《ふ》れず*。右側上下肢に軽い運動障害があると云うが、粗大力減弱*はなく、異常反射*も証明されない。膝蓋腱《しつがいけん》反射*は両側とも同程度に減弱している。

脳神経領域には異常を認めず、家族はしゃべるほうは普通だと云うが、患者自身は卒中発作以来すこしおかしいと云っている。主治医のS氏から、患者は人より薬に敏感で、常用量の三分の一か二分の一でよく効き、普通量使うと強すぎると注意され、若夫人から、以前静脈注射で痙攣をおこしたことがあるので血管注射はしないようにと云われる。

十六日　晴一時曇

入院して安心した為か昨夜は発作もなく、よく眠れたと云う。朝方になって上胸部に軽い苦悶感が数秒ずつ数回あったと云うが、神経性のものかも知れない。便秘をしないように緩下剤《かんげざい》の服用をすすめる。患者もそれに気附いて既にバイエルのイスチチン*Istizinをわざわざドイツより取り寄せて用いている。患者は長年高血圧や神経痛を患《わずら》ったので、薬のことは大変よく知っており、うかうかすると新米の医師は負けてしまう。ベッドの囲《まわ》りにはいろいろな薬が置いてあり、特に処方を出す必要もなく、その中からP剤Q剤を続けて服用するように云う。又発作のおこった時は、これも患者持参のニトログリセリン*錠を舐《な》めるように指示する。患者の枕元に酸素吸入器も具《そな》え、直ぐに注射出来るようにして置く。血圧は一四二――七八、心電図には三日とほぼ同様、ST・Tの異常と、前壁中隔梗塞を疑わせる所見が見られ、胸部レントゲン写真では心臓肥大*はあまりなく、動脈硬化像が見られる。血沈促進*、白血球増多*、S・GOT値*の上昇を認めない。以前から前立腺《ぜんりつせん》肥大があり、排尿の時に難渋したり、尿が混濁したりすると云うが、今日のは清澄で蛋白《たんぱく》*もなく、糖が弱陽性である。

十八日　晴後曇

入院以来まだ強い発作は見られない。発作の性状は主として上胸部又は左前胸部の苦悶感で、それも数分以上続くことは稀《まれ》である。寒いと神経痛が痛む上に、心臓の発作もおこり易《やす》く、病室のスチームは頼りにならないので、電気やプロパンガスのストーブを二つも三つも持ち込んでいる。

二十日　薄曇後晴

昨夜八時頃心窩部《しんかぶ》*より胸骨背面にわたって、苦悶感が三十分位つづく。ニトログリセリン錠と当直医師の鎮静剤、冠拡張剤*の注射で間もなくおさまる。心電図は前回と特に変っていない。血圧一五六――七八。

二十三日　晴後時々曇

軽い発作が毎日ある。尿に糖が出ているので、今朝は朝食に充分な米飯とおかずを食べて貰い、その後の血糖値を調べて糖尿病*の有無を検査する。

二十六日　日曜　晴一時曇

午後六時頃左前胸部に強い苦悶感がおこり、十数分以上つづいていると、病院から電話で呼ばれる。緊急の処置を当直医に依頼し、午後七時頃馳《か》けつける。血圧一八五――九七、脈搏九二、整。鎮静剤を注射し間もなく落着く。日曜日は受持医がいないので不安になるためか、発作が多いようである。発作時は血圧が高くなる傾向がある。

二十九日　晴一時あられ濃煙霧後晴
ここ暫《しばら》く強い発作は見られない。ベクトル心電図*でも前壁中隔梗塞の疑いがある。血清ワ氏反応*は陰性。明日よりアメリカから来たばかりの新しい冠拡張剤Rを使うことにする。
三十六年一月三日　晴後曇後雨
新しい薬が効いているのか経過はいいようである。尿が混濁して来たと云う。顕微鏡で見ると白血球が無数に出ている。
八日　晴一時濃煙霧後晴
泌尿器科《ひにょうきか》K教授の往診を受ける。前立腺肥大及び残尿のための細菌感染が見られ、前立腺のマッサージと抗生物質の投与で様子を見るようにと云われる。心電図に軽度の改善が見られる。血圧一四三――六五。
十一日　晴れたり曇ったり
二、三日前から腰部に疼痛を訴えていたが、次第に痛みが強くなり、これをこらえていたところ、午後になって両側胸部に締めつけられる様な痛みがおこり十数分続く。最近で一番強い発作である。血圧一七六――九一、脈搏八七。ニトログリセリン錠、冠拡張剤、鎮静剤の注射で間もなくおさまる。心電図には新しい病変の所見は見られない。

十五日　晴

昨日のレントゲン写真の結果は変形性脊椎症《せきついしょう》と云う診断である。腰があまり曲らぬ様にした方がよいと云うので、腰部にアイロン台*を入れ、ベッドの中に体が落ち込まぬようにする。

中略

二月三日　快晴

心電図も大部よくなり、最近は小さい発作も殆《ほと》んどおこらない。この分では近く退院出来るだろう。

七日　晴れたり曇ったり

軽快退院。今日は二月としては珍らしく暖い日である。寒いのは禁物だから、昼からの一番暖い時を選んで暖房車で送る。卯木《うつぎ》氏の家では主人の書斎を大きなストーブで暖ためていると云うことである。

城山五子《いつこ》手記抜萃

去年十一月二十日に脳血管の痙攣《けいれん》で倒れた父は、その後間もなく狭心症、心筋梗塞《しんきんこうそく》を患《わずら》い、同年十二月十五日東大病院に入院したが、勝海《かつみ》先生のお蔭《かげ》で辛《かろ》うじて危険状態を脱し、本年二月七日五十日余で退院することが出来、狸穴《まみあな》の宅に帰った。しかし狭心症は全く治癒《ちゆ》した訳ではなく、その後も時々軽い発作があり、今になっても折々ニトログリセリンの厄介になっている。そして二月から三月一杯寝室から一歩も出たことはなかった。佐々木看護婦は父の入院中も卯木家にいて母の看護に当っていたが、父が退院すると又父の係となって、三度の食事から大小便の世話をしたが、時々お静も手伝っていた。

私は京都の家にいても近頃はこれと云う用事もないので、一カ月の半ばは狸穴で暮し、佐々木看護婦に代って母の病床に侍《はべ》った。父は私の顔を見ると御機嫌が悪いので、なるべく父に見られないようにした。その点は陸子《くがこ》も私と同じである。

颯子《さつこ》の立場は甚《はなは》だ微妙で、かつ困難なものであった。井上教授の注意に従って、努めて父にやさしい態度を示すようにしていたが、余りやさしくし過ぎたり、長時間枕頭《ちんとう》に侍っていたりすると、父は往々感激して興奮する。颯子が病室にいた後《あと》で、父が発作をおこすことはしばしばあった。されぱと云って、彼女が日に何回か病床に姿を見せなければ、病人がそれを気にすることは必至であり、そうなれば病勢を悪化させる結果となる。

父も颯子と同じような微妙な心理状態にあった。狭心症の発作は非常な苦痛を伴うので、父は死を恐れないと云いながらも、死に至るまでの肉体の苦痛は恐れた。だから颯子に余り親しくされることは避けるように、内々努めている様子があったが、しかし全然会わずにはいられなかった。

私は浄吉夫婦の住んでいる二階には行ったことがない。が、佐々木看護婦の語るところでは、颯子は近頃夫の部屋では寝ていないらしい、泊り客のために用意してあるスペーアの室に自分の寝間を移しているらしいと云う。たまには春久も、こっそり二階に上り込んでいることがあるとも云う。

或る日、私が京都に帰っていた時、突然父から電話がかかった。何用かと思うと、先般颯子の足の拓本《たくほん》(色紙《しきし》)を竹翠軒《ちくすいけん》に預けたままにしてあるから、あれを受け取って、この間の石屋に示し、あれを仏足石のように刻ませてくれ、と云うのである。大唐西《だいとうさい》域記《いきき》*に依れば、お釈迦様の足跡《あしあと》が今も摩掲陀国《まかだこく》に遺《のこ》っているが、足の長さが一尺八寸、広さが六寸、両足に輪相《りんそう》があるとしてある。颯子の足の裏も、輪相は描かなくてもいいが、長さはあの形のままで一尺八寸に拡大して貰いたい。是非そのようにお前から注文してくれと云う。そんな馬鹿気た注文を、頼める筈《はず》のものでもないから、私はいい加減に聞いて一旦電話を切り、

「石屋の主人は九州地方へ旅行中だそうで、後日返事をするそうです」

と、答えて置いた。すると数日後、又父から電話があって、それなら拓本全部を東京へ送ってくれと云う。私は云われる通りにした。

拓本が到着した旨を佐々木看護婦からやがて知らせて来た。父は十数枚の拓本の中から、出来のいいのをあれかこれかと四五枚選び出して、一枚々々熱心に、何時間でも飽かず眺めて暮している、又興奮させてはと思ったが、それをも禁止する訳に行かず、颯子に直接触れるよりは、まあこんなことで満足させて置く方がいいと考えてそのままにしている、と看護婦は云った。

四月中旬になってから、好天気の日には庭を二三十分ぐらい散歩するようになった。大概看護婦がお供をしたが、稀《まれ》には颯子が手を曳《ひ》いていることもあった。嘗《かつ》て拵《こしら》えてやると約束をしたプールの工事がもうその頃始まって、庭の芝生《しばふ》が掘り返されていた。

「拵えたって無駄だわよ、どうせ夏になればお爺ちゃんは日中に戸外へなんぞ出られ

やしないわ、無駄な費用だから止めた方がいいわ」

と、颯子が云うと、浄吉が云った。

「約束通りプールの工事が始まっているのを、眺めるだけでも親父《おやじ》の頭にはいろいろな空想が浮ぶんだよ。子供達も楽しみにしているしね」

注解

鍵

ページ

八 ＊夫婦生活　性生活（房事）・閨房のこと。

一一 ＊腺病質《せんびょうしつ》　結核にかかりやすい弱々しい体質という程度の意味で用いられる。

一二 ＊島原　京都市下京区島原西新屋敷にあった遊廓。昭和三十三年四月に売春防止法が施行され、芸妓街になった。

＊嫖客《ひょうかく》　花柳街で遊ぶ客。

一三 ＊fetishist　フェティシスト。異常性欲者・性倒錯者の一種。異性の肉体の一部（毛髪・手・足・指・爪・耳など）や、異性が身につけている物（靴・靴下・下着・ハンカチ・指輪など）、あるいは異性の象徴となるもの（コイン・皮革・毛皮など）に性的欲望を抱く者。

＊ヒメハジメ　暦の正月二日の欄に記されていた暦注の一つ。晴れの食品である強飯《こわめし》に対して、日常の柔らかい飯である姫飯《ひめいい》を食べ始める日の意味だったようだが、男女の秘め事を始める日という俗説が一般に通用し、ここはその意味。

一六 ＊慎レ独《ひとりをつつしむ》　中国の儒教の古典『大学』や『中庸』にある言葉。君子は人前だけでなく、独りで居る時にも言行を慎み、道にそむかないようにする、ということ。

＊メソッド　〔method（英）〕方法。

一七 ＊据え膳　「すぐ食べられるようにして目の前に据えられた食膳」の意だが、ここでは、自分は何もしないで人に準備させ、結果だけ手に入れようとすることの喩え。

一九 ＊フォークナー 〔William Faulkner〕（一八九七—一九六二） アメリカの小説家で、一九四九年度のノーベル文学賞を受賞。昭和三十年八月に日本を訪れた。『サンクチュアリ（Sanctuary）』はそこへ逃げ込めば法律の力が及ばなかった中世の教会などの聖域・避難所の意味で、一九二九年作。性的不能者のギャングが、女学生をトウモロコシの穂軸で強姦したり、別の男に彼女とセックスさせて眺めるなど、衝撃的な部分があり、『鍵』の内容とも関連する。日本では昭和二十五年に翻訳が刊行された。

＊「麗《うるわ》しのサブリナ」 昭和二十九年製作、オードリー・ヘップバーン主演のアメリカ映画。恋愛物語。同年九月に日本でも封切られた。ヘップバーンは、同年春に封切られた「ローマの休日」で、日本でも人気スターとなっていた。また、この映画で用いられたトレアドル・パンツはサブリナ・パンツとも呼ばれ、日本でも大流行し、女性がスラックスをはくことに抵抗感が無くなって行くきっかけとなった。

＊シェリーグラス 〔sherry glass（英）〕 南スペインの山ブドウで作られる白ブドウ酒シェリーを入れる台付きの小さなグラス。テーブル・スプーンで4杯分ぐらいしか入らない。

二〇 ＊ジェームス・スチュアート 〔James Stewart〕（一九〇八—九七） アメリカの人気映画スター。日本でもこの頃、「地上最大のショウ」（昭和二十八年）、「グレン・ミラー物語」（二十九年）、「裏窓」（三十年）などの主演作が上映された。

二一 ＊キネマスコープ 〔Cinema Scope（英）〕 アメリカの二十世紀フォックス社が、テレビの流行に対抗して開発した、立体音響・大画面映画の商標名。日本では昭和二十八年十二月に初めて公開された。

二三 ＊鱲子《からすみ》 ボラの卵巣を塩漬けにして干し固めた食品。形が中国の墨（唐墨）に似ているため、この名がある。酒の肴《さかな》などにする。長崎県西彼杵《そのぎ》郡野母崎《のもざき》町の鱲子は、越前のウニ、三河のコノワタとともに天下の三珍と謳《うた》われたものである。
＊到来　贈り物が届くこと、または、その贈り物。
＊錦《にしき》ノ市場　錦小路通りに面して、東は寺町通りから西は高倉通りまで、四百メートルにわたって魚・乾物・青果・漬け物などを扱う店百三十軒余りが軒を連ね、京都の台所と言われるアーケード街。
＊鮒鮨《ふなずし》　腹開きにして内臓を出した鮒を塩漬けにして自然発酵させたなれ鮨。普通の鮨とは異なり、魚だけを食べる。発酵させるため、癖のある強い匂いがある。

二四　＊両刀使イ　酒と甘い物と両方が好きな人。

二六　＊極量《きょくりょう》　劇薬・毒薬などの、一回または一日に使っても害のない最大の量。この場合は飲める酒量の限界。
＊人事不省　全く意識を失うこと。昏睡状態に陥ること。

二八　＊ヴィタカンフル〔vitacamphor〕　カンフル（樟脳《しょうのう》）を飲ませた犬の尿から作る。重症者の血行を促進させ、心臓麻痺《まひ》を防ぐために注射する。

三〇　＊蛍光燈　昭和二十八年頃から一般家庭に普及した。当時の蛍光灯は、今のものより光がはるかに青白かったため、白い裸体を照らせば青白く死体のように見えたことに注意すべきである。

三二　＊中宮寺ノ本尊　奈良県生駒《いこま》郡斑鳩《いかるが》町にある中宮寺の本尊。寺の伝承では如意輪観音とされて来たが、近年は飛鳥《あすか》時代に造られた弥勒《みろく》菩薩と推定されている。本来の仏教には、女性の仏や菩薩は存在しないが、観音は女性のイメージで捉えられる場合があるので、主人公も女性像として見ている。

三四　＊ルミナール〔Luminal（独）〕　ドイツのバイエル社が創製した催眠薬の商品名。カドロノックスも催眠薬の商品名だが未詳。

三六　＊スリースターズ〔three stars（英）〕　ブランデーは普通、白ブドウ酒を蒸留して熟成させ、ブレンドして作る。熟成年数の多いものほど美味で、価格も高い。製品は普通、ブレンドした原酒の内、最も古いものの熟成年数をラベルに表示する。表示方法は銘柄によって異なるが、三つ星（スリースターース）で三～五年、VSOP（very superior old pale）で十年内外、XO（extra old）あるいはナポレオン（Napoleon）で二十年内外、エキストラ（extra）で三十年以上など、記号や略称で区別される。

三七　＊クルボアジエ〔Courvoisier〕ブランデーの商品《ブランド》名。世界的に有名なフランスのブランデー会社、クルボアジエ社の製品。

四〇　＊イソミタール〔Isomytal〕日本新薬の催眠・鎮静薬。

＊タブレット〔tablet（英）〕錠剤。

四三　＊以心伝心　言葉によらずに、心から心に伝わること。

＊同志社　明治八年、新島襄によって創設された同志社英学校に始まるキリスト教主義の私立大学。京都市上京区今出川通烏丸東入にある。同志社女子大学と共学の同志社大学とが隣接してあるが、本文からはどちらとも決めかねる。

四四　＊中風　脳出血・脳梗塞などによる半身不随。

＊出教授　先方へ出かけて教えること。

四五　＊ポーラロイド　白黒のインスタント写真は一九四八年、カラーのインスタント写真は六三年に、いずれもアメリカのポラロイド社のランドによって発明・商品化されたのが最初で、ポラロイド写真、ポラロイド・ランド・カメラの名で知られる。

＊スチル写真　スチル〔still（英）〕は「静止した」の意。映画用フィルムのように、画像が動く写真に対して、普通のカメラで撮った静止写真を言う。ちなみに、NHKの大相撲中継でスローモーション・フィルムが取り組み解説に用いられたのは、昭和三十二年秋場所から。

＊手札型　写真のフィルム・印画の型の一種。縦約十一センチ、横約八センチで、名刺型の倍、キャ

ビネ型の半分の大きさ。

四六　＊印画紙　写真の焼付けや引伸しに使う感光紙。普通の写真では、フィルムを現像してから、別の印画紙に焼き付けるが、ポラロイド写真では、ネガフィルムと印画紙が貼り合わされており、その間に画像処理液の入った袋が挟み込まれている。撮影されたフィルムは、コマ送りされる際に、カメラ内の二本の圧力ローラー間を通るため、袋が破れて画像処理液がフィルムと印画紙の間に広がり、写真が完成する仕組みになっている。

＊臍《へそ》の緒《お》書　臍の緒は、母体と胎児を繋《つな》ぐものであり、一般に干して産毛と共に紙に包んで水引を掛け、名前・生年月日を記してその子の守り神として保存する。臍の緒については、嫁に行く時に持たせるなどの習俗がある。

四七　＊雁皮紙《がんぴし》　ガンピという西日本に野生する落葉低木の樹皮を原料とする紙で、楮紙《こうぞがみ》と共に和紙を代表する。数量では楮紙より劣るが、光沢のある紙で虫害が少なく、長い保存力をもつ点から高い評価を受け、料紙など高級紙に活用されてきた。

＊袋綴《ふくろと》じ　書物の装丁の仕方。紙を一枚一枚二つ折りにし、重ねて、折り目でない方を綴じたもの。一紙一紙が底ぬけの袋状になるところから袋綴じの称がある。

＊矢立《やたて》　墨壺と毛筆入れから成り、江戸時代、帯に挟んで持ち歩いたもの。装飾を施した高級品もある。墨壺はパンヤ・もぐさ・綿などに墨汁を染み込ませたもので、乾けば水で溶いて用いる。

＊朝日会館　京都市中京区河原町通り三条上ルにある映画館。正式には京都朝日会館と言う。当時は洋画封切り・定員厳守制で、京都の最高級館だった。

四八　＊「赤と黒」　スタンダールの原作に基づく甘い恋愛物語としてフランスで製作。町長レーナル氏の邸に住み込んだ家庭教師ジュリヤン・ソレルと、レーナル夫人との不倫の恋が出て来る点で、『鍵』の内容とも関連する。正月用娯楽映画として昭和二十九年十二月に封切られ、興行成績は良かった。

四九 *赤口《しゃっこう》　先勝・友引・先負・仏滅・大安とともに、日の吉凶を見るのに使われる六曜星の一つ。赤口神が衆生を悩ますため、何事をするのも悪い凶日だが、正午のみは吉とされる。

*田中関田町《せきでんちょう》　京都市左京区の町名。田中は元下鴨神社の神領だった一画。関田町は、今出川通りを挟み、南北に広がっている。同志社大学・女子大学からは一・五キロぐらいの距離。

*百万遍《ひゃくまんべん》　左京区田中門前町にある知恩寺の寺号。後醍醐《ごだいご》天皇の時代に、住職の善阿上人《しょうにん》が、念仏を百万遍唱えて疫病を消滅させたことから「百万遍」の号を賜ったと言う。今出川通りと東大路通りの交差点に近い事から、この交差点をも百万遍と呼んでいる。

*田中門前町　町名は知恩寺の門前町という意味。田中関田町からは二、三百メートルしか離れていない。

五二 *スコッチ　〔Scotch〕アメリカの Minnesota Mining and Manufacturing（略称3M）社のセロファンテープの商標名。

*奉書《ほうしょ》　奉書紙の略。楮《こうぞ》を原料とし、白土などを混ぜて漉《す》いた厚手・純白の高級和紙。奉書とは、主君の意を家臣が奉《うけたまわ》って伝える形式の文書。奉書紙は、奉書に多く用いられたことから付いた名前である。なお、「ももける」は、けば立つこと。「胡粉《ごふん》」は板甫牡蠣《いたぼがき》という貝の殻から作る白色顔料。

五三 *レンジ・ファインダー　〔range finder（英）〕（銃・カメラなどの）距離測定器・距離計。ファインダー（覗《のぞ》き窓）に距離計の機能を持たせたもの。

五八 *ファナチック　〔fanatic（英）〕狂信的。熱狂的。

五九 *ツワイス・イコン　〔Zeiss Ikon〕ドイツの精密光学機器メーカー・カール・ツァイス社の傘下企業の一つだが、ここでは同社製のカメラを言う。ツァイス社の高級一眼レフカメラ〈コンタックス〉は、一九三二年に距離計を組み込み、ピント調節と連携させたいわゆる連動距離計を初めて導入した。また、一九五〇年、東ドイツのツァイス・イコン社が発表した〈コンタックスS〉は、カメラを腰の高さに保持して見る従来のウェストレベル・ファインダーに代わり、ペンタプリズム（面のなす角が九〇度の屋根型反射面を持ち、入射光線と反射光線とが九〇度をなす五角形のプリズム）を用いて目の高さで使用できるアイレベル・ファインダーを初めて導入したことで知られる。

六一　＊不義　正義・道義・義理に反すること。この場合は、男女の道にはずれた関係。姦通。

＊臘梅《ろうばい》　早春、直径二センチほどの黄色い花を着ける落葉低木。中国原産。梅の一種ではないが、梅と同じ時に、梅に似た薫りの、蜜蠟に似た色の花を着ける所からこの名が付いたと言う。

＊侘助《わびすけ》椿《つばき》　椿の一種。花が一重で小さいもの。豊臣秀吉の朝鮮出兵の時、侘助という者が持ち帰ったのが名前の由来と言う。

六五　＊デポ〔depot（英）〕　貯蔵場所の意味だが、医学用語としては、薬液を脂溶性にして、皮下や筋肉内に注射することによって、薬が徐々に吸収され、薬効が長く持続するようにすることを言う。例えば、性ホルモンなどは、通常は毎日少量ずつ注射しなければならないが、この方法だと、毎月一回注射するだけでよい。当時、アメリカのアップジョン社の「デポ男性」という男性ホルモン・テストステロンのデポ用注射液が、日本でも売り出されていたので、ここではそれを指すものと思われる。

＊脳下垂体前葉ホルモン　睾丸《こうがん》における精子形成は、脳下垂体前葉から分泌された卵胞刺激ホルモンＦＳＨと、睾丸から分泌される男性ホルモン・テストステロンの刺激下に行われる。「デポ男性」のテストステロンに脳下垂体前葉ホルモンを加えることで、性的能力を高めようとしたのであろう。

六七　＊目地　煉瓦《れんが》、コンクリートブロック、タイルなどを積んだり張ったりした時に出来る継ぎ目。

六八　＊吉田牛ノ宮町　左京区の町名。東大路通りを挟んで京都大学と向かい合う。このことから、主人公は京都大学教授と推定される。

七二　＊亀《き》鑑《かん》　「亀」は甲羅を焼いて占うもの、「鑑」は鏡で、行為判断の基準。転じて、手本・模範の意となる。

七四 ＊杯盤狼藉《はいばんろうぜき》　酒宴の後、杯《さかずき》・皿・鉢などが散乱している様子。

七五 ＊小型ノ六十円ノ車　小型タクシーは昭和二十三年頃、出現し、最初の二キロの乗車賃が、普通タクシーの百円に対して六十円と安かったため、二十六年頃から急速に普及した。

七六 ＊第四次元　空間の三次元に時間の一次元を合わせたもの。われわれが住んでいる世界も四次元だが、SFなどでは、「四次元」をわれわれの世界と異なる奇怪なという意味合いで使うことが多い。

＊忉利《とうり》天《てん》　仏教の世界観で、世界の中心に聳《そび》え立つ高山・須弥《しゅみ》山《せん》の頂上に有るという帝釈天の住む天界。

七七 ＊かしわ　鶏肉の総称。関西の言葉。元は、羽毛の色が柏の葉の様な茶褐色の鶏の俗称と言う。

＊百目　目は匁《もんめ》の略で、尺貫法における重量の単位。一匁が約三・七五グラム。

＊二月堂の卓　東大寺の二月堂で、修二《しゅに》会《え》の時に僧たちが食事をするのに用いられているのと同じ形の机。二月堂机。

＊カンテキ　関西言葉で七輪《しちりん》のこと。ただし、ここでは木炭を使う土製の七輪ではなく、都市ガス用のこんろを指す。

七九 ＊上りはったから　「はる」は京言葉で、軽い尊敬の意を表す。

八一 ＊鴨川タキシー　架空の会社名。

八二 ＊齕噬《こつぜい》　齕《こつ》も噬も嚙むこと。

八三 ＊一二尺　尺は尺貫法の長さの基本単位。一尺が約三〇・三センチ。

＊神経衰弱　神経系統の疲れによって、刺激に対して異常に敏感になる症状。感情の発作的急変、苦悩・煩悶《はんもん》、記憶力減退、不眠症などを起こす。不安定な環境で起こりやすい。

八六 ＊イヤゴー　〔Iago〕シェークスピアの戯曲『オセロ』に登場する人物。ヴェニスの将軍オセロの旗手だったが、さしたる理由もなくオセロに敵意を抱き、偽りの告げ口で、オセロの妻デズデモーナが浮気をしていると言葉巧みに信じ込ませる。結果、オセロは妻を殺してしまうが、後に真実を知り、自殺する。

八七　＊複視現象　一つのものが二つに見える現象。眼筋や神経の異常によって眼球の運動が悪くなり、眼の位置にずれを生じるために起こる。

八八　＊補腎ノ薬　強精薬のこと。漢方医学では、〈腎〉が精液（腎水）をつくる臓器とされていたことから。

＊コイトス〔Koitus（独）〕性交。

＊ルチンC〔Rutin C〕エーザイと三和製薬から発売されている薬品名。ルチンは毛細血管強化作用を示し、高血圧による脳溢血《のういっけつ》予防と治療に有効な成分。ルチンCは、ルチンに脳溢血防止作用のあるビタミンCを配したものである。

＊セルパシール〔Serpasil〕スイスのチバ社の血圧降下剤。

＊カリクレイン〔kallikrein〕生体内にある酵素の一種。医薬品としては、豚の膵臓《すいぞう》から分離・精製されたものを使う。強い血管拡張作用によって血圧を下降させる。バイエル社からカリクレイン・デポが発売されている。

九〇　＊嵐山電車の大宮終点　京福電鉄嵐山線の終点駅・四条大宮のこと。

＊嵐峡館　西京区嵐山元禄山町十一にある嵐山温泉の著名旅館。渡月橋から約一キロ上流にある。

＊渡月橋　大堰《おおい》川に掛けられた長さ百八十メートルの鉄桁鉄筋コンクリート製の橋で、昭和九年五月竣工。大堰川は、保津川の下流で、嵐山を流れる時の名称。渡月橋から下流は桂川と呼び、淀川に合流する。

＊天竜寺　右京区嵯峨天竜寺芒《すすき》ノ馬場町にある臨済宗天竜寺派本山。貞和元年（一三四五）、足利尊《あしかがたか》

氏《うじ》が後醍醐天皇の冥福を祈るために建てた。京都五山の一つ。庭園は、夢窓疎石の作である。

＊百万遍で電車を下りる　当時の市電で、四条大宮から祇園《ぎおん》を経由して百万遍まで乗ったということ。京都の市電は、今は廃止されて無い。

九二　＊女学生時代　高等女学校の生徒だった時代。高等女学校は、戦前にあった四年ないしは五年制の女子中学校。戦前は、女子教育が軽視されており、高等女学校への進学率は一割前後と低く、高等学校・大学には、原則として女子の入学は認められなかった。なお、戦前の日本では、女性が洋服を着ることは珍しく、高等女学校の制服として、セーラー服を着るのがその数少ない機会となっていた。

＊インチ　〔inch（英）〕ヤード・ポンド法の長さの単位。一インチは二・五四センチ。

＊グレンチェック　〔glen check（英）〕「チェック」はチェス盤のような格子柄模様、「グレン」は峡谷を意味する。グレンチェックは、数本の縦縞の束と、同数の横縞の束で大きな格子を作った中に、細かな格子模様を配した模様。元は一八四〇年代に、シーフィールド伯夫人が、アーカートの峡谷にあった自分の領地のためにデザインさせたもの。男女のスーツ地として愛用される。

＊モード・エ・トラヴォー　〔Modes et Traveaux〕フランスの月刊服飾雑誌。婦人服・子供服・手芸・編物・料理など家庭婦人向きの編集で、型紙または手芸の図案付きと、実用的で安価な雑誌。

九三　＊一万円　昭和三十年には大卒初任給が八〜九千円だったので、今なら二十万円以上に当たろう。

九五　＊ミディアム　〔medium（英）〕媒介物・媒介手段。

＊藤井大丸　下京区四条寺町角にあるデパート。

九八　＊五六間　一間は約一・八メートル。

＊西向キニ　吉田牛ノ宮町に戻るためには、四条通りを東向きに進む方が近い。

＊東山　京都市の東縁に連なる南北の山並み。主峰の如意ヶ岳で四百七十メートル。ここではその西

麓に当たる、北は銀閣寺から哲学の道を経て、南禅寺・八坂神社・清水寺あたりを指すものと思われる。四条通りが京都の中心的な繁華街であるのに対して、緑豊かで閑静な地帯。

＊アクセサリー　アクセサリー専門店は昭和二十六年にブームとなった。イヤリングは昭和二十九年から流行。しかし、昭和三十四年十月十日に京都の河原町で大人の洋装女性について調査した所、アクセサリー（ネックレス、ペンダント、ブローチ、イヤリング）を付けていた女性は二八・九パーセント、イヤリングを付けていたのは五〇六人中二人だけだったと言う。

九九　＊茶羽織　女性が着る、たけが腰のあたりまでの短い羽織。昭和二十七年九月から流行。

＊芥川龍之介ノ書イタモノ　『上海游記』の十七「南国の美人（下）」に、中国人女性の耳を称讃した一節がある。

一〇〇　＊西洞院《にしのとういん》　烏丸通りと堀川通りの中間にある南北の通り。

＊いべき　助動詞「べし」は、古来、活用語の終止形に付くのが普通であるが、上代・中古には、上一段活用の動詞の場合、連用形に付き、それが後世にも受け継がれる場合があり、室町時代以降は、その他の一段・二段活用の動詞の場合も、連用形に付く例が少なくない。この例では、上一段動詞「居る」の連用形に付いている。

一〇二　＊寒心　肝《きも》を冷やすこと。恐れてぞっとすること。

一〇六　＊レースノ手袋　昭和二十八年の流行。

一〇七　＊旧京阪　京阪電気鉄道およびその路線の通称。ここでは三条大橋の東詰めから大阪の天満橋に至る鴨東線を指す。京阪線は明治四十三年に開業し、昭和五年九月、新京阪を併合。昭和十八年、戦時下の企業整理により、阪急と合併して京阪神急行電鉄となった。昭和二十四年、阪急と分離して、元の京阪に戻ったが、その際、新京阪は阪急に合併され、阪急京都線となった。京阪における特急電車の運行は、昭和二十五年九月からである。

一〇九　＊アプレ　戦後を意味するフランス語・アプレゲール〔après-guerre〕の略。第二次世界大戦後の混乱の中、享楽的・無頼・ニヒル・軽薄・軟弱・デカダンなど、それまでの道徳や良識から外れた青年の行動傾向について言われた。

＊待合　芸娼妓を呼んでする遊興や、男女の密会のために部屋を貸す店。待合茶屋。

＊温泉マーク　男女のアベック客専門の宿屋。連れ込み宿。戦後の混乱期には、風呂のない旅館が多く、その中で風呂のある旅館が「内湯あり、〇〇旅館」と書き、温泉マークのネオンや看板を掲げたのが始まり。

一一一　＊間然スベキトコロハナカッタ　非の打ち所がなかった、の意。

一一二　＊黒谷　左京区岡崎黒谷町にある浄土宗金戒光明寺の通称。安元元年（一一七五）に結ばれた法然の庵室に始まる。

＊永観堂　左京区永観堂町にある浄土宗禅林寺の通称。貞観五年（八六三）創建。紅葉の名所でもある。

＊和服ヲ洋服ノヨウニ着コナスヿ　昭和二十五年に始まったニュー・キモノなど、洋服の感覚を和服に取り入れようとした動きを指す。ツーピースの和服などが作られた。谷崎潤一郎は、『老いのくりこと』（昭和三十年）の中で、「茶羽織の下に、帯から下をタイトスカートと同じ狙いの裁ち方にした服を着て、ハイヒールのエナメルの草履を履いて歩くことが流行しだしたが、あれは和服とは違った美しさで、洋服以上に脚線美を発揮できる」としている。

一一三　＊きぬさや　豆が成長する前の若いさやを食用とするサヤエンドウの一種。

一一四　＊疏水《そすい》　琵琶湖から京都市内に向けて引かれた水路。滋賀県大津市三保ヶ崎で取水し、京都市東山区蹴上《けあげ》に出る。蹴上からは西に向かい、鴨川東岸を南流して伏見に至るが、別に支線として、蹴上から哲学の道に沿って東山山麓を北上し、下鴨を西流して堀川に至るルートがある。ここでは支線の方を指す。

*法然院　銀閣寺から哲学の道に沿って南へ五百メートルほど行った左京区鹿《しし》ヶ谷《だに》にある浄土宗寺院。鹿ヶ谷の地は法然が修行をした旧跡であるが、その後久しく荒廃、延宝八年（一六八〇）に復興されたのが、現在の法然院である。境内の墓地には、河上肇・谷崎潤一郎・内藤湖南・九鬼周造・福田平八郎・稲垣足穂などの学者・芸術家の墓がある。

*ミモザ〔mimosa（英）〕イギリスで、フランス南部から切花として輸入されるフサアカシアがミモザと呼ばれることから、日本でもフサアカシアのことを言う。常緑の高木で、葉は羽状、花は早春、多数が房状につき、鮮黄色。本州の関東地方以西の沿海部で、庭園樹・緑化樹として植栽される。

一一七　*アクロバット〔acrobat（英）〕軽業師。ここでは、当時のストリッパーが行っていたアクロバティック・ダンスを念頭に置いているのであろう。

一一九　*ヘット焼　ヘットはオランダ語 vet で牛脂。ヘット焼きは、牛肉を厚く四角に切ったものを牛脂で焼き煮にして、内部がビフテキのように赤いまま、大根おろしを付けて食べる。大阪の「本みやけ」という店が始めたものと言う。

一二三　*二貫目　貫（貫目）は尺貫法における重量の単位。一貫が約三・七五キログラム。

*走り　台所の流し。

一二四　*対光反射　光の強さに応じて瞳孔の大きさを変える作用。「反射」とは、意識とは無関係に機械的・規則的に生じるもので、刺激が一定の神経経路を通して反射中枢に送られ、反射中枢で形成された出力信号がさらに筋肉や腺に送られて反応を起こすものである。この場合は、光の刺激が中脳の視蓋前域に達すると、そこから瞳孔括約筋に信号が送られる。対光反射が起きないとすれば、中脳の障害が疑われる。

一二五 ＊バビンスキー反射　脳・脊髄の錐体路系（随意体性運動神経系の中枢伝導路）に出血・炎症・腫瘍等による障害がある患者に見られる病的な皮膚反射で、足の裏の外側部を針のようなもので強くこすると、足の指、特に親指がゆっくりと甲の方に屈曲する現象を言う。健康な場合は、足の指は足の裏に向かって急速に屈曲する。フランス人の医師バビンスキー〔Babinski〕がこの反射を発見したため、この名が付けられた。なお、或る機能系を形成する左右一対の神経繊維群は、しばしば脳の正中部で交叉《こうさ》している。脳出血は多くの場合、これらの神経繊維群が交叉するレベルよりも上方で起こる。故に、脳出血の際に見られる半身だけの運動麻痺や感覚麻痺は、脳出血の起こった側とは反対側に出現することが多い。

＊一尺五六寸　一寸は一尺の十分の一で、約三・〇三センチ。一尺五六寸は、約四十五～八センチ。

一二六 ＊プロ　プロセント〔procent（ポルトガル語）〕の略。パーセント〔per cent（英）〕に同じ。

＊ネオフィリン〔Neophyllin〕エーザイの強心・利尿剤。

＊ヴィタミンB１　激しい肉体労働時や消耗性疾患では、ビタミンB_1の需要が増大する。

＊ヴィタミンK　血液凝固に関与する脂溶性ビタミンとして知られており、抗出血性ビタミンとも呼ばれる。

一二七 ＊提睾筋反射　陰嚢の皮膚を上から下にピンなどで軽くこすると、こすった側の提睾筋が縮み、睾丸が挙がる現象を言う。錐体路に障害があると起こらない。障害の個所が、神経の交叉する脳の正中部より上部である場合には、障害の個所とは反対側の提睾筋反射が起こらなくなる。この場合、右側の脳に障害があるため、左の睾丸が運動しないと考えられる。

一二九 ＊カテーテル〔Katheter（独）〕体腔内、または内臓内に挿入し、その内容物を排除したり、あるいは薬剤を注入したりするための管の総称。ここでは尿道を経て膀胱に挿入する導尿管。

＊吸い口　吸飲みの誤り。病人などが、寝たままで水や薬を飲めるように造った、長い吸い口のある

急須型の容器。

一三二　＊静注　静脈注射のこと。点滴もこの一種である。

一三三　＊ライラック〔lilac（英）〕東ヨーロッパ南部原産のモクセイ科の落葉低木。花は春に咲く。これを家に持ち込むことは不吉とされ、とくに白い花を病気見舞に持参するのは禁物である。

一三五　＊ネオヒポトニン〔Neo-Hypotonin〕亜硝酸ナトリウムとフェノバルビタールナトリウム含有注射液。高血圧症に有効。白井松新薬から発売されている。

一四一　＊御幸町《ごこまち》錦小路　御幸町通りと錦小路通りの交差点を言う。中京区内。御幸町通りは寺町通りのすぐ西側を走る南北の通り。

＊三条寺町　東西に走る三条通りと南北に走る寺町通りの交差点。錦小路からは約四百メートル北。河原町通りまでは約百五十メートル。

一五〇　＊徒爾　無駄・無意味。

瘋癲《ふうてん》老人日記

一七六　＊第一劇場　松竹の劇場。昭和四年に新宿角筈《つのはず》一―一（現・新宿三丁目）に新歌舞伎座の名で開場。幾度かの変遷を経て、昭和三十四年一月から新宿第一劇場と改称。三十五年七月二十二日に閉鎖、三越の駐車場になった。この場面は、昭和三十五年六月。夜の部は五時開演。

＊「恩讐《おんしゅう》の彼方《かなた》へ」　菊池寛の戯曲。正確には「恩讐の彼方に」。大正八年に発表した同題の短編小説を、自ら脚色したもの。大正九年に「敵討以上」の題で初演。

＊「彦市ばなし」　木下順二の民話劇。昭和二十一年発表。二十三年初演。

＊「助六曲輪菊《すけろくくるわのももよぐさ》」　歌舞伎の代表的演目。曾我五郎時致《ときむね》は、侠客・花川戸の助六と名乗って、源家の

宝刀・友切丸を探すため、吉原の遊客たちに喧嘩を仕掛けては刀を抜かせている。吉原の花魁《おいらん》・揚《あげ》巻《まき》は、助六の情婦だが、武士の意休（実は盗賊）が横恋慕し、子分のかんぺら門兵衛らを従え、ことごとに助六と張り合う。助六は、意休の刀が友切丸と知り、意休を討ち果たして刀を取り戻し、追っ手を逃れるために、水の入った天水桶に身を隠す（これを「水入り」と言う）。外題《げだい》は「助六《すけろく》所縁《ゆかりのえ》江戸桜《どざくら》」とするのが普通であるが、この演目は市川団十郎家のお家芸であるため、市川家以外の役者が上演するためには、市川家の許可を得た上に、莫大な版権料を払わねばならない。そこで、大正四年、六代目尾上菊五郎が「助六」を演ずる際にこの外題を用い、助六の花道からの登場の際、河東節に替えて、新たに清元節を作って代用した。ここはそれに準じたもの。

＊勘弥《かんや》　昭和十年に襲名した十四世守田勘弥（一九〇七―七五）のこと。

＊訥升《とつしょう》（一九三三―二〇〇〇）。昭和二十八年に五世沢村訥升を襲名。昭和五十一年、九世沢村宗十郎を襲名。谷崎潤一郎は、訥升のファンだった。

＊団十郎　明治の名優・九代目市川団十郎（一八三八―一九〇三）のこと。

＊先々代ノ羽左衛門《うざえもん》　大正・昭和を代表する二枚目役者と言われる十五世市村羽左衛門（一八七四―一九四五）のこと。十五世の死後、十六世が昭和二十七年に死去し、昭和三十年に十七世（一九一六―）が襲名したので、十五世は先々代になる。

＊明治三十年前後　明治二十九年四月三十日から歌舞伎座で上演された。

＊先代歌右衛門　五世中村歌右衛門（一八六五―一九四〇）のこと。明治十四年に四世福助、三十四年に五世芝翫《しかん》、四十四年に五世歌右衛門を襲名。明治後期から昭和初期にかけての代表的な女形。昭和二十六年に六世歌右衛門が襲名したので、先代になる。

＊芝翫　四世中村芝翫（一八三〇―九九）のこと。五世中村歌右衛門はその養子である。

＊本所割下水《わりげすい》　本所は現・墨田区の地名。もと低湿地だったため、江戸初期に幅二・七メートルの排

水路が設けられ、これが道路の中央を通っていたので割下水と呼ばれた。江戸時代には、小身の旗本・御家人が多く住んでいた。現在、排水路は暗渠《あんきょ》となり、江東青果市場前から錦糸公園方面に走る幹線五十一号線となっている。

＊両国広小路　広小路は広い道路を言い、江戸時代、大火災を防ぐ目的で造られた。両国の広小路は、一六五九年に隅田川に架けられた両国橋の西詰めにあり、江戸から明治にかけて、各種見世物・茶店などが並ぶ盛り場となっていた。明治三十七年に両国橋がやや川上に掛け替えられた際、両国公園となったが、今は跡をとどめない。

＊絵草紙屋　錦絵・双六・千代紙・切組画や、草双紙・読本といった挿し絵入り小説などを売る店で、江戸時代に始まり、明治の中頃まで続いた。歌舞伎の出し物が変わるごとに、その舞台面の錦絵を店先に吊るして売り出し、人気を集めた。両国にあった絵草紙屋としては大平が有名。

＊三枚続キ　浮世絵版画で三枚をつなぎ合わせて見るようにしたもの。その分、大画面となる。

＊先代中車《ちゅうしゃ》　七世市川中車（一八六〇—一九三六）のこと。七世八百蔵から大正七年に襲名。八世（一八九六—一九七一）が昭和二十八年に襲名したので、先代になる。

一七七

＊宮戸《みやと》座《ざ》　明治二十年から昭和十二年まで、浅草公園裏の千束町二丁目にあった歌舞伎の小劇場。沢村源之助・中村勘五郎・嵐芳三郎《あらしよしさぶろう》・尾上菊四郎らを中心とした明治三十六年頃から大正初期にかけての十年余りが全盛期で、江戸歌舞伎の芸風を伝える充実した舞台を見せた。

＊中村勘五郎　四世中村仲蔵《なかぞう》（一八五五—一九一六）のこと。明治十七年に十二世勘五郎を襲名。大正四年、四世仲蔵を襲名した直後、四月の歌舞伎座でかんぺら門兵衛を演じたが、その翌年に死去。「冬ノ寒イ日」というのは、大正十四年二月の歌舞伎座で羽左右衛門が助六を演じ、水入りを勧めた時と混同しているのであろう。

＊Pederasty　少年を対象とする男色。

一七八

＊若山千鳥《わかやまちどり》　モデルは新派の女形俳優・若水美登里（一八八二―一九三四）。本名北沢浜之助。横浜羽衣町生まれ。

＊山崎長之輔《やまざきちょうのすけ》　新派の俳優。本名は山崎長吉（一八七七―一九二四）。東京生まれ。大正二年に関西に移り、舞台劇の途中に映画を入れた「連鎖劇」で人気を集めた。

＊中洲《なかず》ノ真砂座《まさござ》　中洲は隅田川と箱崎川の分流点を埋め立てて作られた町で、現・中央区日本橋中洲。真砂座は明治二十六年から大正六年まで中洲にあった小劇場。明治三十五年頃から、しばしば新派の芝居を上演するようになった。明治四十年から大正二年にかけては、山崎長之輔・若水美登里が中心となった。

＊六代目　名優・六世尾上菊五郎（一八八五―一九四九）のこと。

＊先代嵐芳三郎　四世嵐芳三郎（一八七二―一九一二）のこと。明治四十年から宮戸座の座付となった。五世（一九〇四―七七）が昭和二年に襲名、前進座の女形となったので、先代になる。

＊紅葉山人《こうようさんじん》ノ「夏小袖《なつこそで》」　明治二十五年刊。モリエールの『守銭奴』から尾崎紅葉が翻案したもの。全編会話から成るが、上演用脚本ではない。初演は明治三十年、新派によってなされた。明治四十年九月、宮戸座で上演された際には、若水美登里が出演している。

＊舟底型ノ枕　舟底枕。箱枕と同様に、高さ十五センチほどの箱形の木枕の上に小型の括《くく》り枕を載せ、落ちないように中央を元結で結ぶ。底を舟底のように丸く作っているので、頭を動かすにつれて枕が傾き、寝やすい。十八世紀後半、鬢《びん》を大きく張り出した髪型が女性の間に流行し、髪を壊さないために箱枕・舟底枕が普及し、男性にも用いられた。明治以降はちょん髷《まげ》が廃止されたため、箱枕・舟底枕は日本髪の女性専用になった。

＊Hermaphrodite　男女両性の生殖器官を備えた者。語源はギリシア神話で、男の神 Hermes と女神 Aphrodite から合成された神から。

一八〇

*紗《しゃ》ノ夏羽織　紗は風通しの良い盛夏用の高級和服地。夏羽織は単衣仕立てになっている夏用羽織。

*ポーラー〔poral（英）〕粗く織った風通しの良い夏服地用織物。元来はエリソン社の商品名。

*絽《ろ》　風通しの良い盛夏用の和服地。着物だけでなく、長襦袢などにも使われる。

*昼ノ部　十一時半開演で、「井筒業平河内通《いづつなりひらかわちがよい》」「悪太郎」「河庄《かわしょう》」「権三と助十」が上演されていた。

*『河庄』　近松門左衛門の人形浄瑠璃「心中天網島」を近松半二らが歌舞伎に改作したものの内、最もよく上演される部分。大阪曾根崎新地の茶屋「河庄」が舞台になっている。紙屋の治兵衛は、遊女・小春と恋仲になっているが、今は逢うこともままならず、太兵衛という男が小春を請け出そうとするので、心中の約束をしていた。しかし、「河庄」で、小春が侍客（実は治兵衛の兄・孫右衛門）に、死にたくないと語るのを立ち聞きした治兵衛は、怒って小春と縁を切り、互いの起請文を返し合う。ところが、孫右衛門はその中に、小春に宛てた治兵衛の妻おさんの手紙を発見する。小春はおさんに頼まれ、心にもない愛想尽かしをしたのである。

一八一

*団子《だんご》　現・三世市川猿之助（一九三九—）のこと。昭和二十二年に三世団子、三十八年に猿之助を襲名。

*デモ隊　所謂《いわゆる》安保闘争のデモ隊。昭和三十二年、岸信介《のぶすけ》首相は、敗戦後、サンフランシスコ講和条約と同時に結ばれた日米安全保障条約を改正する意志を表明し、様々な反対運動にもかかわらず、昭和三十五年一月に新条約が調印された。五月二十日、衆議院で新条約の強行採決が行われたため、以後、国会は空転。国会周辺では連日抗議デモが繰り広げられ、六月十五日には、国会突入をはかった全学連主流派と警官隊が衝突し、東大生樺美智子が死亡するという事件まで発生した。六月十九日、新条約は自然承認され、二十三日にアメリカ大使との批准書が交換された直後に、岸首相は辞任を表明した。

*米国大使館　港区赤坂一丁目にある。

一八二

＊南平台《なんぺいだい》　渋谷区南平台町。
＊段四郎　三世市川段四郎（一九〇八—六三）のこと。昭和五年襲名。
＊「悪太郎」　狂言の「悪太郎」を岡村柿紅・四世杵屋《きねや》佐吉・二世花柳寿輔が歌舞伎舞踊化したもの。大正十三年、二世市川猿之助が初演。
＊猿之助　二世市川猿之助（一八八八—一九六三）のこと。二世市川段四郎の長男。明治四十三年に猿之助を襲名。
＊宗十郎　八世沢村宗十郎（一九〇八—七五）のこと。昭和二十八年襲名。なお、「女房オ庄」は、「河庄」の内儀。
＊団之助　六世市川団之助（一八七六—一九六三）のこと。大正四年襲名。
＊先代鴈治郎《がんじろう》　初世中村鴈治郎（一八六〇—一九三五）のこと。関西歌舞伎を代表する名優。二世（一九〇二—八三）が昭和二十二年に襲名したので、先代になる。
＊新富座　歌舞伎座の誤り。明治三十九年十月のこと。この時、鴈治郎は十七年振り二度目の東上で、鴈治郎の「河庄」が人気を呼んで、二日間興行を延長するほどの大入りだった。なお、鴈治郎は新富座でも明治四十四年五月に「心中天網島」を上演しているが、配役が異なる。
＊猿之助ノ父段四郎　二世市川猿之助の父である二世市川段四郎（一八五五—一九二二）。明治二十三年に猿之助（初世）を名乗り、明治四十三年に二世段四郎と改名。
＊先代梅幸　六世尾上梅幸（一八七〇—一九三四）のこと。七世（一九一五—九五）が昭和二十二年に襲名したので、先代に当たる。
＊「権三《ごんざ》と助十《すけじゅう》」　岡本綺堂の戯曲。大正十五年作・初演。
＊伊勢丹　明治十九年に神田で創業した伊勢屋丹治呉服店に始まり、昭和八年に、新宿三丁目に地下二階地上七階のデパートを建てて移転。新宿第一劇場からは、約百メートルほどしか離れていないか

った。

一八三

＊スネークウッド〔snakewood（英）〕南アメリカ産のくわ科の高木。蛇のようなまだらがある。ステッキ材とする。

＊石突《いしづき》　コウモリ傘・長刀《なぎなた》の柄やステッキなどの、突いた時に地面に着く部分。またその部分を覆う金具。

＊全学連ノ反主流派　全学連は、昭和二十三年、全国百四十五大学の自治会が参加して結成された全日本学生自治会総連合の略称。この頃の主流派は、世界革命・暴力革命によるプロレタリア独裁を目指す新左翼であり、反主流派は、議会主義平和革命を説く共産党系である。

＊サンマーイタリアンファッション　世界のファッション界を支配して来たクリスチャン・ディオールが昭和三十二年に死去すると、一時的にイタリアン・モードが脚光を浴び、昭和三十三年春から三越と伊勢丹がイタリアン・モードを輸入するようになった。

＊オートクチュール〔Haute-couture（仏）〕主としてパリの高級衣装店を指す言葉。専属の世界的なデザイナーと縫製技術者を持ち、オリジナルなデザインにより、注文者の体型に合わせた一品限りの極めて高価な衣装を作るのが本業であるが、副業として高級既製服（プレタ・ポルテ）も販売する店が多い。昭和三十八年にパリのオートクチュールと日本のデパートの多くが契約し、パリのモードをいち早く採り入れるようになった。

＊カルダン〔Pierre Cardin〕（一九二二―）現代パリ・モードの代表的なデザイナー。一九四六年、クリスチャン・ディオールの店に入り、共同で〈ニュー・ルック〉ファッションを発表した。五〇年に自分のアトリエを開き、五三年から独立でオートクチュールのコレクションに参加。いち早くプレタ・ポルテを手がけ、紳士服・子ども服部門を作った。昭和三十三年以降、度々来日している。

＊三千円　昭和三十五年には大卒初任給が約一万円だったので、今日の六万円ぐらいか。

一八四 ＊浜作《はまさく》 大阪の船場出身の塩見恭允《やすみつ》が、大阪北浜の樽本作次郎の浜作で修業した後、銀座七丁目四番地の資生堂裏に、昭和三年に開いた関西料理の店。カウンターで注文しながら食べるやり方は、東京では浜作が最初と言う。

＊市ヶ谷見附カラ九段ヲ経、八重洲口 新宿からなら銀座へは皇居より南のルート（例えば新宿通りから内堀通り）を通るのが早道の筈だが、それだと国会議事堂付近を通らざるを得ないので、逆に皇居の北側を廻って（恐らく靖国通り・外堀通りを通って）行こうと言うのである。

＊滝川ドウフ 水から煮溶かした寒天液に、裏ごしした豆腐をまぜて冷やし固め、ところてんのように天突きで突き出して鉢に盛り、ワサビじょうゆや二杯酢で食べる。もみノリ・刻みネギなどを添える。

＊鱧《はも》ノ梅肉《ばいにく》 鱧の骨切りしたものを二、三センチ程度に切り、さっと熱湯を通して氷水で冷やし、梅肉醤油で食べる。梅肉醤油は、梅干しを裏ごしにして、味醂《みりん》と淡口醤油で延ばしたものである。

＊早松《さまつ》 六、七月頃に生えるキノコの一種。松茸に似ているが、香りがない。

＊土瓶蒸《どびんむ》シ 土瓶蒸しは、白身の魚・鶏肉・ぎんなん・ミツバなどと取り合わせて専用の土瓶に入れ、調味した出汁《だし》を満たし、ふたをしたまま直接火にかける。沸騰した所で火から降ろし、スダチかダイダイの汁を絞り込んで食べる。

＊茄子《なす》ノ鴫焼《しぎやき》 ナスを油で焼いて味噌を塗った料理。もともとは鴫の料理だったが、ナスの料理になった。

一八五 ＊グジ 京言葉で甘鯛のこと。特に若狭湾で獲れたものを、薄く塩を降って（これを「一塩」と言う）賞味する。

一八六 ＊ボクシング 日本でボクシング（拳闘）が人気を集めるようになるのは、昭和二十七年、白井義男がダド・マリノを破って、日本人初の世界チャンピオンになってからであり、昭和三十年代の高度成長期には、テレビの普及と共に、野球や相撲に次ぐ人気スポーツとなった。

一八七　＊寒竹《かんちく》　竹の一種。小形で細く、高さ一～三メートル、径一センチ内外。枝は節ごとに数本出る。観賞用・生垣用。寒竹という名は、旧暦の寒中にたけのこが出るという意味である。

＊ブラウスノ内側　ブラウスにポケットが無かったので、胸元から放り込んだということ。エロチックなニュアンスがある。なお、最高額紙幣として一万円札が登場したのは、昭和三十三年から。

一八八　＊羽田　日本は第二次大戦後、一切の航空活動を禁止されていたが、昭和二十六年、運行は海外の航空会社に委託し、営業だけを行うという形で民間航空が再開された。それに伴い同年八月、民間会社としての日本航空株式会社が設立され、十月から札幌—東京—大阪—福岡間の営業を開始した。三十六年九月からは、東京—札幌間で、国内初のジェット定期便の運航を開始した。なお、羽田空港は、敗戦後、米軍に接収されていたが、昭和二十七年七月に部分返還され（全面返還は三十三年）、東京国際空港となった。

＊ヒルマン　（Hillman）　イギリス製の自動車名。この頃、日本の国内自動車産業は未熟で、政府はこれを保護育成するため、外国車に高い関税をかけ、輸入制限を行っていた。昭和二十八年、いすゞ自動車はイギリスのルーツ社と技術提携し、ノックダウン（現地組立て）方式で、ルーツ社の「ヒルマン・ミンクス」を売り出した。この車は女性好みの車と言われていたが、その価格は当初は百二万五千円、昭和三十五年当時でも、約八十万円もした（今日の貨幣価値ではその二十倍）。日本で自家用乗用車が急増するのは昭和四十年以降で、昭和四十年の調査では、自家用車の保有率はまだ一割にも満たなかった。

＊スカラ座　イタリアのミラノにある有名な歌劇場の名前であるが、東宝系の映画館の名前として用いられている。各所にあるが、ここは有楽町一丁目にある東京宝塚劇場四～六階のスカラ座であろう。

＊アラン・ドロン　〔Alain Delon〕（一九三五―）フランスの人気映画スター。

＊「太陽ガイッパイ」　昭和三十五年六月十一日封切り。アラン・ドロン演ずる貧しい美貌の青年が、金持ちだった友人を殺し、自殺したように偽装して、その財産と恋人を自分のものにしようとする話。

一八九

＊辻堂　神奈川県藤沢市内の地名。

＊僂麻質《りゆうまち》　〔rheumatism（英）〕慢性関節リウマチ。膠原《こうげん》病の一種。発症は一般に成人以後。中年に多い。原因は不明だが、体質に、老化・ウイルス感染・外来の物理的化学的刺激などが加わって発症すると考えられている。

＊虎ノ門病院　港区虎ノ門二丁目にある総合病院。

＊頸骨《けいこつ》　人間の頸《くび》には七個の頸椎（頸部の脊椎《せきつい》）がある。脊椎のうち頸部は、老化による退行性変化が生じやすく、時に脊髄・神経根あるいは交感神経などを刺激・圧迫して、種々の症状を呈することがある。これを頸部脊椎症と言う。神経根への障害による症状には、手の疼痛《とうつう》・しびれ感・感覚障害・筋萎縮などがある。治療は、まず頸椎の安静保持と牽引を行い、無効な場合には手術療法に切り替える。

＊グリンソン氏式シュリンゲ　グリソン氏式シュリンゲ〔Glissonsche Schlinge（独）〕の誤り。イギリスの医師グリソンの名を取った頸部牽引器具。‘Schlinge’は、吊り包帯の意味。厚い布または革の吊り包帯を患者の頸に装着して牽引する。この場合は斜面牽引法である。

一九〇

＊青山斎場　東京都港区南青山二丁目にある青山霊園に、明治三十四年に併設された青山葬儀場の通称。

＊富山清琴《とみやませいきん》　（一九一三―）富崎春昇の門下で、地歌・箏曲家。人間国宝・文化功労者。

＊「残月」　地歌・箏曲の曲名。大坂の峰崎勾当《こうとう》作曲の本調子手事《てごと》物の地歌。寛政四年（一七九二）刊

「増補よしの山」に初出。峰崎の門人で夭逝《ようせい》した大阪宗右衛門町松屋某の娘をしのんで作曲。曲名はその法名「残月信女」によると言う。難技巧の大曲であるが、追善曲としてよく演奏される。

一九四　＊久原房之助《くはらふさのすけ》（一八六九—一九六五）　実業家・政治家。明治三十八年、茨城県日立の赤沢銅山を買収し、日立鉱山を創業。機械工業・海運業・ゴム農林業などへ事業を拡大した。昭和三年、事業を義兄の鮎川《あゆかわ》義介に譲り、政友会より衆議院議員に当選。同年、田中義一内閣の逓信相に就任。第二次大戦後、公職追放となるが、その解除直後の昭和二十七年の総選挙で、一度当選したことがある。

＊紛紜《ふんぬん》　もめごと。ごたごた。

一九五　＊N・D・T　日劇ダンシング・チームの略称。阪急系列の資本で有楽町二丁目に建てられた東洋最大の映画館・日本劇場を東宝が買収し、昭和十一年にその専属舞踊団として作った。

＊浅草　敗戦後、浅草に多かったストリップ劇場を暗に指している。

一九六　＊ナイロンノ靴下　ナイロン〔nylon（英）〕は、人類が最初に工業生産した合成繊維で、一九三八年、アメリカのデュポン社によって製造された。靴下はこの場合、ストッキングであろう。敗戦後、占領軍関係の女性が履いていたナイロン・ストッキングは、丈夫で美しく足が透けて見えるため人気を博したが、米軍の横流しでも、絹の靴下の八倍もした。のち国産化され普及し、「戦後強くなったのは女と靴下」と言われた。昭和三十三年に厚木ナイロン社が発売したシームレス・ストッキングは四百円だった。

一九七　＊レペシンスカヤ　オリガ・ヴァシリエヴナ・レペシンスカヤ〔Ольга Васильевна Лепешинская〕（一九一六—）旧ソ連のボリショイ・バレエ団のプリマドンナ。昭和三十二年八月二十八〜三十一日、日本で初公演した。

＊一草亭　西川一草亭（一八七八—一九三八）のこと。華道去風流家元。文人花の代表者。

一九八　＊三白草　半夏生《はんげしょう》の漢名。ドクダミ科の多年草。六〜八月、茎の先に細長い穂状花序を出し、多数の小さな花を着ける。茶花として利用される。

*泡盛草《あわもりそう》 泡盛升麻《しょうま》とも言う。白い小さな花が、泡が集まったように着いているのにちなんで名付けられた。五、六月、円錐形の花序に多数の小さな白い花をつけ、甘い香りを放つ。

*長尾雨山《ながおうざん》 (一八六四―一九四二) 書家・漢学者。

*柳絮飛来客未還……春雨闌干看牡丹 大意は、「春、白い綿毛のある柳の種が飛んで来るが、客は未だ還らない。鶯《うぐいす》と桜は淋しく、夢に空しく残る。一万銭で買った華の都の酒。春の雨は入り乱れ、牡丹の花をじっと看る」

*エンテロビオフォルム 〔Entero-Vioform〕 スイスのチバ社の下痢止め薬。キノホルムおよびサパミンを含有し、細菌性の下痢に最適。

*明治神宮 渋谷区代々木神園町にある明治天皇・昭憲皇太后を祭神とする神社。大正九年創建。社殿は空襲で焼失したが、昭和二十三年に再建された。内苑に約十二万本の樹木がある。

*プルス 〔Puls (独)〕 脈拍・脈。

一九九

*セルパシール スイスのチバ社の血圧降下剤。

*アダリン 〔Adalin (独)〕 バイエル社の催眠・鎮静剤。

*ノブロン 〔Noblon〕 グレラン製薬の鎮痛鎮静剤。

二〇一

*アメリカンファーマシイ 千代田区有楽町一―八―一に現在もある。戦後、進駐軍のための薬局として始まったが、やがて日本円で買えるようになり、日本では未だ一般に手に入らないような化粧品・薬・紙おむつなどを売っていた。

*田園調布 大田区の町名。元は理想的郊外住宅地として大正十一年に売り出されたもので、今では高級住宅地となっている。

*期外収縮 心臓が規則正しい周期より早く収縮すること。不整脈の一種。

二〇三
＊肛門周囲炎　肛門の周囲の皮下に細菌が感染して起こる炎症。
＊嗜虐的傾向　マゾヒズム。相手から身体的・精神的な苦痛や屈辱をこうむることによって性的快楽を得る性倒錯。
＊沢村源之助　四世(一八五九―一九三六)のこと。明治三十六年頃から浅草の宮戸座で、「切られお富」「女鳴神」「鬼神のお松」「女定九郎」など、江戸前の伝法肌の悪女を演じて頽廃《たいはい》的な色気を見せた。
＊「悪魔ノヨウナ女」　クルーゾー監督のスリラー映画。昭和三十年七月二十六日封切り。原作はボワロー・ナルスジャックの同題の推理小説。
＊シモーン・シニョレ〔Simone Signoret〕(一九二一―八五)フランスの演技派女優。
＊炎加世子　(一九四一―)東京両国生まれ。昭和三十四年十一月、浅草の東洋劇場発足時に応募。「ズベ公天使」で舞台デビュー。人気を博したが、三十五年四月二十八日、同劇場の照明係の青年と心中未遂事件を起こし、相手の青年だけが死亡。同年八月、大島渚監督の松竹映画「太陽の墓場」に主演して話題になった。

二〇四
＊枕サガシ　旅客や遊客の睡眠中に、枕もとや布団の下などに置いた金品を取る盗人。
＊山田湿　(?―一九二二)谷崎潤一郎の第一高等学校英法科における同窓生。
＊高橋オ伝　(一八四八?―七九)明治初期の代表的毒婦とされる女性。金目当てに一人を殺したとして逮捕・処刑されたが、後に読物や小説にされる際に次第に誇張され、実父・夫ほか数名を殺したことにされて行った。

二〇五
＊偽悪趣味　偽善とは逆に、わざと実際以上に悪人に見せようとする趣味。
＊不自然ナ方法　避妊法は、日本でも西洋でも不道徳と考えられ、その指導・普及が各国で許可されるようになったのは、第二次大戦以後のことである。日本では戦後に急激な人口増加が起こったた

め、政府が昭和二十三年に優生保護法を制定して、人工妊娠中絶を合法化するとともに、二十九年に「日本家族計画連盟」を作り、避妊法の普及を推進した。が、旧世代には抵抗感があった。

二〇六　＊死ノ灰　原水爆実験によって生成され、大気中から降下する微細な放射性物質。昭和二十九年三月、ビキニ環礁で行われたアメリカの水爆実験の際、危険水域の外で操業していたにもかかわらず、日本漁船・第五福竜丸の乗組員が死の灰を浴び、六ヶ月後に放射能障害で一名が死亡した。また、東京築地魚市場のマグロから強い放射能が検出され、半年間廃棄処分が続けられるなど、国民に大きな衝撃を与えた。これ以降も、降雨・降雪中から高い濃度の放射能が検出されることがあった。昭和三十八年八月になって、米・英・ソ連は部分的核実験停止条約に調印し、大気圏内・宇宙空間・水中での核実験を停止。以後、米・英・ソは、地下核実験だけを行なったが、フランス・中国は、その後、十年以上、大気圏内での実験を続けた。

二〇八　＊草市　盂蘭盆《うらぼん》に仏に供える草花や種々の品を、七月十二日夜から翌朝にかけて売る市。

＊多磨《たま》墓地　大正十二年四月に開設された東京都多磨霊園のこと。府中市と小金井市にまたがる約四十万坪の日本最大の公園墓地。埋葬者約二十六万人。卯木督助が「ドンナ所へ移転サセラレルカ分ッタモンジャナイ」と言うのは、東京市中の寺院境内などにあった小規模な墓地は、明治以降、都市開発上の要請から市外へ移転させられたからである。後出三四〇ページ参照。

＊大文字《だいもんじ》　毎年八月十六日の夜に、京都の山々に送り火を点ずる盂蘭盆の行事。左京区如意ヶ岳中にある通称大文字山と北山の左大文字、左京区松ヶ崎付近の妙法、北区西賀茂の船形、右京区上嵯峨の鳥居形で、同時に積み並べた薪に火を転じて文字や絵の形を表す。

二〇九　＊真如堂《しんにょどう》　左京区浄土寺真如町にある天台宗真正極楽寺の通称。正暦三年（九九二）創建。境内の墓地には歌人冷泉為村・画家海北友松・俳人向井去来・豪商三井一族など著名人の墓が多い。

＊エトランゼ　仮名。モデルは、谷崎潤一郎が贔屓《ひいき》にしていた鈴木宏子の高級衣装店「ストック」。

銀座八丁目にあった。

＊有楽座　有楽町一丁目十四にある東宝系の映画館。

＊『黒イオルフェ』 ブラジルで撮影されたフランス映画。昭和三十五年七月七日封切り。主人公はブラジルのリオ・デ・ジャネイロに住む黒人青年オルフェ。彼は、ギリシア神話のオルフェウスのように、美しい歌声で人も動物も魅了する。オルフェには既に婚約者がいたが、リオのカーニバルを見に来た娘と恋に落ち、婚約者とのいさかいの果てに、恋人もオルフェも死んでしまう。

＊逗子《ずし》　神奈川県三浦半島の付け根にある市。海水浴場やヨットハーバーがあり、別荘地・観光地として有名。

二一〇

＊ドライブ〔drive（英）〕本来は単に自動車を運転することを意味するが、自動車を運転すること自体を楽しむ場合にのみ使われる。昭和二十八年頃から湘南方面へドライブする車が増えるが、当時は東京都内の自家用車が一万五千台しかなかった。しかし、昭和三十五、六年頃からレジャー・ブームが始まり、若者たちは競ってドライブやサーフィン、スキーなどに熱中した。

＊オルフェ〔Orphée（仏）〕ホメロス以前に活躍したという古代ギリシアの伝説的な詩人にして音楽家オルフェウス。アポロンから竪琴を授かり、ムーサたちからその奏法を教えられて、鳥獣草木をも魅了するほどの卓越した楽人となった。最愛の妻が毒蛇に咬《か》まれて死んだため、彼は妻を取り戻すべく、地下界に下って音楽で冥府の王ハデスの心を動かし、地上に出るまでは決して後ろを振り向かないという約束で妻を連れ帰る許しを得た。しかし地上にあと一歩という所で後ろの妻を振り返ったため、永久に彼女を失った。その後、彼は悲しみの余り、他の女を顧みなかったので、これを恨んだ女たちに八つ裂きにされたと伝えられる。

＊イカス　石原慎太郎原作・石原裕次郎出演の映画「太陽の季節」などから昭和三十二年頃流行し始めた若者言葉。

二一一 ＊レオ・エスピノザ　昭和二十九年、ボクシングの世界フライ級チャンピオン白井義男に挑戦して、破れたフィリピンの黒人ボクサー。

＊ウイービング　〔weaving（英）〕ボクシング用語。前かがみになり、頭を左右に振って相手の攻撃をかわすことを言う。

二一二 ＊レスリング　プロ・レスリングのこと。アメリカで第二次大戦後にブームとなり、日本でもアメリカで修業した力道山が、昭和二十八年に日本プロレス協会を設立。折から放送を開始したテレビの中継によって、空前のブームを巻き起こした。

＊マウスピース　〔mouthpiece（英）〕ボクシング選手が口にくわえる防具。

二一三 ＊送り火　盂蘭盆会が終わり、精霊（先祖）を送る時に、門の前や川・海浜などで焚《た》く火のこと。門《かど》火《び》とも言う。この火に乗って先祖があの世へ帰ると言う。なお盂蘭盆会は、東京では七月、京都では八月に行われる。京都の大文字も送り火の一種である。

＊祇《ぎ》園会《おんえ》　京都市東山区にある八坂神社の祭礼。山鉾の巡行を中心とした盛大な祭礼として、日本三大祭の一つに数えられ、また現存する山鉾二十九基すべてが国の重要民俗資料に指定されている。祭礼は七月一日から二十九日まで続くが、七月十五日の宵々山、十六日の宵山、十七日の山鉾巡行が祭のクライマックスとなる。

＊京都ホテル　中京区河原町御池角にあるホテル。明治二十一年創業。

＊南禅寺　左京区南禅寺福地町にある臨済宗の寺の名だが、ここではその近辺の下河原町に住む卯木督助の娘・城山五子《いつこ》の家を指す。

＊土用ノ入リ　年四回各季節にあるが、一般には夏の土用を指す。立秋前十八日間を言い、初日を土用の入りと言う。

二一四 ＊全日本フライ級タイトルマッチ　昭和三十五年七月二十五日午後九時二十分から後楽園ジムで、チャンピオン福本篤人と挑戦者・古川義克が対戦。福本が判定でタイトルを防衛した。

二一五　*行ケ行ケ　関西の言葉で、往き来が自由に出来る状態を言う。

二一六　*サジェッション〔suggestion（英）〕提案。

*下司板　普通は五右衛門風呂の底に入れる丸い板を言うが、ここでは四角い簀の子の板を言っているようである。

二一八　*ポロシャツ〔polo shirt（英）〕半袖で襟の付いたスポーツ用の軽快なシャツ。馬に乗ってステッキ状のもので球を打ち合い、相手のゴールへ球を入れるポロという競技で着るシャツに由来する。元は汗を吸う木綿の生地で作られたが、今は合成繊維のものもある。日本では昭和二十八年から三十年頃に流行した。

*トレアドルパンツ〔toreador pants（英）〕トレアドルは闘牛士のことで、闘牛士がはくような体にぴったりと合った膝までのズボン。昭和二十九年のアメリカ映画「麗しのサブリナ」がきっかけとなって大流行した。（三八五ページの注参照）

*サッカー〔sucker（英）〕正しくは'seersucker'。縮み皺のある薄地のしま織物。夏の婦人・子供服地。

二二二　*バーベキュー〔barbecue（英）〕アメリカ料理の一種。肉類・魚介類・野菜類などを、野外であぶり焼きにして食べる。昭和三十四年にテレビ・雑誌で盛んに紹介され、デパートで家庭用バーベキューセットが売り出されるようになった。

二二四　*シノミン〔Sinomin〕塩野義製薬の抗菌サルファ剤。尿路感染症など、各種病原菌に有効。

*前立腺肥大症　前立腺は男性生殖器の一部で、膀胱の下にあり、精液の液体成分を尿道へ分泌する。前立腺肥大症は、五十歳以上の高齢者に多い良性腫瘍の一種。性ホルモンのバランスが崩れたために起こると考えられている。肥大した前立腺によって尿道が圧迫されるため、尿が出にくくなる。

ひどくなると全く出なくなり（尿閉）、カテーテルを尿道から挿入して導尿しなければならなくなる。本文のケースは、残尿が原因となって、病原菌に感染し、急性膀胱炎か尿道炎を起こしたと見られる。尿が白濁するのは、細菌を捕食する白血球が、尿に混じるためである。

二二五 ＊ウバウルシ〔Uva Ursi（ラテン語）〕北半球の周極地方に分布するツツジ科の常緑小低木。その葉から抽出したエキスは、尿道炎・膀胱炎に薬効があり、尿路消毒剤として用いられる。

二二六 ＊硼砂《ほうしゃ》 ホウ酸を化学成分として含む鉱物。洗剤・防腐剤・医薬用品・金属酸化物の溶剤などに広く用いられる。ホウ酸を含む水で洗眼すると、滅菌効果が高まる。

＊重曹 炭酸水素ナトリウムの俗称。重曹でうがいをすると、粘液や分泌物の除去に効果がある。

＊コールゲート〔Colgate〕アメリカ製歯磨きの商標名。なお、葉緑素は、肉芽組織形成の促進・膿汁を止める・悪臭防止・殺菌など、歯槽膿漏に効能があるとされ、昭和二十八年頃から、葉緑素入りの歯磨きが盛んに売り出されていた。

＊歯齦《しぎん》 歯ぐき。

＊アリナミン〔Alinamin〕武田薬品工業が昭和二十九年に発売した活性持続型ビタミン製剤。ビタミン剤ブームを起こした。

二三一 ＊ジジイ・テリブル コクトーの小説"Les Enfants terribles（恐るべき子供たち）"（一九二九年）、或いは戯曲"Les Parents terribles（恐るべき親たち）"（三八年）をもじったもの。

二三二 ＊内診 婦人生殖器の内部または直腸内を指で診察すること。カーテン越しに行われることが多いので、こう言った。

二三三 ＊東京温泉 昭和二十六年に東銀座に開店した。大浴場の他に、蒸し風呂付き個室を設備。女性マッサージ師を常駐させて、人気を博した。これが後にトルコ風呂・ソープランドへと発展した。

二三八 ＊コカコーラ〔Coca-Cola〕コーラの実の抽出液を主要な原料とするアメリカの清涼飲料水の商標名。

アメリカ的物質文化の象徴とも言われる。日本では昭和三十二年五月に民間向けに初のレギュラーサイズ（百九十ミリリットル）が発売されたが、広く普及するのは、三十七年十月、「スカッとさわやか、コカ・コーラ」のコマーシャル・ソングがテレビなどで流されるようになってからである。

二四二　＊岡焼キ　他人の仲が良いことを、関係のない者が嫉《ねた》むこと。

二四四　＊キャバレ　〔cabaret（仏）〕今日の日本で言うキャバレーは、昭和二十年に占領軍専用のものが東京に出来たのが始まりで、やがて一般に広まった。ダンスホール、バンド演奏やショーを行う舞台などの設備を設けているほか、接客婦《ホステス》を置いて客に飲食を提供する。

二四五　＊パシフィック・プラスチック工業株式会社　架空の会社名。

＊三井化学　三井化学工業。三井鉱山の化学部門と目黒研究所を分離して、昭和十六年に東京に設立された。本来は染料・医薬品の製造が中心であったが、第二次大戦中、設備の大半を軍需品の生産に転換させられた。戦後は、染料・医薬品から二十六年には塩化ビニル、三十年にはポリエチレン、三十七年にはポリプロピレンの製造を始めた。

＊ポリエチレン被膜　ポリエチレン〔polyethylene（英）〕の膜。例えば、電線や海底ケーブルを、電気絶縁するために覆い包む、などに用いる。ポリエチレンは、エチレンを重合して得られる高分子の総称。石油から安く多量に得られるエチレンを原料として製造され、繊維・フィルム・成形品のいずれにも容易に成形できるため、石油化学の発展に伴い、急速に用途を拡大した。

＊家督　家長の地位と財産。我が国では、中世以来、家督の長男子単独相続が広く行われて来た。明治以降も、家長（戸主）は家族に対して強い支配権を持ち、その地位と財産は長男が単独で相続することが民法で定められていた。第二次大戦後、家督相続は、法律上は廃止された。が、一家の主人としての地位が、父親から長男へ受け継がれるという感覚は、戦後も長く生き残っていた。

二四六　＊ディスポーザー〔disposer（英）〕電動式で、台所から出る調理屑・野菜屑を砕いて下水に流す生ごみ処理器。日本では余り普及しなかった。

二五二 ＊計理士　昭和二年の計理士法により、会計に関する検査・鑑定・証明・計算・整理または立案をすることを業とした者の称号。昭和二十三年、計理士法が廃止され、現在では、公認会計士がその業を行う。

＊角膜　眼球の前方にある透明な膜で、周辺部は不透明となり、強膜につながる。直径は横十一ミリ、縦十ミリで、厚さは約一ミリ。外側から見ると奥にある虹彩が見え、中央に瞳孔が見える。

＊眼底出血　眼底は、検眼鏡で瞳孔を通して眼球内を見た時に見える部分。眼底出血は、糖尿病や高血圧によって起こる。

二五三 ＊脳卒中　脳溢血・脳梗塞《こうそく》・くも膜下出血・高血圧性脳症などが原因で、急激に意識障害と運動麻痺を来たしたものを言う。高血圧の人や高齢者は脳卒中を起こしやすい。

二五四 ＊狭心症　心臓の冠状動脈の動脈硬化などが原因で、冠状動脈の血流が不足し、一時的に心臓の筋肉の酸素不足が生じ、数分間、胸が圧迫されるような苦しみや痛みを伴う発作を繰り返す病気。この発作が数十分以上も続く時は、心筋の一部が壊死《えし》に陥り、元通りには回復しない心筋梗塞に移行することがある。

二五五 ＊ピンキー・スリラー　〔pinky thriller（和製英語）〕　お色気とスリルのあるものの意。昭和三十六年四月からABCで放映されていたアメリカ・ワーナー・ブラザーズ社製のテレビ番組「ローリング・トゥエンティーズ　マンハッタン・スキャンダル」から、ごく一時期、使われた言葉と言う。番組は、一九二〇年代のニューヨークを舞台に、ギャング団の悪事を暴く新聞記者と、それを手伝うクラブの美人歌手ピンキー・ピンカムの活躍を描いたもの。ピンキーの脚線美と、「ピンキーとプレイボーイズ」という歌と踊りが、お色気を醸し出していた。

＊「スリ」　昭和三十五年八月十七日封切り。ブレッソン監督が、素人のマルタン・ラサールを使って

掏摸《すり》を描いたフランス映画。

*プリンスホテル　西武鉄道グループの経営するホテル名。昭和二十二年に軽井沢・日光の旧皇族・華族の邸宅を買い取り、外国人専用ホテルとしたのが始まり。東京都内では昭和二十八年に麻布、高輪、三十年に赤坂などに作られた。

*葉山　神奈川県東南部の地名。三浦半島西岸にあり、相模湾に面する。明治二十七年、葉山御用邸が設けられてから、海岸一帯が別荘地として発展。現在は住宅地・海水浴場として知られる。

二五六　*ミュージックホール　〔music hall（英）〕本来は、十九世紀後半から二十世紀初頭にかけてイギリスで盛んだった、歌や踊り、滑稽なコントを楽しみながら飲食する場所。しかし日本では、最高級のヌード・ショー劇場「日劇ミュージックホール」が昭和二十七年に有楽町に開場して以降、ストリップ劇場の代名詞となって行った。

*ネッキング　〔necking（英）〕元来は頸にキスをするという意味であったが、やがてペッティングより激しい愛撫を意味するようになった。ここでは古い用法で用いられている。ペッティングなどと共に、アメリカ人の性生活の実態を調査したキンゼー報告（一九四八年「男性編」、五三年「女性編」刊行）以後、日本でも知られるようになった言葉である。

二五八　*キャッツ・アイ　〔cat's eye（英）〕猫の目のような模様の現われた各種の宝石を言う。トルマリン、アパタイト、ベリルなどにも見られるが、通常、クリソベリル（金緑石）のものを指す。

*帝国ホテル　日本の代表的ホテル。東京都千代田区内幸町、日比谷公園に面してあり、明治二十三年開業。

*アーケード　〔arcade（英）〕道路を屋根で覆った商店街。ここは、大正十二年、ライトの設計で改築された帝国ホテルの、一階北側廊下に沿って設けられたT字型のショッピング・アーケードを言う。高級店二十軒余りが出店して、ホテルに先立ち、大正十一年に開業した。アーケードとしては

これが日本で最初のものだった。宝石店としては、植田貴金属店・大久保商会があった。

＊三百万円　昭和三十五年には大卒初任給が約一万円だったので、今日の六千万円ぐらいか。

二五九　＊アスピリン〔aspirin〕ドイツのバイエル社が一八九九年に発売した解熱剤の商品名から、その薬効成分アセチルサリチル酸を意味するようになった。今日でも抗炎症・解熱・鎮痛薬に広く用いられている。

二六〇　＊日本橋区横山町一丁目　現・中央区。小間物雑貨・繊維製品などの大きな卸売り問屋が集まっていた地域。

＊麻布狸穴《あざぶまみあな》　港区麻布狸穴町。

二六一　＊政友会　明治後期から昭和前期に至る代表的政党。正式名称は立憲政友会。昭和期には、立憲民政党と二大政党として対抗し、政党政治時代を現出した。

＊長谷場純孝《はせばすみたか》（一八五四―一九一四）薩摩藩士の家に生まれ、西南戦争に参加。のち衆議院議員となり、立憲政友会創立以来の幹部。衆議院議長・文部大臣を歴任。その自宅は、麻布狸穴町五十九番地にあった。

二六二　＊十五カラット　一カラット〔carat（英）〕は二百ミリグラム。十五カラットは三グラム。

二六三　＊二等車　国鉄では、車両を一〜三等車に分け、乗車賃を一等は三等の三倍、二等は三等の二倍としていた。しかし、昭和三十五年七月一日から、三等車は廃止になり、一、二等だけになった。

二六四　＊二百十日　立春から二百十日目の日。九月一日頃に当たり、この前後には台風の来ることが多いとされている。

＊高粱《コーリャン》　モロコシの一種。主に中国東北部・朝鮮北部で、飼料・食用・醸造原料として栽培される。

＊七草　春の七草もあるが、ここは秋の七草。普通、『万葉集』第八巻に載せられた山上憶良《やまのうえのおくら》の七種の花の短歌に詠まれているものを指す。即ち萩・尾花（薄《すすき》）・葛《くず》・撫子《なでしこ》・女郎花《おみなえし》・藤袴《ふじばかま》・朝顔であ

るが、この内、朝顔は桔梗《ききょう》のことで、今日の朝顔は、憶良より後、奈良時代末期に中国から伝来したものである。

＊荷風散人《かふうさんじん》ノ七絶　昭和三十四年に死去した永井荷風（一八七九―一九五九）作の七言絶句の漢詩。荷風が麻布市兵衛町の偏奇館に住んだのは、大正九年五月から昭和二十年三月十日、空襲で焼け出されるまで。この漢詩は、大正十五年四月二十一日、自ら偏奇館の図を描き、その自賛として作ったもので、昭和十年に刊行された随筆集『冬の蠅』に、別刷図版として挿入された。大意は、「住まいを麻布に定めて七回秋を迎える。霜が降りてからの老樹は西の高殿を抱くようにしている。思えばおかしな事だ、十日の閑《ひま》の間に、私が割り当てた仕事と言えば、枯れ葉を掃き、書を虫干しし、還《また》防寒用の裘《かわごろも》を日に干すことだけだ」

二六八　＊鼠小紋《ねずみこもん》　小紋は細かい模様のことで、江戸時代に江戸を中心に発達した。渋い気品と風格に富む。ここは、鼠色の地に小紋を鏤《ちりば》めた着物に、黒い縮緬《ちりめん》の羽織を着ていたということ。

二六九　＊吾妻《あずま》下駄　樫の歯の下駄に畳表を張った婦人用のもの。

＊銀杏《いちょう》返シ　日本髪の結い方の一つ。江戸中期には十二、三から二十歳ぐらいまでの女性の髪型だったが、明治以後は中年女性向きの髪型となった。結い方が簡単な所から、幕末から明治にかけて、下町では圧倒的な人気があった。

＊根掛《ねがけ》　日本髪の髪を頭の上に集めて束ねたもとどりの部分に掛ける飾り。珊瑚の根掛けは高級品である。

＊珊瑚ノ一ツ玉　珊瑚の玉が一つだけ飾りに付いた玉簪《たまかんざし》。銀杏返しの場合は髷《まげ》より前に挿す。

＊蝶貝　シロチョウガイ、またはアコヤガイ。その貝殻を板状に裁断し、研磨して各種の厚さにしたものを文様に整え、木地や漆地に装飾する。

＊鼈甲《べっこう》　ウミガメの一種タイマイの甲羅。日本では淡黄色で不透明のものや、斑のおもしろいものを

珍重し、装身具などに加工する。

二七一 *横網《よこあみ》 本所区横網町（現・墨田区横網一〜二丁目）。

*柳鰈《やなぎがれい》 カレイの一種、ヤナギムシガレイのこと。ほっそりした体型で、体長は二十センチくらいまで。若狭産のものが珍重される。一塩の生干しにされることが多く、はなはだ美味。

*三月堂ノ不空羂索観世音菩薩《ふくうけんじやくかんぜおんぼさつ》 奈良東大寺法華堂（三月堂）の本尊。一面八臂《いちめんはつぴ》像。衆生の煩悩を網（羂）と漁具（索）をもって、漏らさず（不空）済度する悲願を立てた観音である。

*鉄漿《かね》 茶や米のとぎ汁の中に、古釘や折れ針などの鉄屑を入れて作られた。色つやを出すために、酢・酒・飴《あめ》なども混ぜ、さらに付きをよくするため、ヌルデの木の若葉に着く五倍子粉《ふしのこ》も合わせて用いられた。

*コーラル・ピンク 〔coral pink（英）〕 珊瑚色のピンク。

*パール・ピンク 〔pearl pink（英）〕 真珠色のピンク。

*コーヒー・ブラウン 〔coffee brown（英）〕 コーヒー色をした濃い茶色。カラー映画の時代になって、赤ではどぎついということで、撮影用にピンクの口紅が使われるようになり、それが昭和三十三年にキスミー化粧品から市販されるようになると、口紅は赤という常識が覆され、茶色・青・緑・黒などの口紅も売り出されるようになった。

*アイ・シャドウ 〔eye shadow（英）〕 顔を立体的に見せるため、まぶたに着ける化粧品。昭和三十年頃から種類・色ともに豊富になり、まつ毛に塗るマスカラ、目を大きくみせるために引くアイ・ライナーなどと併用されるようになった。

二七五 *東洋フェザー級タイトル・マッチ 事実通りだが、正確にはジュニア・フェザー級。

二七七 *岸サンガ総理大臣ダッタ時…… 岸信介（一八九六―一九八七）が総理大臣だったのは、昭和三十二年二月から三十五年七月まで。昭和三十二年十一月の東南アジア諸国歴訪の際、岸首相がシンガポールで夫人への土産として四百万円の宝石を買ったと報道され、問題になり、愛知官房長官が釈明の記者会見をした。それによれば、岸首相が宝石店に立ち寄り、高価なキャッツ・アイやスター・サファイアなどを冷やかしたのは事実であり、中には四百万円もするものもあったと思うが、実際に買ったのはヒスイ二、三個で、合計四万円ぐらいのものだったということである。

二七九　＊全生院様モ止観院様モ　卯木督助の両親の戒名。

二八一　＊シンクロナイズド・スウィミング　〔synchronized swimming（英）〕日本へは、昭和二十九年七月、オルセン夫人の率いるアメリカチームによって紹介されたのが最初で、『瘋癲老人日記』の時代には、まだ一般には余り馴染みのないスポーツだった。

二八二　＊訪問着　既婚・未婚を問わず女性の準礼装用として用いられる着物を言う。大正時代に始まる婦人の和装の略式礼服。振袖より袖を短くしたもの。昭和三十四年、皇太子と美智子妃が結婚した事をきっかけに、美智子妃の白い訪問着が若い女性の間で流行した。

＊一越縮緬《ひとこしちりめん》　縮緬のしぼ高（縮みの波）を小さく、固く織ったもの。大正時代に考案された。

＊衽《おくみ》　和服で左右の襟の下から裾までの部分。

＊綴《つづれ》　数色の色糸を縦横に用いて絵柄を織り出す織り方。綴織。

＊袋帯　筒状に織った帯で、芯を入れる必要がないので締めやすい。正装・礼装用。

二八三　＊乾山風《けんざんふう》ノ陶画　尾形乾山（一六六三―一七四三）は、尾形光琳の弟で、江戸中期の京焼の陶工・画家。「陶画」は陶器に描いた絵。

＊垂レ　女帯でお太鼓結びにする場合、お太鼓の下に垂れる部分を言う。この場合、お太鼓を小さめにして、垂れを長めにしているのである。

＊帯揚ゲ　女帯を結ぶ時に、半月形の帯揚げ芯を入れて帯を背負い挙げ、その形を固定させるための布。着物や帯の色・柄にあったものが用いられる。

＊帯締メ　女帯の上から締める装飾的な紐《ひも》。組み紐が多く用いられる。帯や着物の色との釣り合いを考えて、色や柄を選ぶ。
＊琅玕《ろうかん》ノ翡翠　硬玉のうち、碧緑色を帯びたものを翡翠と言い、斑点のない暗緑色ないし青碧色で半透光性のものを琅玕と言う。暗緑色ないし青碧色の翡翠。
＊ビーズノハンドバッグ　ビーズ玉を糸に通して編んで作ったハンドバッグ。ビーズバッグ。昭和三十四五年頃の流行。
＊イヤリングヤネックレスヲシテナイ　イヤリングやネックレスは西洋からもたらされたもので、和装には合わないからである。
＊三段ノ高サ　革草履・ゴム草履の場合、板状の皮革・ゴムを草履の台の部分に用いるが、それを三段重ねにして踵《かかと》を高めにしたもの。女性用の草履は、踵を高くした大正時代の千代田草履の形が今日に引き継がれている。

二八四

＊浮腫　水分が体内に過剰に蓄積して、むくんだ状態。皮膚や組織の弾力性が失われるので、指で押して見ると、凹んでなかなか戻らない。心臓病・腎臓病・脚気などの際に見られるが、ここでは主に脚に現われているので、心不全によるものと思われる。
＊脚気《かっけ》　ビタミンB_1の欠乏によって起こる栄養障害性の病気。症状としては、(一) 手足のしびれ感、知覚異常、下肢の重感、全身倦怠感、足のつま先が上がらなくなり、つまずいて転びやすい、運動麻痺《まひ》のための歩行困難などの神経症状、(二) 心悸《しんき》亢進《こうしん》・息切れ・胸部圧迫感・低血圧、とくに最低血圧の低下、下肢や顔面の浮腫、頻脈《ひんみゃく》などの循環器症状、(三) 食欲不振・胃部膨満感・吐き気などの消化器症状などが見られる。脚気の簡単な検査方法としては、膝の下を叩いて見て、足が跳ね上がるかどうかを調べるという方法がある。
＊コリー　〔collie（英）〕イギリスが原産地の牧羊犬・家庭犬。体高五六十センチ、体重二三十キロ

の中型種。昭和三十二年にKRテレビ（現TBS）で「名犬ラッシー」が放送されて以来、人気を集めるようになった。

二八五 ＊エアデール〔Airedale（英）〕イギリス・エアデール地方原産のテリア。獣猟犬・警察犬。中型種。

＊ダッチフンド　ダックスフント〔dachshund（独）（英）〕の誤り。ドイツ原産の穴熊・キツネ猟犬で、'dachs' は穴熊、'hund' は犬を意味する。穴にもぐるのに適した短い脚と長い胴が特徴。

二八六 ＊ボルゾイ〔борзой（露）〕ロシア原産の獣猟犬。シベリアの地犬である牧羊犬とアラビアン・グレーハウンドの交雑により、十七世紀初期に帝政ロシアの貴族の間で作出された。グレーハウンドの力強さとスピードに、牧羊犬の厳寒に耐える厚い被毛が与えられ、厳格な選抜交配の結果、今日の優美なボルゾイが生まれた。ロシア貴族たちの贅沢なオオカミ猟に使われ、二頭が一組となって、獲物を挟みうちにして倒したと言われる。雄は体高七十センチ余り、体重四十キロ前後。

＊テムパー　ディステンパー〔distemper（英）〕の略。犬を冒すウイルス性伝染病。

＊グレイハウンド〔greyhound（英）〕原産地がエジプトの競走犬。体高は平均七十センチ弱、体重三十キロ前後の中型種。短距離では百メートルを六秒強で走る脚力を有する。

＊フィラリア〔filaria（ラテン）〕蚊の媒介によって伝播する犬の病気で、犬糸状虫と呼ばれる線虫が、犬の心臓や肺動脈に寄生して、心機能を始め、循環器機能を障害する。

二九二 ＊朝寝坊　夫婦でセックスをして……という意味。

二九五 ＊クール〔Kool〕一九〇二年に設立された British-American Tobacco Co. Ltd.（現 B.A.T. Industries P.L.C.）のタバコの銘柄の一つ。この頃、クールは、二十本百五十円と高価だった。

二九七 ＊本ネル　綿製のフランネルに対して、羊毛製のフランネルを言う。柔らかく軽い毛織物。

二九九 ＊パロチン〔Parotin〕帝国臓器の唾液腺ホルモン製剤の商品名。唾液腺ホルモンは、筋肉や骨組織の発育に欠かせないホルモンで、変形性関節症などの治療に用いられる。

三〇〇　＊尺骨《しゃっこつ》ノ茎状突起　ひじから手首までの部分には、二本の棒状の骨が平行して並んでいる。そのうち親指側にある骨を橈骨《とうこつ》、小指側を尺骨という。尺骨の手首側の、外側に向かって突出している部分を茎状突起と言う。

＊ザルソブロカノン　〔Salso-Brocanon〕　中外製薬の製品。サリチル酸ナトリウム・臭化カルシウム・ブドウ糖を配合した注射液。鎮痛・鎮静作用がある。

＊座薬　肛門に挿入する薬。座薬は主に痔の薬として使用されて来たが、全身作用を目的とする解熱鎮痛・抗痙攣剤・抗生物質なども用いられている。

＊ピラビタール　〔Pyrabital〕　第一製薬とフナイ薬品工業から発売されている鎮痛剤。

＊イルガピリン　〔Irgapyrin〕　藤沢薬品工業の製品。神経痛・リウマチの鎮痛剤。

＊ドリデン　〔Doriden〕　チバ社の鎮静・催眠剤。

＊ブロバリン　〔Brovarin〕　日本新薬の催眠・鎮静剤。

＊ノクターン　〔Noctan〕　山之内製薬の催眠・鎮静剤。

三〇四　＊ナンカン　「なにか」の変化したもの。なんだ、か（ん）だ。とか、なんとか。

三〇七　＊蟻走感《ぎそうかん》　体のどこかを虫がはうようなムズムズする感じ。

三一一　＊バルビタール　〔Barbital〕　住友化学工業の鎮静・催眠薬。内服は一回〇・三グラムを用いる。

＊ブロムラール　クノール社の鎮静・催眠薬。

三一五　＊頸肩腕症候群《けいけんわんしょうこうぐん》　長期間にわたって一定の姿勢で、手・腕を反復して過度に使用する労働で発生する職業性の健康障害。一九六〇年代に、キーパンチャー、タイピストなどに多発したのが始まり。自覚症状としては、後頭部・肩・腕・手・指などに、痛み・しびれ・こり・冷え・知覚異常などを感じ、また、目の疲労・頭痛・睡眠障害・情緒不安定なども見られる。

＊横突起　椎骨は原則として、前後に関節で連なるほぼ円柱形をした椎体と、その背中側にあって脊

髄の通る穴（椎孔）を取り囲む弓なりの部分、即ち神経弓（椎弓）とから出来ている。その椎弓から両側へ突き出ているのが横突起である。

三二三

＊キシロカイン〔Xylocaine〕藤沢薬品工業の局所麻酔薬。

＊高島易断ノ暦　明治期の実業家で易学家だった高島嘉右衛門（一八三二―一九一四）の系統を引く高島易断所の暦。

＊先負《せんぶ》　先勝・友引・先負・仏滅・大安・赤口を、六曜星と言い、日の吉凶を見るのに使われる。先負は、静かにしているのがよく、公事・急用は避け、午後は大吉。仏滅は、移転・開店・新規事業の開始などすべて凶。大安は、婚姻・移転・建築・旅行・新規事業の開始などすべてのことによい大吉日。

＊たいら　それぞれの日の吉凶、行うと良いこと・悪いことを教える暦の十二直（建・除・満・平・定・執・破・危・成・納・開・閉）の一つ。十二直は、この順序で一日一日に当て嵌められ、十二日で一巡する。中国で漢代には既に始まっており、日本にも伝わった。たいら（平）は、婚礼・転宅などには吉、種まき・溝掘りなどには凶とされる。

＊オスピタン　田辺製薬の鎮痛剤オピスタン〔Opystan〕の誤り。

＊モヒ　モルヒネの略。アヘンの主成分。麻酔・鎮痛作用と同時に、不安・不快を除き、快感をもたらす作用があるため、中毒になりやすく、麻薬に指定されている。

三二四

＊東坡肉《トンポウニョ》　豚のばら肉の塊をゆでてから油で揚げ、これを厚く切って、醤油・砂糖・八角《はっかく》・山椒などを合わせた汁を注ぎ、強火で肉がとろりとなるまで蒸す。中国宋代の文人・蘇東坡《そとうば》が好んだと言い、日本では卓袱《しっぽく》料理の代表的品目の一つになっている。

＊デリシャス〔delicious（英）〕アメリカ産赤リンゴの一種。大正二年に導入された。

三二五

＊失礼シチャウワネ　病院まで付き添って行くべき所を「失礼します」の意。

＊チャプリンノ『独裁者』　一九四〇年に製作された映画。当時、日本はドイツ・イタリアと三国同盟を締結していたので、ヒトラーを風刺したこの映画は、日本では昭和三十五年十月二十二日からようやく公開された。

三三〇

＊雁来紅《はげいとう》　夏の終りから秋にかけて、葉が美しく着色する熱帯アジア原産のヒユ科の一年草。茎は太く直立して一、二メートルになり、多数の葉をつけるが、花芽分化と同時に枝先の葉が着色する。着色期には、黄色・鮮紅色・淡紅色・紫紅色などの色彩が現われる。花は小さく、葉腋《ようえき》に多数群がって球状に着く。

＊貴船菊《きぶね》　キンポウゲ科の多年草。花が菊に似ており、京都北部の貴船に多かったために名づけられたらしい。秋に咲くので秋明菊《しゅうめいぎく》とも言う。

＊琅玕斎《ろうかんさい》　飯塚琅玕斎（一八九〇―一九五八）。帝展・文展に独創的な竹籠を発表し続け、竹細工の美術工芸化の中心となった名工。芸術院会員。

＊枕花　死者に対する伝統的な作法として、日本では、臨終の直後に、死者の枕元に机を置き、一本線香・一本蠟燭・枕飯・枕団子などのほか、一本花と称して、樒を一本、供えることが多い。ここも死者の枕元に飾る花の意であるが、伝統的な一本花とは違っている。

三三一

＊菅楯彦《すがたてひこ》　（一八七八―一九六三）日本画家。大和絵風の歴史画や、大阪の市井風俗を描いた作品で知られる。鳥取県の出身だが、大阪に住み、「浪華逸民」と称していた。谷崎潤一郎とも、かなり親しくしていた。

＊万葉ノ和歌　『万葉集』第一巻四三（および四巻五一一）の当麻麻呂《たきまのまろ》の妻の歌。意味は、「私の夫は今どこを旅しているだろう、伊賀の国の名張の山を今日あたり越えているのだろう」。「沖つ藻の」は、沖の藻がなびくことから、「名張」に懸かる枕詞。「勢・遊・津・気布・古」は、変体仮名に元の漢字を当てたもの。

＊シングレラン　グレラン製薬の催眠鎮静剤・新グレラン〔Shin-Grelan〕のこと。
＊セデス〔Sedes〕塩野義製薬の鎮痛薬。
三三三 ＊高雄ヤ槇ノ尾　右京区の地名。嵯峨野から北山の方へ少し入った山の中で、清滝川に臨む紅葉の名所。十一月十日前後が見頃。
＊第二こだま　こだまは、昭和三十三年十一月一日から運転を開始した特急。東京・大阪間を初めて六時間五十分で走った。冷暖房付きだった。この頃、東京・大阪間の特急は、つばめとこだまの第一第二で計四往復しかなかった。なお、新幹線の開業は、昭和三十九年十月である。
三三四 ＊丹那《たんな》トンネル　大正七年着工、昭和九年使用開始した、東海道本線熱海—函南《かんなみ》間にある七千八百メートル余りの複線型鉄道トンネル。
三三七 ＊ダスターコート〔duster（米）〕昭和二十九、三十一年に、若者の間で流行した。元は二十世紀初めにオープン・カー用として考えられた塵よけコート。レイン・コートとしても用いられる。
＊的矢《まとや》湾《わん》　三重県東部、志摩半島東部中央にあり、湾内でカキ・ノリ・真珠の養殖が行われている。
三三八 ＊吉田山　京都大学のすぐ東側にある左京区神楽岡町の丘陵。吉田神社の神苑。
＊「キリハタ」　四条富小路の南側に今もある高級ブティック。フランス製など輸入物の洋服・アクセサリー・ハンドバッグ・靴などを扱っていた。
＊高島屋　下京区四条河原町角にあるデパート。三越と並ぶ百貨店の老舗で、天保二年（一八三一）、京都で創業した木綿商に始まる。
＊瓢亭《ひょうてい》　左京区南禅寺草川町三十五にある天保年間（一八三〇—四四）創業の懐石料理店。
＊曼殊院　京都市左京区一乗寺竹ノ内町にある天台宗の門跡寺院。最澄が比叡山に建立したのが始まりと言われるが、その後、移転を繰り返し、現在地に移ったのは明暦二年（一六五六）。
＊嵯峨《さが》ノ吉兆《きっちょう》　右京区嵯峨天竜寺芒《すすき》ノ馬場町五十八の保津川べりにある。料理もサービスも会計も超

一流の懐石料理の料亭・旅館。庭も良い。本店は大阪。

三三九

＊江州《ごうしゅう》商人　近江商人。近江国（現在の滋賀県）から輩出した商人たちを言う。鎌倉時代に始まるが、江戸時代に最も発展し、全国的な行商活動を展開した。彼らの長所は、商機を摑《つか》むことに敏捷《びんしょう》であること、辛苦艱難に耐え、質素倹約に徹したこと、経営方法が合理的だったことにあると言われる。近代日本の有名商社の内にも、近江商人の系譜を引くものが少なくない。谷崎家も、先祖は近江から江戸に出た商人と言う。

＊日本橋ヤ、鎧橋《よろいばし》ヤ、築地橋ヤ、柳橋　日本橋と鎧橋は日本橋川、築地橋は築地一、二丁目と新富町一、二丁目の間の築地川、柳橋は神田川が隅田川に合流する川口に架かる橋である。

＊オ歯黒溝《どぶ》　遊女の逃亡を防ぐために、吉原遊廓の周囲にめぐらされていた堀の俗称。お歯黒のように黒く濁っていたからとも、遊女がお歯黒の汁を捨てたからとも言う。

＊白魚《しらうお》　生きている時は無色半透明で、死後、白くなるので、白魚と言う。体長は十センチ足らず。生きたまま食べたり、すし種・てんぷら・吸物などにして、高級魚として賞味される。江戸時代には隅田川の名産だった。

＊小名木《おなぎ》川　現在も江東区の北部を東西に横断し、隅田川と旧中川を結んでいる運河。徳川家康の命令で作られ、以後、重要な物資輸送ルートとなった。

＊法華寺《ほっけじ》　法華宗（日蓮宗）の寺院という意味で、ここは恐らく慈眼寺を念頭に置いたものであろう。慈眼寺は谷崎家の菩提寺で、明治末期までは小名木川べりの現・江東区猿江二丁目にあった。ただし、その移転先は、豊島区巣鴨五丁目の染井墓地である。

三四〇

＊北多摩郡　大正十二年に多磨墓地が開設された時には、確かに北多摩郡だったが、昭和三十五年には、既に府中市（昭和二十九年市制）と小金井市（昭和三十三年市制）になっていた。

＊市電　京都市の市内電車。明治二十八年に始まる。銀閣寺・錦林車庫を通るものが最も近かったが、

昭和五十三年九月三十日に廃止され、市バスに引き継がれた。

三四一　＊大徳寺　北区紫野大徳寺町にある臨済宗大徳寺派の大本山。元応元年（一三一九）創建。曼殊院から六キロほどだが、ドライブだから車で移動したのである。以下同様。

＊北野　上京区馬喰町にある北野天満宮。天徳三年（九五九）創建。菅原道真を祀《まつ》る。

＊御室《おむろ》　右京区御室大内町にある真言宗御室派大本山仁和寺。仁和四年（八八八）創建。

＊釈迦《しゃか》堂《どう》　右京区嵯峨釈迦堂藤ノ木町の浄土宗清凉寺の通称。長和五年（一〇一六）創建。

三四二　＊川勝《かわかつ》サンノ石造美術ノ本　川勝政太郎著『京都石造美術の研究』（昭和二十三年河原書店刊）のこと。後に出る引用文は、その「図版解説」からのもの。

＊五輪ノ塔　地・水・火・風・空の五元素を五大・五輪と称し、地は台地の方形、水は水滴の円形、火は火炎の三角形、風は放散する半円形、空は穹窿《きゅうりゅう》の宝珠形で表わす。これを下から上へと構成し、塔形にしたのが密教の五輪塔である。平安末期に始まり、鎌倉時代に盛んに作られた。

三四四　＊釈迦堂傍ノ嵯峨豆腐　清凉寺（釈迦堂）の前にある有名な豆腐屋・森嘉《もりか》のことであろう。

＊花見小路　祇園の繁華街。東大路通りの西側を南北に、三条通りから四条通りを越えて、建仁寺に突き当たる通り。特に四条通りから南には、一力を始めとする数多くの茶屋が軒を並べ、都おどりで有名な祇園甲部歌舞練場もある。

三四五　＊S・Y・京映　新京極の映画館。SYは松竹洋画興行部の略。現在は松竹京映。

＊たんくま　河原町四条上ル三筋目東入ルのたん熊本店。名前の由来は、創業者が丹波出身で、熊五郎という名前だった事から。昭和四年創業。板前割烹。

三四六　＊中尊《ちゅうそん》　中央に如来、その左右に菩薩を配する仏像の形式を三尊形式と言うが、その場合の中央の如来を中尊と言う。阿弥陀如来を中尊とする場合を阿弥陀三尊と言い、その場合の脇侍は『観無量寿経』によって、阿弥陀から見て左手に観世音（観音は略称）菩薩、右に勢至菩薩と決められている。

他に釈迦三尊・薬師三尊などがある。なお、如来は仏陀と同義であるが、菩薩は「悟りを目ざす人」の意で、仏陀になる前の段階にいる者を指す。

＊定印弥陀《じょういんみだ》坐像 弥陀は阿弥陀の略称。阿弥陀像は、その手の形（印相《いんぞう》）によって、与願施無畏《せむい》印・転法輪《てんぽうりん》印（説法印）・定印・来迎《らいごう》印の四種に大別できる。定印の像は、腹の前で両手の掌を上に向けて両手指を交差し、左右の人差し指を立てて背中合せにし、その上に左右の親指を置く。坐禅し思惟《しい》する姿である。

＊宝冠 仏像の冠を宝冠と言う。仏身の荘厳具（衣と装身具）としては、如来では袈裟と裙《くん》（裳《も》）、菩薩では天衣《てんえ》・条帛《じょうびゃく》・裳と、宝冠・耳飾・頸飾・胸飾・瓔珞《ようらく》、腕・ひじ・足の飾りなどがみられる。如来より菩薩の方が華美なのは、如来は悟りを開いた釈迦の姿をもとにしているのに対して、菩薩は釈迦の出家以前の姿（シャカ族の王子）が基本にあるので、インドの当時の貴族の姿をしているのである。

＊瓔珞 珠玉や貴金属を編んで、頭・首・胸に掛ける装身具。

＊天衣 菩薩が身に着けている薄物の細長い布。

＊光背《こうはい》 後光・御光とも言い、仏・菩薩の放つ光明を象徴するもので、仏教彫刻や仏教絵画においては必ずこれが表現される。

＊宝瓶《ほうびょう》 左脇侍の観音が、宝冠中に化仏を戴くのに対し、勢至の宝冠中には水瓶の標識がある。観音は阿弥陀の慈悲を、勢至は智慧《ちえ》を表すとされる。

三四八

＊硬砂岩 泥質基質を多く含み、灰色で堅硬な砂岩。

＊拓本《たくほん》 石碑や銅器に刻された文字や図像を、紙の上に直接写し取ったものを言う。拓本を取るには、先ず実物の上に紙（今日では普通に画仙紙）を水張りにし、刷毛《はけ》や布切れで十分に打ち込んで半乾燥状態になるのを待ち、たんぽに墨をつけて文字や図像を叩き出す。

＊来迎　念仏行者が臨終を迎えると、極楽浄土から阿弥陀仏が諸菩薩と共に雲に乗って迎えに来ることを言う。
＊結跏趺坐《けっかふざ》　仏教において最も基本的な座り方。右足を左腿《もも》の上に、左足を右腿の上に載せて交差させ、両手は掌をあお向けに重ねて、足の交差部の上に置く姿である。

三五一
＊河原町二条東入ル筆墨商竹翠軒《ちくすいけん》　同所に今もある香雪軒《こうせつけん》がモデル。谷崎潤一郎は、第二次大戦後、京都に住み、この店をよく利用していた。
＊桑野鉄城　桑名鉄城（一八六四—一九三八）のこと。中国で篆刻《てんこく》家・呉昌碩《ごしょうせき》らの新風を学び、京都における新風の大家となった篆刻家。
＊端渓《たんけい》ノ硯《すずり》　端渓は中国広東省肇慶《ちょうけい》市南東の硯石の産地。輝緑凝灰岩の極めて良質の硯材を産出する。唐代の末からその名を知られ、宋代以後は、文房具の最高品として、文人墨客に珍重された。
＊白唐紙《はくとうし》　竹を原料としてすいた画仙紙を指す。もとは中国からの輸入品であったが、昭和二十年代の後半から、木材パルプ等を主原料とした国産品が多く出回るようになった。

三五二
＊鄭板橋《ていはんきょう》（一六九三—一七六五）中国清朝の書画家・詩人。名は燮《しょう》、板橋は号。

三五四
＊宇治ノ平等院《びょうどういん》　宇治市宇治蓮華町にある。永承七年（一〇五二）創建。
＊東大寺　奈良市雑司町にある華厳宗総本山。創建は天平十九年（七四七）以前。
＊新薬師寺　奈良市高畑町福井にある華厳宗別格本山。天平十九年（七四七）創建と伝えられる。
＊西ノ京　奈良市街の西方、西の京町とその周辺を言う。
＊法華寺《ほっけじ》　奈良市法華寺町にある真言律宗の尼寺。天平十三年（七四一）創建。
＊薬師寺　奈良市西の京町にある法相宗大本山。養老二年（七一八）創建。
＊いづうノ鱧《はも》ノ鮨《すし》　いづうは祇園切通し四条上ルにある。創業天保五年（一八三四）。鯖《さば》鮨で有名だが、夏は鱧鮨も作る。

三五五　＊奈良ホテル　奈良公園内東南角、奈良市高畑町の荒池のほとりにある。創業明治四十二年。

＊蕨餅《わらびもち》　わらび粉で作り、黒蜜と黄粉《きなこ》をまぶして食べる。奈良公園一帯の茶店などで売られている。

＊仏足石《ぶっそくせき》　初期のインド仏教においては、釈迦の姿形を像に造ることは畏《おそ》れ多いこととされ、西暦一世紀頃までその造像は行われなかった。その代わりに、釈迦を象徴する図像として用いられたものの一つが、釈迦の足跡を刻んだとされる仏足石である。日本では、天平勝宝五年（七五三）に奈良の薬師寺に造られたものが、現存する最古の作例である。これは、唐の王玄策がインドの鹿野苑《ろくやおん》にあった仏足石を写して長安に持ち帰ったものを、さらに模写したものである。

＊仏様ガ歩行スル時ハ……七日間危害ヲ蒙《こう》ムラナイ　仏教経典の一つ『分別功徳論』第二の一節。なお、「千輻輪《せんぷくりん》」は、仏の身に備わるという三十二相の一つ。仏の足の裏にある千の輻《や》（車軸から放射状に出ている棒）のある車輪形の紋様。衆生を憐れみ、怒り・貪り・愚かさを除き去らしめる徳を表わす。

三六四　＊イエーガー　〔jaeger（英）〕　純毛の織物の一種。考案者の名前から、こう呼ばれる。

＊伊丹《いたみ》　兵庫県南東部にあり、大阪府豊中市に隣接する大阪の衛星都市。豊中市との境にある通称伊丹空港は、昭和十二年に建設され、三十四年に第一種空港に指定、大阪国際空港と改称された。平成六年、関西空港の開港に伴い、伊丹空港は国内線専用空港となった。

三六七　＊アトラキシン　〔Atraxin〕　第一製薬から発売された精神神経安定剤。不安・緊張を軽減する薬。

三六八　＊鳩山サン　鳩山一郎（一八八三―一九五九）のこと。大正五年、衆議院議員に初当選し、昭和六年に文部大臣に就任。戦後、公職追放に逢い、追放解除直前の昭和二十六年に脳溢血で倒れ、半身不随となった。しかし、二十九年末から総理大臣に就任。三十一年十月、病体を引きずって自らソ連を訪問、日ソ国交回復を実現した後、自ら辞職した。

三七一　＊不整　不整脈。心臓の打ち方や脈拍の周期の乱れを指す。精神的興奮・不安・運動・食事・発熱・

疼痛といった生理的な原因のほか、種々の心疾患・貧血・失血・甲状腺機能亢進症などによっても起こる。

＊結滞　不整脈の一種。心臓が規則正しい調律で収縮を繰り返している時、次に予測される収縮より早期に短い間隔で起こる収縮（これを期外収縮と言う）などが原因で、脈が跳ぶこと。

＊心悸《しんき》亢進《こうしん》　心臓の拍動が異常に強く速くなっている状態。原因としては、運動・精神的緊張・発熱・嗜好品や薬物・心臓病や呼吸器病などがある。

三七二　＊コントミン〔Contomin〕吉富製薬の鎮静・催眠剤。興奮状態の改善にも用いられる。

＊チアノーゼ〔Zyanose（独）〕皮膚や粘膜が暗紫色となった状態を言う。皮膚や粘膜の毛細血管内に、酸素と結合していないヘモグロビン量が、血液百ミリリットル当り五グラムを超えた場合に出現する。

＊咳嗽《がいそう》　咳のこと。医学用語。

三七三　＊サリドン〔Saridon〕スイスのロシュ社の解熱鎮痛剤。

＊ソルベン〔Solven〕小野薬品工業の便秘用緩下《かんげ》剤《ざい》。強力ソルベン錠。

三七四　＊心電図　心臓の活動電位の時間的変化をグラフに記録したもの。心臓を構成する個々の筋細胞の興奮により活動電流が発生するが、それを空間的・時間的に合成された電位変化として体表面に貼布した電極により導出した波形であり、心周期に一致した特有の波形様式が得られる。それぞれの波には万国共通の名称ＰＱＲＳＴがつけられている。Ｐ波は心房の興奮に、ＱＲＳＴ波は心室の興奮に由来するため、波形の変化（形や大きさ）、位相のずれ、各波の出現の有無および各波相互の関係から、心臓の活動状態を推測する手掛りが得られる。ＳＴが上昇または下降すると、心室筋の一部に興奮性の異常（心筋梗塞など）のあることが推定される。Ｔ波は心室興奮の回復過程により生じ、その経過は〇・一六秒である。心臓の冠状動脈に障害があって、一部の心筋への酸素供給が足

三七五

りないと、T波の平坦化や波形の逆転が起こる。

＊胸部誘導　胸部に貼布した電極により導出した波形のこと。

＊前壁中隔梗塞　心筋梗塞は心臓のあらゆる部分に起こりうるが、左心室壁に起こるものが最も多く重要なので、左心室壁のどの部分が壊死に陥ったかによって、それぞれの部位別に前壁梗塞・前壁中隔梗塞・広範囲前壁梗塞・側壁梗塞・下壁梗塞・後壁梗塞などと呼ぶ。

＊パパベリン〔Papaverine〕内臓平滑筋・心筋の異常な収縮・痙攣《けいれん》をゆるめ、痙攣による内臓痛を除く薬物。薬効成分は塩酸パパベリン。多数の薬品会社から発売されている。

＊黄疸《おうだん》　胆汁色素ビリルビンが、血液および組織中に増加した状態を意味し、臨床的には血清・皮膚・粘膜が黄色に染まる状態を言う。肝臓の疾患や、胆道の閉塞、体内で赤血球が一度に大量に壊れた時、などに起こる。

＊静脈怒張　静脈が鬱血して膨《ふく》れ上がること。患者の頸静脈・肝臓・脾臓などが鬱血して腫《は》れ上がり、顔面四肢体幹などに水腫が現われている場合には、心臓の右半分（右心房・右心室）の障害が疑われる。ただし、一般に心不全は先ず左心房・左心室から始まり、その結果としては、肺組織に鬱血・水腫が生じ、肺を聴診すると小水泡性のラッセル音が聴取できる。卯木督助は左心不全の状態にあり、右心不全はまだ起こっていないと診断できる。

＊ラッセル音　ラッセル〔Rasseln（独）〕は、「がらがら音を立てる」の意味で、呼吸器（肺や気管支）が病的な状態の時にだけ発生する雑音のこと。「湿性ラッセル音」は、気管支内に蓄積した分泌物・粘液・膿《うみ》・血液などの中を空気が振動しつつ通過する時に小さな気泡が出来、それが破れる際に出るブツブツ・バリバリなどという雑音のこと。

＊大動脈弁口　心臓の左心室から全身に血液を送り出す大動脈弁の開口部。

＊収縮期性雑音　心臓が収縮する時に発生する心雑音。

＊肝、脾を触れず　肝臓・脾臓は腫れていないということ。ただし、腫れていないからと言って、そのまま異常なしという診断になる訳ではない。

＊粗大力減弱　手足を曲げ伸ばす力が弱まることを言う。卒中などでは、手足に力が入らなくなることがあるので、かく言う。

＊異常反射　正常時には現われない反射で、病気の診断に用いられる。バビンスキー反射など。三九六頁の「対光反射」、三九七頁の「バビンスキー反射」の注を参照。

＊膝蓋腱《しつがいけん》反射　膝の下を叩いた時に、大腿四頭筋が反射的に収縮して膝関節が伸びる反射を言う。この反射の中枢は、第二～四腰髄にある。脊髄癆《せきずいろう》・脊髄前角炎・多発性神経炎・脚気などで反射弓のどこかが障害されると、この反射は減弱・消失するため、これら疾患の検査に利用される。一方、脳出血や反射中枢より上位の脊髄疾患などで上位中枢からの抑制性の影響が弱まると、この反射は亢進する。

三七六

＊イスチチン　下剤は作用の強さから緩下剤と峻下剤《しゅんげざい》に、作用部位から小腸性下剤と大腸性下剤に分けられる。小腸性下剤は服用二、三時間後に排便が起こるが、栄養不良を起こしやすい。大腸性下剤は、作用発現までに時間がかかるが、栄養障害を起こさないので、常習の便秘に用いられる。イスチチンは、大腸性の緩下剤である。

＊ニトログリセリン〔Nitroglycerine〕　ダイナマイトの原料となる爆薬であるが、人体に吸収されると血管を膨張させるので、血管拡張剤（血圧降下剤）・狭心症特効薬の成分として用いられている。日本化薬から発売されている。

＊心臓肥大　心臓の壁、特に心室の壁の心筋が肥大して厚くなることを言う。心臓の肥大は主として、血流量の増加または血圧の上昇による心臓の負荷の増大によって起こる。心臓弁膜症・先天性心疾患などの心臓病のほか、高血圧・貧血・甲状腺機能亢進症・呼吸器疾患などに際して見られ、運動

選手などでは、運動による過負荷によって起こる。

＊血沈促進　血沈は、血漿《けつしよう》中に浮遊している赤血球が沈降する速度を測定することにより、病気の有無や病勢を判断する臨床検査法。血沈の速度が通常より速い場合を血沈促進（或いは血沈亢進）と言う。血沈促進は、急性感染症・慢性感染症（結核など）・膠原《こうげん》病（慢性関節リウマチなど）・急性肝炎その他の炎症性疾患や、大きな外傷・心筋梗塞・癌《がん》など組織破壊を伴う疾患、ネフローゼ、高度の貧血などで認められる。

＊白血球増多　白血球は血液中にあり、体内に侵入した病原微生物や異物を食べる。炎症などが起こると、骨髄からの白血球の供給が増え、血液中の白血球が増加する。

＊S・GOT値　Sは血清〔serum（英）〕、GOTは、グルタミン酸オキサロ酢酸トランスアミナーゼ〔glutamic oxaloacetic transaminase（英）〕の略。肝臓疾患や心筋梗塞の診断のために、血清中の活性が測定される。

＊蛋白　発熱時や激しい運動後、精神的ストレスのある時、また腎炎やネフローゼなど腎臓疾患のある時には、尿中のタンパク質量が増加することがある。

三七七

＊心窩部《しんかぶ》　胸の中央の、肋骨が無く凹んだ部分。鳩尾《みぞおち》のこと。

＊冠拡張剤　心臓の冠状動脈を拡張させる薬剤。狭心症・心筋梗塞の治療に用いられる。ニトログリセリン・硝酸イソリルビッド・亜硝酸アミルなど、硝酸ないし亜硝酸化合物、カルシウム拮抗薬が代表的。

＊糖尿病　血中グルコース（ブドウ糖）濃度を降下させる唯一のホルモンであるインシュリンの分泌不足・作用不全に基づく代謝異常を言う。正常ではグルコースが尿中に排出されることは殆《ほとん》どないが、糖尿病では血糖値が高くなるため、尿中に相当量のグルコースが排出されるようになる。これが糖尿という病名の由来である。正常人に百グラムのグルコースを早朝空腹時に経口摂取させると

（これをブドウ糖経口負荷試験と言う）、食後三時間までに、脳・赤血球などに二十五グラム、肝臓に六十グラム、筋肉や脂肪組織に十五グラムが受け取られる。この際の血糖値の経時的変化を示す曲線を糖忍容力曲線と呼ぶが、糖尿病では正常人よりインシュリン分泌が低くなっているので、グルコースは組織内に取り込まれずに血中に残存し、血糖値が高めになる。

三七八　＊ベクトル心電図　通常の心電図に対して、その波形の積分ベクトルをブラウン管上に映し、時間的経過の軌跡を求めて、興奮伝導の異常などを検出するものを言う。

＊血清ワ氏反応　一九〇六年、ドイツのワッサーマンによって考案された血清を用いた梅毒感染の検査法。血清とは、血液中から血球とフィブリノーゲンなどの血液凝固因子を除いた黄色透明な液体を言う。血清は凝固しないので、各種の検査に用いられる。ワッサーマンの方法は、梅毒の病原体を血清に加えると、梅毒感染者でだけ免疫反応が起きる事を利用したもの。なお、梅毒はかつて猛威を振るった性病で、売春婦などとの性交によって感染する。感染から十年以上経ってから、脳や中枢神経を侵したり、循環器系を侵して、大動脈弁閉鎖不全・胸部大動脈炎・胸部大動脈瘤などを引き起こすことがある。この場合は、卯木督助が過去に遊んだことがあるため、検査したが、感染していなかった（陰性）ということである。

三七九　＊アイロン台　アイロンをかけるための台だが、それを腰当てとして代用したもの。

三八一　＊大唐西域記《だいとうさいいきき》　中国唐代の六二九年から六四五年にかけて、仏教教学研究と仏跡巡礼のため、西域インドを巡歴した玄奘《げんじょう》が、遊歴・伝聞した一三八国（付記一六国）の地理・制度・風俗・産業・仏教の状況や伝説などを、皇帝の勅命によって編述したもの。摩掲陀国《まかだこく》は、中インドにあった国で、仏教の発祥地。摩掲陀国の仏足石については、『大唐西域記』第八巻の摩掲陀国華氏城の条に記述されている。

細江　光

解説

山本健吉

一

『鍵』の第一回は、昭和三十一年一月の『中央公論』誌上に掲載された。その後、三カ月中絶して、第二回は同誌五月号に、第一回分を再録併載して発表され、以後十二月号まで一回も休まず、第九回をもって完結した。

『鍵』はその第一回が雑誌に発表されたときから、その大胆な性の叙述が大きな反響を呼んだ。議会でさえ問題とされ、谷崎氏は執筆途上に聞えてくる俗論の渦に、大いに悩まされた。だが、私に言わせれば、この小説は露骨な描写を問題とするには、あまりにも具象性に欠けた、抽象的な小説なのである。

第一ここには、生きた具象的な人間は、ただ一人も書かれていない。ここには四人の男女が登場する。そのうち、主人公と木村とは、京都のある大学教授と書かれているが、彼等の教授らしい言動が、ただの一つでも書いてあるわけではない。もちろん、書けなかったのでなく、書こうとしなかったのだし、書く必要もなかったのである。

主人公の妻であるヒロインの郁子《いくこ》も、娘の敏子《としこ》も、同様である。彼等の心の生活は、すべて捨象《しゃしょう》されている。四人とも陰険な性格と書かれている程度で、彼等がいささかでも心の動きを見せるのは、それが性の欲求にもとづくかぎりにおいてである。そして、その一点を拡大するために、他のすべての感情も知性も、切り棄てられてしまった。強いて類比を言えば、乳房や臀部《でんぶ》や性器だけをむやみと拡大して表現した縄文土偶《じょうもんどぐう》のごときものであろうか。

この小説には、五十六歳の夫と四十五歳の妻との日記が交互に現われ、組合されている。それは表向きは秘密の日記で、その隠しどころに二人とも苦心を払っているのであるが、それが相手に読まれることを始めから考慮に入れ、しかも読んだということをいささかもそぶりに出さないことを期待している。そして書いて行くうちに、それは読まれることを望むようになり、自分の欲求の暗黙のうちの伝達方法となり、また相手の欲求を自分の望むように目覚ませるための手段となる。さらにそれは、相手をあざむくための手段となり、相手を破滅させるたくらみがこの手紙のなかに仕組まれるに至る。

愚かしい、あるいは陰険な権謀術数が、この日記によって戦わされるのだが、それは彼等の心の動きによるものでなく、彼等の性の欲求によっている。彼等は自分の感情も思想も、それに係わりのあるすべての生活も、すべて作者に預けてしまって、その抽象化された性本能を主軸として動かねばならない。完全に自分の性本能の傀儡《かいらい》と化すという、抽象的な役割が、彼等には課せられているのである。

二

五十六歳の夫は、体力も性的な欲求もめっきり衰えながら、観念的にはいよいよ旺盛《おうせい》になっていて、彼は最後の余力を振りしぼってその観念的欲求に仕えようとする。そして如何《いか》なる条件も、自分の死の恐怖も、それを制禦《せいぎょ》する力とはならない。滑稽《こっけい》と言えば滑稽だが、厳粛でもある。

「ソノ時僕ハ第四次元ノ世界ニ突入シタト云ウ気ガシタ。忽《たちま》チ高イ高イ所、忉利天《とうりてん》ノ頂辺ニ登ッタノカモ知レナイト思ッタ。過去ハスベテ幻影デココニ真実ノ存在ガアリ、僕ト妻トガタダ二人ココニ立ッテ相擁シテイル。………自分ハ今死ヌカモ知レナイガ刹那《せつな》ガ永遠デアルノヲ感ジタ。………」過去におけるもっとも厳粛な哲学的思索といえども、彼が性の陶酔という方法で到達したこの永遠の瞬間の追求であったという点で、変るものではない。

夫は妻の肉体を何物にも代えがたいものと思っている。四十五歳の妻は、いまや淫慾《いんよく》旺盛な、女の肉体の成熟の頂点と言うべきであるが、女らしい身嗜《みだしな》みで身をよろっているので、夫は妻の肉体から十分の性的満足を受取ることができない。そこで彼は、木村という若い男を妻の肉体に極限まで近づかせるようにし、その嫉妬《しっと》の刺激で自分の衰えた欲求をふるい立たせ、さらにまた、妻の豊満な肉体のうちに眠っていた性的に未開発だった欲求に目覚めさせようとする。そのたくらみは、十分に成功したように見えたし、彼は近来とみに血圧が高くなったことを忠告する医者の言葉を聞き流し、陶酔を求めて極限にまで行く。
だが、その夫の意図には大きな誤算があった。性的に目覚めさせられた妻は、夫の貧弱極《きわ》まる肉体を、若くたくましい木村の肉体の魅力と比較することで、はなはだしい嫌悪感《けんおかん》を抱《いだ》くようになる。木村との関係も、夫がひそかに希望したすれすれの限界に止《とど》まることができず、彼の言う「オーソドックス」な肉体関係にまで行く。木村による性的な欲求の開発と肉体の訓練とは、逆に夫をますます妻の肉体の魅力に溺《おぼ》れさせることになるが、それは妻の夫への殺意によるさそいの手であった。彼は妻の肉体の上で卒中を起し、さらに二度目の卒中で死んでしまうのである。

小説とは元来、自由意志の劇であり、主人公は自分の破滅すらも、自分の自由な意志によってあえて選び取るものとすれば、この『鍵』においても、主人公がみずから好んで自分の破滅に飛びこんでいる点で、それは自由意志の劇だと言えるかも知れない。だが『鍵』の主人公は、性的欲望以外のあらゆる人間的な属性を捨象した抽象的人物なのだから、そこには実は本能的欲求だけがあって、人間の意志はないのである。するとこの小説は、自由意志の悲劇ではなく、そのパロディとしての、性的欲望の喜劇なのである。このこと自身が不毛であり、破滅であるという判断を超《こ》えて、あえて窮極にまで突き進む欲望のどうにもならぬ狂暴さが、ここでは戯画化されている。それを不毛なものとして描き出しながら、その不毛なものにかかわらざるをえない人間の業《ごう》の深さを、作者は嚙《か》みしめているのだとも言えよう。性だけを純粋に抽出して描き出すという手のこんだ方法を試みることで、奇々怪々な性の本態の背後に、人間の生と死についての洞察《どうさつ》をにじみ出させる。

それは、作者が老境において達した人間認識の一端である。そこでは人間の性愛と死とが、不可分の主題としてないまじっている。それは源氏物語においては響いていた主調低音であるが、『細雪《ささめゆき》』においては聞くことのできなかったものである。そしてそれは、次の『瘋癲《ふうてん》老人日記』において、いっそう深められているのを見ることができるだろう。

三

『瘋癲老人日記』は、昭和三十六年十一月号から翌年五月号に至る『中央公論』誌上に掲載された。『鍵』に較《くら》べると、はるかに構成は単純である。全体を通して、卯木《うつぎ》督助《とくすけ》という七十七歳の老人の日記で通し、彼が執筆不能になった最後の部分は、看護婦の佐々木、医師の勝海《かつみ》、娘の五子《いつこ》の手記が書き抜いてある。だが督助の日記は、『鍵』の主人公夫妻の日記のような、自分の備忘録であり、告白であるとともに、相手（妻または夫）にひそかに読まれることを期待し、それによって相手をたぶらかすという効果を目指しているものではない。それは嘘《うそ》もたくらみもない日記であり、心の記録であって、誰かに読まれることを願ってはいないのである。

督助のような老病者が、看護婦づきの病床生活を送りながら、こんな詳しい日記を書きつづけるという表現意欲を保持している理由は、実は分らない。看護婦の佐々木は、血圧が上るのを怖《おそ》れて、執筆を止めようとするのだが、督助はやめない。やめたらこの小説が成立しないのである。督助が日記を書くための肉体的、精神的に困難な条件は、一応ここでは棚上げすることで、つまり一応の不合理、一点の無理を許容することで、この日記体小説は成立している。

七十七歳の督助は、たとえば、永井荷風の書と漢詩はさして巧《たく》みではないけれども、彼の小説は自分の愛読書だ、というような、芸術批評の一見識を持っている。あるいはまた、勘《かん》弥《や》の助六《すけろく》は感心しないが、訥升《とっしょう》の揚巻《あげまき》は十分感心したとか、団子(今の猿之助《えんのすけ》)の治兵衛《じへえ》は緊張し過ぎてこちこちであり、訥升の小春は綺麗《きれい》だが揚巻ほどでないとか、演劇にも一家言を持っている。相当以上に洗練された教養と趣味との持主であることが、これらによってほのめかされるのであって、その精神生活の面が全然切り捨てられている『鍵』の主人公とは、その点でまず同じではない。

だが、『鍵』の主人公よりも二十歳以上も老人であり、まったく性的不能に陥っていながら、観念的にはいよいよ好色の本性を発揮し、いよいよ野放図にその観念的欲求に奉仕する。足腰も満足に立たず、手も満足に動かないのに、性に関して観念だけは実に生き生きと動くその見事さ。

生きているという知覚は、もっぱら食欲の楽しみと性欲的楽しみとに依存している。食欲の楽しみは、浜作《はまさく》へ行って鱧《はも》の梅肉《ばいにく》と附焼を食い、晒《さら》し鯨《くじら》の白味噌《しろみそ》和《あ》えを食い、鯛《たい》の薄づくりを食い、京都のいづうの鱧ずしを食って、具体的に満足せしめることができる。性欲的楽しみはもはや不能である以上、単刀直入には行かず、観念的に紆余曲折《うよきよくせつ》の道を取ってあやうく満たされる。

その欲求は不能であることと、身近かに迫ってくる死を意識することとで、若い健康体における それの数倍の熾烈《しれつ》さで燃え上るようである。それはつねに渇《う》えた者の欲求であり、不毛の欲求であり、飽満せしめられることがない。そのために、その欲求ははなはだしく奇怪な形を取り、狂気じみ、まさに「瘋癲老人」の名を恥ずかしめない。嫁の颯子《さつこ》という若く美しい肉体を得て、彼の欲望がどのように狂おしくはためくか、それがこの小説で仔細《しさい》にたどられている。それをここで繰り返し述べる必要はない。

だが、一つ言って置きたいのは、その嫁の肉体への欲求が、母の回想にうち重ねられて現われてくることである。ほとんど性的とも言ってよい母への思慕は、谷崎氏の小説では、早く『母を恋うる記』に現われ、中ごろ『吉野葛《くず》』に描かれ、終りに近く『夢の浮橋』に記されている。しかもここでは、母への思慕が、その素足の美しさに対するフェティシズムとして描かれているのだ。

素足に吾妻《あずま》下駄を穿《は》いている母の姿が夢に現われ、母だけが若い日の姿をしていて、彼は現在の老人のままであり、それでいて彼は自分を幼童だと思い、母を母だと思っている。谷崎氏自身の経験がそのまま写されたような迫真力がそこに漾《ただよ》っている。督助は、奈良の三月堂の不空羂索観世音菩薩《ふくうけんじやくかんぜおんぼさつ》の足を見ると、いつも母の足を思い出すという。幅広で、平べったいのである。それに反して颯子の足は、柳鰈《やなぎがれい》のように華奢《きやしや》で細長い。彼は薬師寺の仏足石《ぶつそくせき》に倣《なら》って、彼女の足型を石に彫って、それを墓石として、その下に永遠の眠りを眠るという、奇想天外のことを思いつき、老いたる病者とは思えぬ執拗《しつよう》さで彼女の足の拓本《たくほん》を作ろうと計画し、実行する。そして、死後土中に骨となって、彼女に踏まれ、彼女の全身の重みを感じ、痛さを感じ、足の裏の肌理《きめ》のつるつるした滑らかさを感じ、泣きながら、「痛い、痛い」と叫び、「痛いけれど楽しい」と叫び、「もっと踏んでくれ」と叫ぶマゾヒズム的快感を、如実に想像をたくましくしているところは、奇怪の極致であり、この小説の圧巻だろう。

しかも彼は、この小説の最後まで、気息奄々《きそくえんえん》として死なず、颯子の要求によるプール工事が始まっているのを知り、ベッドの中でほしいままな空想を頭に浮べて楽しんでいる。『鍵』が性的欲望の悲劇なら、これは喜劇である。そして、どちらが本当に切実かと言えば、それは喜劇の方なのである。それが性的欲望の劇のアイロニイである。

（昭和四十三年十月、評論家）

表記について

新潮文庫の文字表記については、原文を尊重するという見地に立ち、次のように方針を定めました。

一、旧仮名づかいで書かれた口語文の作品は、新仮名づかいに改める。
二、文語文の作品は旧仮名づかいのままとする。
三、旧字体で書かれているものは、原則として新字体に改める。
四、難読と思われる語には振仮名をつける。
五、漢字表記の代名詞・副詞・接続詞等のうち、特定の語については仮名に改める。

本書で仮名に改めた語は次のようなものです。

斯ク→カク　且→カツ　此ノ→コノ
嘸ゾ→サゾ　流石→サスガ　而モ→シカモ
…知ラ→…シラ　詰マラナイ→ツマラナイ　兎(ニ)角→ト(ニ)カク
成ルベク→ナルベク　迄→マデ　矢鱈→ヤタラ

鍵《かぎ》・瘋《ふう》癲《てん》老《ろう》人《じん》日記《にっき》

新潮文庫　た-1-12

昭和四十三年十月二十五日　発　行
平成十三年六月二十日　四十四刷改版
令和七年四月十五日　五十九刷

著　者　谷《たに》崎《ざき》潤《じゅん》一《いち》郎《ろう》

発行者　佐藤隆信

発行所　株式会社　新潮社

郵便番号　一六二―八七一一
東京都新宿区矢来町七一
電話　編集部(〇三)三二六六―五四四〇
　　　読者係(〇三)三二六六―五一一一
https://www.shinchosha.co.jp

価格はカバーに表示してあります。

乱丁・落丁本は、ご面倒ですが小社読者係宛ご送付ください。送料小社負担にてお取替えいたします。

印刷・錦明印刷株式会社　製本・株式会社植木製本所

Printed in Japan

ISBN978-4-10-100515-7 C0193